D0317817

TEMPS DE CHIEN
SUR LA VILLE

DU MÊME AUTEUR

L'Irréductible, Flammarion, 1991
L'Intrus, Le Rocher, 1997, et Pocket, 2002
Casino Moon, Série Noire / Gallimard, 1998

PETER BLAUNER

TEMPS DE CHIEN SUR LA VILLE

Traduit de l'américain
par Philippe Rouard

belfond
12, avenue d'Italie
75013 Paris

Titre original .
MAN OF THE HOUR.

Publié par Little, Brown and Company, New York.

Les personnages et les événements de ce roman sont fictifs. Toute ressemblance avec des personnes réelles, vivantes ou mortes, serait pure coïncidence et involontaire.

Si vous souhaitez recevoir notre catalogue
et être tenu au courant de nos publications,
envoyez vos nom et adresse, en citant ce livre,
aux Éditions Belfond,
12, avenue d'Italie, 75013 Paris.
Et, pour le Canada,
à Vivendi Universal Publishing Services,
1050, bd René-Lévesque-Est,
Bureau 100,
Montréal, Québec, H2L 2L6.

ISBN : 2-7144-3723-0

À ma belle et talentueuse femme, Peggy

Malheur à celui qui cherche à verser de l'huile sur les eaux que Dieu a soulevées en tempête ! Malheur à celui qui cherche à apaiser plutôt qu'à consentir ! Malheur à celui qui accorde plus d'importance à sa réputation qu'au don de soi !

Herman MELVILLE

Prologue

Les élèves se retirèrent de la salle de classe comme une marée du rivage, ne laissant qu'un seul garçon échoué sur une chaise dans le fond.

Il regarda la pendule, regarda par terre, regarda par la fenêtre les ruines du parc d'attractions, de l'autre côté de la promenade de Coney Island. Tout pour éviter l'œil attentif de son professeur, M. Fitzgerald, qui l'observait, assis derrière son bureau.

« Sais-tu pourquoi je t'ai demandé de rester, Nasser ? »

Le garçon haussa les épaules en prenant soin de détourner les yeux. Âgé de dix-huit ans, il savait déjà opposer une certaine résistance.

« J'ai lu la copie que tu m'as remise, poursuivit le professeur en soulevant une feuille couverte recto verso d'une grande écriture rouge.

— Très bien, alors, marmonna Nasser, qui parlait en roulant légèrement les r.

— Tu as écrit trente-cinq fois : *Je hais l'Amérique.* »

Le garçon eut un sourire qu'il réprima aussitôt.

« Amérique s'écrit avec un seul m, vois-tu. » Le professeur gagna le fond de la classe et, prenant place à côté de son élève, lui montra la faute d'orthographe. Même assis, il dominait le jeune homme.

« *Ya habila*, dit celui-ci. *Kouse mek.*

— D'accord, répondit Fitzgerald, comprenant l'esprit à défaut de la lettre. Écoute, je conçois qu'on soit révolté quand on est jeune. Je l'ai été moi-même mais, puisque tu fréquentes le lycée, autant essayer d'en profiter. »

Pour toute réponse, le garçon se mit à chantonner à voix basse.

« Tu sais, il y a des moyens plus éloquents pour traduire sa colère. » Le professeur sortit de sa poche une mince brochure, et se mit à lire à voix haute *Howl* d'Allen Ginsberg. « J'ai vu les plus grands esprits de ma génération détruits par la folie... »

Il se servait de ce poème comme d'un dernier recours pour accrocher des gosses qu'il ne pouvait atteindre autrement. Ginsberg avait cette capacité de provoquer leur enthousiasme ou de faire naître en eux horreur et répulsion. Mais, d'une façon ou d'une autre, le poète de la Beat generation ne les laissait jamais indifférents.

Fitzgerald poursuivit sa lecture, tandis qu'à côté de lui Nasser se balançait doucement sur sa chaise. Mais, lorsqu'il parvint à cette strophe où des « jeunes gens à gueule d'ange » voient « des anges d'Islam titubant illuminés sur les toits des taudis », le garçon plaqua ses mains sur les oreilles et ferma les yeux.

« Arrêtez ! cria-t-il. C'est un blasphème !

— D'accord, d'accord. » Le professeur referma l'opuscule, prenant conscience qu'il était allé trop loin. Il évitait toujours les vers les plus violents de *Howl* mais, ceux-là, il les avait oubliés. « On n'est pas obligé de tout lire », déclara-t-il tout en espérant ne pas avoir perdu le garçon.

Nasser abaissa lentement les mains et, pour la première fois, regarda le professeur. « Pourquoi on laisse quelqu'un écrire des horreurs pareilles ? lança-t-il d'une voix blessée.

— J'essaie juste de te montrer que tu n'es pas seul. Tu n'es pas obligé de courir partout comme un cri à la recherche d'une bouche, tu comprends ? Il y a mille autres façons de faire. »

Ces paroles parurent, le temps d'une brève seconde, retenir l'attention de Nasser. Une lueur passa dans ses yeux et il se tourna légèrement vers son interlocuteur. Va-t-il s'ouvrir ? se demanda Fitzgerald en se penchant en avant. Mais soudain le garçon se figea, comme s'il avait atteint une limite et ne pouvait aller plus loin.

« Vous ne pouvez pas comprendre, affirma-t-il. Même au bout d'un million d'années, vous ne pourriez pas. »

Fitzgerald fit une dernière tentative. « Écoute, tu es un garçon intelligent et sensible. Mais manifestement tu n'es pas heureux, ici. Et tu te butes, tu te fermes complètement. Dis-moi comment pénétrer dans ta tête ?

— Je ne veux pas de vous dans ma tête !

— Très bien. Alors, dis-moi comment t'aider ? »

Mais il sentait le jeune homme lui échapper. On ne savait jamais ce que ces gosses apportaient avec eux en classe. Certains venaient tout droit de zones de guerre ou de centres de détention. D'autres étaient de purs asociaux.

« Laissez-moi tranquille, répondit Nasser en faisant pivoter sa chaise de l'autre côté.

— D'accord. » Le professeur eut envie de poser sa main sur l'épaule du garçon, mais il s'abstint de le faire. « Je ne peux pas accepter d'aussi mauvais résultats, Nasser. Si tu le désirais, je t'aiderais après les cours, même pour te présenter au bac. Après, tu pourrais passer le reste de ta vie à haïr les États-Unis d'Amérique, ce ne serait plus mon problème. » Mais ces paroles ne provoquèrent même pas l'ombre d'un sourire sur le visage du garçon. « Allons, on n'est pas encore en guerre, non ? »

Nasser eut un frisson à ces dernières paroles, puis il se leva et sortit de la salle sans un regard en arrière.

1

À minuit, Church Avenue dans Brooklyn était déserte. Une antique Chevy passa dans un raclement de pot d'échappement qui résonna comme la dégringolade de cent boîtes de conserve au fond d'un canyon. Les lampadaires au sodium éclairaient la grille rouillée d'un débit de boissons alcoolisées, d'une boutique de manucure et d'un magasin spécialisé dans les perruques garanties « 100 pour 100 cheveux humains ». Seul un comptoir de prêteur sur gages était encore ouvert, avec son néon bleu et le dollar géant qui décorait sa vitrine.

De l'autre côté de la rue, deux hommes assis à l'avant d'une Plymouth rouge cabossée surveillaient avec attention ce dernier commerce.

« *Eyne hoe*, dit celui derrière le volant, un grand gaillard au crâne oblong et chauve, la barbe broussailleuse et grise, le nez chaussé de lunettes noires d'aviateur. Qu'est-ce qu'il fout, ce mec ? Je commence à avoir des fourmis dans les jambes.

— C'est comme ça qu'on dit, ici ? demanda Nasser, près de lui.

— Oui, quand on en a marre d'attendre », répondit l'autre en arabe.

Ils ressemblaient au père et au fils, ainsi côte à côte. Youssef était musculeux, mais enclin à grossir. Une longue cicatrice rougeâtre barrait sa gorge entre les revers de sa chemise, dont les pans dissimulaient le revolver glissé à sa ceinture. Nasser, maintenant âgé de vingt-deux ans, était maigre et tendu, avec des yeux marron, une bouche charnue, et une coiffure qui lui donnait à son insu un air de rocker. Il aurait aimé arborer une barbe de croyant, mais n'avait jamais obtenu qu'une maigre barbichette ; aussi s'était-il résigné à rester rasé de près. Une clé rouillée pendait à une chaîne autour de son cou.

« On ferait peut-être mieux de s'en aller, remarqua-t-il.

— Non, on va nulle part, décréta Youssef, surnommé Grand Ours. N'oublie pas : il s'agit du djihad.

— Je sais que c'est la guerre sainte, dit Nasser en se rongeant un ongle. Mais je ne comprends pas ce qu'on fait ici. Pour moi, ça ressemble à du vol.

— Tout est le djihad, répliqua Youssef avec un coup de coude dans le bras de Nasser. Tout ce que tu fais, dès le moment où tu te lèves le matin. Si tu prends un café turc au lieu de leur poudre instantanée, c'est le djihad. Si tu parles du Livre saint à un frère, c'est le djihad. Si tu éteins la télévision, c'est encore le djihad. Mais ce que tu peux faire de plus grand pour la guerre sainte, c'est combattre. Souviens-toi, une heure sur le champ de bataille vaut cent heures de prière.

— Je sais, répéta Nasser.

— Ce que tu accomplis ici, c'est comme les razzias sur les caravanes dans les temps anciens, après le *haïra*. Le Prophète le permettait. »

Nasser ôta les doigts de sa bouche. Il se demandait quand même si ce qu'ils s'apprêtaient à faire était juste. Youssef était capable de citer des versets du Coran, des sourates entières, mais les mots pouvaient être détournés de leur sens véritable.

« Enfin, il n'y a pas un autre moyen de trouver des fonds ? Est-ce que cette action n'est pas *haram* ?

— Bien sûr que non. » Youssef agrippa soudain le bras de Nasser. « Tiens, le voilà enfin, notre type », annonça-t-il d'une voix sourde.

Il se pencha par-dessus Nasser pour désigner une grande perche de rasta en veste de treillis et bonnet de laine vert. L'homme marchait d'un pas dansant, comme au son d'une musique qu'il aurait été seul à entendre.

« Il arrive toujours tard, celui-là, dit Youssef. Je l'ai remarqué. Il fume de la marijuana, j'en suis sûr, et c'est pour ça qu'il n'est jamais à l'heure pour relever l'autre derrière le comptoir. C'est un porc, ce type, je te le dis. J'ai vu comment il mange : toujours du poulet ou du cochon. Pouah ! J'en suis malade rien que d'y penser. »

Nasser observa le rasta pendant un moment, s'efforçant de percevoir la musique, d'imaginer l'homme se gavant de viande de porc et fumant de gros joints, afin d'éprouver de la haine pour lui.

Le rasta pénétra dans le magasin.

« Allez, on y va. » Grand Ours tendit la main vers la poignée de la portière. « Souviens-toi de ce que tu dois faire, et tout ira bien. On fonce dès qu'il passe derrière le comptoir. »

Un taxi en maraude dut effectuer un écart pour éviter Youssef, au moment où il sortait de la voiture en se coiffant d'une casquette noire marquée d'un grand X blanc. Nasser se couvrit la tête de la même manière et descendit de son côté. Le pistolet de calibre 22 pesait comme une brique dans la poche de son blouson de vinyle couleur bordeaux.

Youssef entra derrière le rasta, tel un ours suivant à la trace un lévrier. Sur le trottoir, Nasser hésita un instant. La nuit était humide. Il se demanda à quelle distance se trouvait la plus proche station de métro. Où était son courage ? La porte vitrée se referma derrière Youssef. Nasser glissa une main sous sa chemise pour toucher la clé qui pendait à son cou. Il savait qu'il n'avait pas le choix.

Le sang lui battant aux tempes, il franchit rapidement la distance qui le séparait de son objectif.

Le comptoir de prêt n'était qu'une boutique de quatre mètres sur cinq, avec au sol un lino à damiers noirs et blancs, et dans un coin un petit box pour les vendeurs de bijoux artisanaux et d'encens. Un Noir au crâne rasé en manches de chemise y comptait de l'argent derrière une vitre à l'épreuve des balles. Il flottait dans l'air une légère odeur d'herbe et d'ammoniac, et une radio balançait un tonitruant reggae.

Le rasta au bonnet vert venu relever son collègue cognait à la porte de bois flanquant la séparation vitrée. Nasser se préparait à sortir son arme quand la porte du magasin se rouvrit derrière lui. Une jeune femme corpulente coiffée d'un béret rouge entra, avec dans une poussette un enfant qui ne devait pas avoir plus de deux ans, et portait de minuscules Nike noires et une étoile de shérif découpée dans du fer-blanc. Nasser se figea. Qu'est-ce qu'ils venaient foutre ici à cette heure ? Le magasin était censé être désert... Il jeta un coup d'œil à Youssef, attendant qu'il modifie leur plan par quelque signal ; mais Youssef faisait toujours semblant de remplir un chèque.

« J'ai essayé ton remède et j'me sens beaucoup mieux, maintenant, disait la femme au rasta. Mais cet aloès, qu'est-ce que c'est amer !

— Qu'est-ce que t'as fait, ma fille ? Tu l'as avalé ? demanda le rasta en suspendant son geste.

— Pourquoi ? Je devais me frictionner avec ? »

L'homme éclata de rire et frappa de nouveau à la porte de séparation.

Et puis tout changea. Le temps parut se contracter et se dilater à la fois. La porte s'ouvrit. La femme se pencha pour renouer les lacets des Nike de son enfant. Nasser vit Youssef relever les pans de sa chemise pour sortir son arme, et il dut se rappeler de respirer. Youssef se jeta sur le rasta, et le projeta dans le réduit en criant : « Ouvre le tiroir-caisse ou j'te flingue ! »

Pour sa part, Nasser pointa son pistolet sur la femme avec si peu de conviction qu'il semblait lui dire de ne pas s'inquiéter. Il envisagea même de la rassurer mais s'abstint, de peur de provoquer la colère de Youssef. Il regardait l'étoile de shérif sur la poitrine du bambin en se demandant combien de temps la femme avait mis pour la fabriquer.

Ensuite, il entendit une détonation de l'autre côté de la séparation vitrée. Un bruit déchirant, comme celui d'un ballon qui éclate. Il se crispa, rentra instinctivement la tête dans les épaules. La mort était dans l'air. La femme se mit à crier. Nasser essaya de lui dire quelque chose dans l'espoir de la calmer, mais un second coup de feu éclata.

Courant au comptoir, il aperçut par la porte ouverte le rasta étendu par terre telle une poupée de chiffon, la tête tournée, du sang maculant le devant de sa veste de treillis et rougissant le sol à côté de lui. Youssef sortait les billets du tiroir-caisse et les fourrait à l'intérieur du petit sac de toile qu'il avait emporté plié dans la poche arrière de son pantalon. Il ne remarqua pas le Noir en manches de chemise qui se relevait dans son dos, le visage ensanglanté, et pointait un petit revolver chromé.

Nasser vit sa propre main soulever le calibre 22 comme à travers une masse liquide. L'impulsion de presser la détente parut surgir de la périphérie de son cerveau. L'arme tressauta dans sa main, et la détonation claqua dans l'air. La balle arracha un morceau de la boîte crânienne du Noir, qui vacilla, tomba contre un tabouret, et glissa à terre en serrant toujours son arme dans sa main. Une grosse tache de sang avait giclé sur le mur, le griffant de longs traits rouges verticaux.

De l'autre côté de la cloison, la femme tentait de fuir vers la porte avec son enfant dans la poussette. Rien dans sa vie ne l'avait préparée à un tel événement, alors que c'était au contraire le destin de Nasser de rester le maître d'une situation dont il était l'initiateur. Alors, pourquoi éprouvait-il une sensation de paralysie ?

Youssef en avait terminé avec l'argent. Passant devant Nasser, il se précipita dans l'autre pièce. La femme se garda bien de tourner la tête vers lui, connaissant le prix que lui coûterait un regard aux tueurs. Mais il était trop tard. Calmement, Youssef la rejoignit et lui tira une balle dans la tempe.

Elle tomba sans même avoir eu l'occasion de contempler une dernière fois son enfant. Pendant un instant, Nasser en éprouva une indicible tristesse, et eut le sentiment que ce qu'il venait de voir n'appartenait pas à l'ordre naturel des choses. Bien sûr, ces gens étaient des infidèles et méritaient la mort, mais quand Youssef pointa son arme sur l'enfant, qui hurlait dans sa poussette, il tira son aîné par le coude. « Viens, cheikh, dit-il. Il faut s'arracher d'ici. »

Deux minutes plus tard, dans la Plymouth qui filait le long de Flatbush Avenue, Nasser sentait encore dans sa main le tressautement du calibre 22. Il s'efforça de revenir dans l'instant présent, palpa la clé à son cou, alors que les enseignes lumineuses éclaboussaient le pare-brise de lueurs vives et que des sirènes de police gémissaient au loin.

« T'inquiète pas, mon ami, ils ne sont pas après nous, affirma Youssef, une main sur le volant, l'autre cherchant dans la pochette de sa chemise la petite bouteille ambrée contenant ses pilules à la nitroglycérine. On rentre à la maison.

— Qu'est-ce qui s'est passé ?

— Comment ça, qu'est-ce qui s'est passé ? On a réussi. Je suis si excité que j'ai envie de dégueuler. J'ai pas eu le temps de compter, mais je suis sûr qu'il y a là assez de fric pour financer notre prochaine opération. »

Nasser prit conscience qu'il tremblait encore. « Cheikh, dit-il – utilisant cette formule comme les Américains disent « monsieur » –, j'ai une question à te poser.

— Quoi ?

— Est-ce que tu allais le tuer... le petit garçon ?

— C'est le djihad, répondit Grand Ours en regardant droit devant lui. Je l'aurais fait si cela avait été la volonté d'Allah.

— Mais c'est moi qui t'ai poussé dehors. » Nasser lâcha la clé sous sa chemise, et regarda une fois de plus derrière lui pour s'assurer qu'ils n'étaient pas poursuivis.

Youssef haussa les épaules. « Ça aussi, c'était la volonté d'Allah. »

2

Une brume matinale voilait l'Atlantique, et les mouettes squattaient les parapets de la célèbre promenade bordant le sud-ouest de Brooklyn.

Nasser grimpa d'un pas raide les marches du lycée de Coney Island, qui dressait ses murs de brique rouge maculés de tags et de graffitis dans Surf Avenue. Il avait mis pour la circonstance une cravate achetée à un marchand ambulant dans East Flashbush et une veste d'occasion en laine, qui était bien trop chaude en ce début d'octobre. Il n'était pas revenu au lycée depuis quatre ans et, une fois qu'il fut entré dans le hall, avec une vieille serviette à la main, et qu'il eut découvert le portique détecteur de métaux, il se sentit moins sûr de lui.

« S'il vous plaît, dit-il à l'agent de sécurité, je dois voir M. Fitzgerald. »

Allez, continue de capter leur attention. Encore dix minutes avant que ça sonne.

Dans sa salle de classe au troisième étage, David Fitzgerald remonta ses lunettes sur son nez et lissa sa courte barbe en poursuivant sa lecture de *La Conquête du courage*[1].

« "Mais voilà qu'il était confronté à un nouveau problème." » Il avait une voix forte au timbre grave, avec un léger accent de Long Island. « "Il venait de lui apparaître que, dans un combat,

1. Roman de Stephen Crane (1871-1900). *[N.d.T.]*

il pourrait peut-être fuir. Il fut bien forcé de reconnaître qu'en vérité il ne savait rien de lui-même." »

Il referma le livre avec un claquement qui réveilla l'attention de ses trente-six élèves – entassés dans la petite salle mal éclairée, dont les murs pisseux et le plancher grossier n'avaient rien à envier à la table bancale et puant vaguement le formol qu'il occupait lui-même.

« D'accord, arrêtons-nous là-dessus et voyons ce qu'en pense mon auditoire attentif, dit-il sans baisser la voix, pour réussir à se faire entendre par-dessus le boucan de l'étage supérieur, qui était en travaux. Il est de nouveau question de la mise à l'épreuve et de la notion de héros. Alors, combien d'entre vous, les gars, prendraient leurs jambes à leur cou ? »

Les élèves se regardèrent en protestant avec force grognements et huées. Non, il y était allé trop franchement. C'étaient des gosses de Coney Island, et on ne leur faisait pas facilement avouer leur vulnérabilité et leur peur.

« Voyons, ne me laissez pas planté là. » Il ramassa un vieux gant de base-ball qui était resté sur son bureau depuis une discussion sur *L'Attrape-Cœur*. « L'important n'est pas que vous vous souveniez de ces bouquins. Ce que je veux, c'est que vous découvriez à travers eux quelque chose sur vous-mêmes. Ou peut-être que vous y puisiez quelque chose que vous avez envie de vous approprier. » Il jeta un regard à la ronde et crut déceler quelques lueurs d'intérêt.

Il glissa sa main gauche dans le gant, et frappa celui-ci de sa droite, savourant le bruit à la fois sourd et sonore que lui renvoyèrent les murs.

« D'accord, je vous donne un exemple, reprit-il en avançant parmi eux – grand de son mètre quatre-vingt-dix et lourd de ses cent kilos – tel un navire brise-glace. Quand j'étais plus jeune, j'ai travaillé un été comme surveillant de baignade à Atlantic Beach. Vous me voyez en maillot de bain ? »

Il leva les bras et rentra le ventre avec une emphase comique qui lui valut une bordée de gloussements. « Ouais, ajouta-t-il. Je ressemblais à la photo "avant" qu'on voit dans les réclames pour les appareils à vous faire des muscles. Je dois dire que mon père était un héros de la guerre à la poitrine bardée de médailles, et que je rêvais de faire quelque chose d'important pour l'impressionner – et pas que lui : le monde entier. Bref, un rêve d'ado, quoi. Vous sauvez la fille, et elle tombe dans vos bras. »

Si les trois quarts des garçons rigolèrent, les filles ne bronchèrent pas, attendant d'être convaincues.

« Alors, un jour, je suis là-haut sur ma chaise de surveillance, attendant d'être un héros, et je vois une tête qui fait le yo-yo dans l'eau à deux cents mètres du bord, et je me dis que voilà l'occasion tant attendue. » Il se déplaça vers le fond de la classe, provoquant un crissement de chaises sur le lino, tandis que les élèves s'écartaient de son chemin. « C'est sûrement la fille de mes rêves, et je vais la sauver. Donc, je cours et je plonge dans les vagues pour nager contre le courant. » Il mima un crawl puissant, brassant des paquets d'océan. « Et quand j'arrive enfin, je tombe sur une grosse vieille en bonnet de bain.

— Putain, la tasse ! » s'écria au troisième rang un garçon nommé Ray-Za qui, jusqu'à cette minute, avait contemplé d'un œil morne l'écran de son Game Boy.

D'autres s'animèrent, et David pensa qu'après quatre semaines de cours ils sortaient enfin de la longue hibernation mentale de l'été. L'heure était venue de retenir leur attention, avant qu'ils glissent de nouveau dans l'indifférence.

« J'essaie de la tirer, poursuivit-il en mimant la scène. Au cours de sauvetage, ils vous recommandent d'attraper les cheveux, pas le bras ou l'épaule, pour éviter que la personne s'accroche à vous et vous noie avec elle. Je la saisis par le bonnet, le bonnet me reste dans la main... et dessous elle est chauve comme un pamplemousse !

— Oh, merde ! » Terry Marone au deuxième rang porta une main à sa bouche.

« Ouais, comme tu dis, approuva David en revenant au tableau. Elle est chauve et elle panique grave. Elle me prend par le cou, s'agrippe à moi, et on est deux à boire la tasse. Un vrai cauchemar. Pour vous la faire courte, c'est la surveillante de baignade du club voisin, pour qui j'avais le béguin, qui est venue nous sauver, la grosse et moi.

— Oh ! Oh ! Oh m'sieur ! »

Cette fois, ce fut toute la classe qui explosa, filles comprises. Ils aimaient bien quand il leur racontait des histoires personnelles. Il fallait essayer de les intéresser, de retenir leur attention, de briser la glace en chacun d'eux.

« Bon, à vous maintenant de me donner un exemple où quelqu'un se retrouve confronté à une épreuve, lança-t-il en tapant du poing dans le gant. J'accepte tout, souvenir perso ou passage tiré des bouquins qu'on a lus. » Il prit l'intonation des batteurs de foire de Coney Island pour ajouter : « Allons, allons, faites-vous connaître. Parlez ou dégagez de ma vue. Et gambergez vite ! »

Sans avertir, il dégagea sa main du gant pour le lancer à Elizabeth Hamdy, assise au premier rang. Cette brillante et radieuse fille qui venait d'habitude en classe la tête couverte du foulard islamique et les pieds chaussés de rollers. Il voulait qu'elle donne le ton pour les autres. Elle attrapa le gant et jeta un regard autour d'elle, embarrassée et fière à la fois. Elle était tête nue, aujourd'hui.

« Euh... je pense à Holden Caulfield, dit-elle.

— Oui. Vas-y, Elizabeth. Parle, c'est toi qui as le gant.

— Il a ce rêve à la fin... empêcher les enfants de tomber de la falaise. C'est pour ça que ça s'appelle *L'Attrape-Cœur.*

— Très bien, mais il y pense seulement. Il n'est pas mis en devoir de passer à l'acte. Pourrais-tu me donner un exemple plus concret ?

— Il y a mon père... quand il a traversé le fleuve. » Elle baissa les yeux, se cachant derrière une ombre de sourire.

« Oui ? dit-il, n'osant trop la presser de continuer. Et quel est ce fleuve ?

— Le Jourdain.

— Au Proche-Orient, précisa David au reste de la classe, connaissant trop bien le niveau de ses zozos en géographie.

— Oui, mon père est palestinien. » Elizabeth rougit un peu.

« Alors, pourquoi était-elle importante, cette traversée du Jourdain ?

— Parce que les Israéliens bombardaient son village, répondit-elle avec timidité, gênée d'être l'objet de l'attention générale mais décidée à répondre à la question. Ses parents lui avaient demandé d'emmener son frère et sa sœur de l'autre côté du fleuve, en Jordanie. Ils avaient peur que tous les hommes soient tués, et les femmes violées par les soldats.

— Et ton père a traversé le fleuve ? » questionna David. Il n'avait pas désiré aller si loin mais, à présent, la porte était ouverte.

« Oui. » Elle baissa de nouveau les yeux. « Un jour, il nous a dit qu'en le faisant il avait eu l'impression de voir son enfance disparaître derrière lui. Mais, vous savez, dans ma famille, ils n'étaient pas tous d'accord avec lui, ajouta-t-elle, ses doigts agrippant le bord de sa table.

— Pourquoi ça ?

— Certains pensaient qu'il aurait dû rester et résister. Mais moi, je trouve que c'est plus courageux, ce qu'il a fait.

— Et qu'a-t-il fait exactement ? » demanda doucement David, qui se souvenait de M. Hamdy pour l'avoir rencontré l'année précédente à la réunion des parents : un homme d'une soixantaine d'années, petit et rond, d'une politesse extrême, propriétaire d'une épicerie.

« Il a survécu, répondit-elle avec un léger pincement des lèvres. Il a voyagé et a réussi à mettre assez d'argent de côté pour venir ici et démarrer une nouvelle vie pour sa famille. C'était comme de traverser un autre fleuve. »

David avait le sentiment que cette douloureuse histoire ne s'arrêtait pas là, mais il jugea qu'Elizabeth en avait dit assez. À la vérité, si tout autre élève avait parlé aussi longtemps, il se serait fait aussitôt huer et traiter de lèche-cul. Mais, avec Elizabeth, les autres se retenaient. Ils lui reconnaissaient implicitement une présence ou ce qu'ils appelaient « la classe ». *Regarde-la*, pensa David, *elle est une star et elle ne le sait même pas.*

« Très bien. Merci, Elizabeth. » Il la salua, le pouce levé, et la vit se détendre sur sa chaise, manifestement soulagée de ne pas avoir à continuer.

« À qui le tour, maintenant ? demanda-t-il en haussant la voix pour se faire entendre malgré le bruit des perceuses au-dessus d'eux. Allez, lancez-vous ! Toutes les histoires de trouille et de courage sont les bienvenues. »

David ne chercha pas à occuper le silence qui s'ensuivit. Après quinze années d'enseignement, il avait appris à ne jamais leur arracher de force une réponse. Il fallait les laisser venir à leur guise. C'était le seul moyen de les faire progresser.

Finalement, au dernier rang, une main se leva. C'était Kevin Hardison – un rude client avec ses deux dents de devant recouvertes de jaquettes en or gravées à ses initiales, sa casquette Dollar Bill, et les deux tenues hip-hop qu'il alternait jour après jour parce que c'était tout ce qu'il pouvait s'offrir. David, qui avait lui aussi connu quelques problèmes au même âge, avait toujours eu un faible pour les durs à cuire. Il fit signe à Elizabeth d'envoyer le gant à Kevin.

« J'veux dire quelque chose, par rapport à quand j'ai déménagé l'année dernière », déclara-t-il avec un léger zézaiement.

David allait l'interrompre pour lui dire de maintenir la discussion centrée sur l'héroïsme en littérature, mais il se rappela que c'était la seconde fois seulement depuis la rentrée que Kevin prenait la parole.

« D'accord, et qu'est-ce que ç'a à voir avec l'idée d'être mis à l'épreuve ? »

Il vit le garçon hésiter, puis s'enfoncer dans sa chaise, désolé d'avoir levé la main. C'était l'un de ces moments cruciaux, pensa David, où un gosse s'intègre à la vie de la classe, ou au contraire commence à s'en éloigner et finit même par ne plus y aller.

« Non, non, ça va bien, Kevin. Raconte-nous. On t'écoute. »

Le garçon s'humecta les lèvres. « D'acc, dit-il avec une fausse nonchalance. L'année passée, ma famille a quitté Coney Island Houses pour O'Dwyer Gardens. » Il faisait référence à deux grandes cités séparées l'une de l'autre par quelques pâtés de maisons dans Coney Island. « Un jour, y a des mecs de mon ancienne bande qui ont des mots avec mes nouveaux potes à O'Dwyer. Alors, ils viennent me voir pour me demander de quel côté j'serai à la baston prévue le vendredi.

— Et qu'est-ce que tu as fait ? » questionna David d'une voix douce, s'efforçant de protéger l'instant et de laisser de l'espace au gamin.

« J'suis resté à la maison, avec ma mère, répondit Kevin d'une voix dure pour montrer qu'il n'avait pas honte. J'ai regardé la téloche en montant le son, pour pas entendre les coups de pétard et les sirènes et tout le bordel. Et le lendemain matin, y avait mon pote Shawn De Shawn qui s'était pris une balle dans la tête. Ils l'ont gardé un mois en réa et puis ils l'ont laissé mourir. C'était la merde, mec. Il devait jouer centre pour St. John's. »

Sa voix traîna, et il regarda ses doigts, embarrassé de s'être autant exposé devant le groupe. Deux autres gars de la classe commençaient à marmonner avec des gestes méprisants en direction de Kevin, mais David les fit taire d'un regard noir.

« Suffit, leur lança-t-il avant de reporter son attention sur

Kevin. Merci, Kevin. Il faut du courage pour parler comme tu l'as fait. Shawn était dans ma classe et, soit dit en passant, tu as fait le bon choix en ne te mêlant pas à cette bagarre. Et si quelqu'un n'est pas d'accord, qu'il vienne me le dire après le cours. »

Certes, ce n'était pas l'histoire du Petit Poucet ; mais qu'un dur comme Kevin baisse sa garde de cette façon constituait un petit miracle. Et c'était ça – en même temps que la présence d'Elizabeth – qui soutenait David année après année en dépit des restrictions budgetaires, des politiques de la direction, et de la poussière de plâtre qui blanchissait son bureau.

Passant près de la table de Kevin, il ramassa le gant et déclara tranquillement au garçon : « Tu peux venir m'en reparler plus tard, si tu veux. » Cette matinée prenait une étrange gravité, avec ces gosses qui s'épanchaient soudain. Il regagna le devant de la classe et essaya d'alléger le climat.

« Bon, je n'ai pas envie de transformer notre petite discussion en séance de thérapie de groupe ou en talk-show, ajouta-t-il en prenant une craie. J'aimerais qu'on revienne aux livres. Parce que c'est d'eux qu'il s'agit, d'accord ? Est-ce que l'un d'entre vous peut me citer en exemple un personnage d'un des bouquins confronté à un choix dramatique ? »

Un gamin d'origine russe, Yuri Ehrlich, leva lentement la main au cinquième rang, du côté des radiateurs. Il s'agissait d'un élève brillant mais sans scrupule, avec de longs cheveux raides et bruns, et un sale penchant pour la fraude, même quand cela n'était pas nécessaire – comme s'il ne pouvait se défaire de cette compulsion à tromper le système qui semblait être un trait commun aux émigrés de l'ex-Union soviétique. David se demandait si Yuri évoluerait un tant soit peu cette année.

« Raskolnikov, dit Yuri en forçant sur son accent russe.

— Raskolnikov qui a tué à coups de hache la vieille veuve ? » David lui jeta le gant. « Vous auriez préféré que j'apporte une hache à la place du gant, aujourd'hui ? »

Il y eut quelques rires. Ils lisaient *Crime et châtiment* en classe d'anglais supérieur, pas dans la sienne. Mais pourquoi en faire une histoire, si le gosse voulait participer ?

« D'accord, je prends. Pourquoi Raskolnikov ? »

Mais Yuri, qui avait laissé tomber le gant, ne répondit pas.

« Il veut peut-être dire que Raskolnikov cherche à être un

homme hors du commun », intervint Elizabeth Hamdy en se penchant en avant sur ses coudes. Elle aussi suivait les cours d'anglais supérieur.

« D'accord, je prends, répéta David tout en songeant que, décidément, c'était la journée des sujets graves. Est-ce qu'il réussit ou est-ce qu'il échoue ?

— Je crois qu'il échoue, parce que sa définition de l'homme "hors du commun" est erronée, dit Elizabeth avec une diction parfaite, apparemment soulagée de ne plus parler d'elle-même.

— Yuri, est-ce que tu penses aussi qu'il échoue pour cette raison ? »

Une certaine impatience agita soudain la salle ; on consultait sa montre, on échangeait des regards. David leva les mains, réclamant l'attention et le silence.

« Non, répondit Yuri. Il échoue parce qu'il se rend. »

La sonnerie retentit dans le couloir.

« Yuri, tu me fais peur. » David alla récupérer le gant. « Tout le monde me fera trois ou quatre pages sur ce sujet pour vendredi prochain. »

Comme toujours entre les heures de cours, les couloirs n'étaient qu'un chaos de bruits et de mouvements. Les élèves se rassemblaient en cercles exclusifs ou en groupes provocants, l'air de défier quiconque de passer.

Nasser louvoyait entre eux avec prudence, éprouvant le même sentiment d'invisibilité que quatre ans plus tôt, quand il fréquentait ces lieux. Tout semblait être resté en l'état, hormis ces banderoles rouge-blanc-bleu accrochées au plafond. Les murs au carrelage vert, les sols de lino grisâtre, les rampes d'escalier usées, les noms des anciens combattants et des majors de promotion peints en lettres dorées sur des plaques marron, les trophées sportifs dans leurs vitrines ; les posters célébrant la Semaine italo-américaine avec des photos d'acteurs et de chanteurs célèbres, Christophe Colomb, Léonard de Vinci et les fleurons de la cuisine italienne. C'était dans sa tête que tout avait changé. Il ne désirait plus s'intégrer, se dit-il. Il ne voulait plus être l'un d'eux. Laisse-les se dandiner, parler verlan, flirter, se battre, raconter des blagues incompréhensibles. Avec leurs ventres dénudés, leurs nez percés, leurs cheveux teints, leur vernis à ongles noir, leurs vêtements collants ou flottants, leurs regards insolents qui le fixaient sans le voir. Un jour, le Grand Châtiment s'abattrait sur eux.

De l'autre côté du bâtiment, David Fitzgerald, un sac de sport noir sur l'épaule, fendait tranquillement la foule des élèves. L'aménagement intérieur du lycée donnait l'impression d'avoir été réalisé par un amateur de gags. De longs et sombres couloirs qui ne menaient nulle part, des escaliers qui ne reliaient pas les étages, des bureaux avec de minuscules fenêtres, une acoustique conçue pour un concert *heavy metal* ou un restaurant de Manhattan, des sonneries se déclenchant sans la moindre raison.

Un groupe qui traînait devant les toilettes hommes l'interpella.

« Hé ! quoi de neuf, m'sieur Fitz ?

— Gaffe, m'sieur Fitz, me marchez pas dessus !

— Ma parole, on a peur, m'sieur Fitz ! »

Il avait beau dominer d'une bonne tête la plupart des mômes, il y en avait toujours un ou deux pour lui toucher la tête ou l'épaule au passage, par moquerie ou sympathie, c'était difficile à dire, des fois. Mais le geste n'en avait pas moins quelque chose de rassurant et renforçait l'idée qu'il avait tout de même sa place dans cette drôle de ruche.

« Oh, m'sieur Fitz, vous parlerez à mon JAP[1], pour moi ?

— M'sieur Fitz, vous verrez ma mère, promis ?

— Hé ! m'sieur Fitz, comment elle va, votre bécane ? »

Ah oui ! la bécane. Une vieille Schwinn avec une selle banane qu'il avait eue pour 5 dollars au marché aux puces. Ce vélo lui avait d'abord valu une image d'excentrique. Quelques années auparavant, il avait habité avec sa future ex-femme à Park Slope, et il se rendait à bicyclette au lycée quand il faisait beau, au lieu de prendre le métro. Il était devenu « le cycliste », et l'était resté pour les gosses, même après que le couple eut réintégré Manhattan et qu'il eut recommencé d'emprunter le tube. Il avait une réputation à entretenir. Fitz le marrant. Fitz le zarbi. Pas un mauvais plan, à la réflexion. C'était une identité. Une manière que les gosses avaient de penser à lui. Un matin où ils étudiaient *L'Attrape-Cœur*, il arriva en classe avec un gant de base-ball, et

1. Juge d'application des peines. *(N.d.T.)*

ce gant vint ajouter à sa mythologie. Fitz apporte du matos en classe. Ainsi chaque année revenait-il avec le gant pour discuter du désir d'héroïsme. Les gosses l'attendaient.

« Ohé ! cria-t-il à un jeune Dominicain dénommé Obstreperous Q qui était dans une autre de ses classes, et présentement en train de faire du gringue à une fille près de l'escalier de secours. Viens me voir dans mon bureau tout à l'heure, j'ai ce bouquin de poèmes de García Lorca dont je t'ai parlé. »

Quand David arriva à la porte du département d'anglais, Donna Vitale l'attendait dans le couloir. Avec ses cheveux frisés couleur paille, son merveilleux sourire soleil, et son strabisme divergent qui lui faisait un regard décalé.

« Tu as de la visite, lui annonça-t-elle.

— Ne me dis pas que c'est encore Larry qui vient se plaindre de mes programmes. »

Larry Simonetti, le proviseur, était dans un état de panique depuis qu'Albany avait, dans son rapport annuel, été classé parmi les dix établissements « les plus mal gérés de la ville ». L'échec scolaire n'y était pas plus endémique qu'ailleurs, mais le lycée avait ricoché de scandale en scandale durant les douze derniers mois. Il y avait eu ce vigile qui s'était tiré avec une gosse de seconde, une chute de briques qui avait gravement blessé un élève de première, et bien sûr les 75 000 dollars du budget annuel qui avaient mystérieusement disparu. Le gouverneur en personne devait venir la semaine suivante et faire un discours sur le thème « Rebâtir l'école », prélude probable à l'annonce de sa candidature à la présidence.

« Non, ce n'est pas Larry, répondit Donna. C'est un revenant. Je lui ai dit qu'il pouvait t'attendre dans ton bureau.

— Merci, mademoiselle Vitale. »

Il allait passer devant elle, mais elle le retint par le coude. « Je me suis aussi demandé si je pouvais t'inviter à dîner la semaine prochaine », déclara-t-elle à voix basse.

Il s'arrêta, flatté mais néanmoins gêné, avec la soudaine impression d'être un grand singe timide. « Euh... pourrait-on en reparler, Donna ?

— Tu as mon numéro. »

Il se demanda s'il ne manquait pas là une grande occasion, à attendre de voir s'il pouvait encore sauver son mariage avec Renee. Mlle Vitale était intelligente, équilibrée, et dégageait une impression de franche liberté. On s'imaginait sans peine au lit avec elle, à siroter un bon pinard.

« Mais n'attends pas trop longtemps, David. » Elle le frôla pour se diriger vers la photocopieuse. « Je ne serai peut-être pas toujours là. »

Il poursuivit en direction de la salle des professeurs, une pièce étroite aux murs bleus, meublée d'une douzaine de bureaux pour les vingt enseignants d'anglais. Les jeunes auxiliaires, contraints de nomadiser, posaient leurs papiers et leurs livres sur toute surface libre, pendant que les titulaires défendaient leurs territoires avec une ardeur de vieux primates galeux. Trois élèves traînassaient sans raison devant le distributeur d'eau, tandis qu'un ouvrier juché sur une échelle tentait de reboucher les fissures du plafond. Un poster défraîchi du *Cri* d'Edvard Munch ornait l'un des murs au-dessus d'une armoire métallique débordant de dossiers ; un groupe de peintres, le rouleau à la main, tentait de rafraîchir la salle avant la venue du gouverneur.

Le visiteur attendait dans le fauteuil de David, son regard allant des papiers encombrant la table à l'affiche au-dessus, avec sa citation de Melville : *« Dieu me garde de jamais finir ce que j'ai entrepris. »*

Qu'est-ce que cela pouvait bien vouloir dire ? s'interrogeait Nasser. Il ne lui avait jamais fait confiance à ce Fitzgerald, avec son sourire patient et ses cheveux en bataille. Il était resté dans le fond de la classe pendant tout un trimestre, muet d'ennui et de timidité – ne comprenant pas la moitié des mots et encore moins les plaisanteries, supportant mal d'être en retard et plus âgé que la plupart des autres élèves, et détestant les fois où M. Fitzgerald lui demandait de leur expliquer comment lui, Nasser Hamdy, considérait *Gatsby le Magnifique, Le Chasseur de daims* ou un autre de ces sales romans immoraux. C'était aussi humiliant que s'il avait dû se mettre nu devant tout le monde. Il bégayait et bredouillait, désireux de se cacher sous sa table, pendant que cet homme lui lisait des poèmes indécents et essayait de le forcer à penser et à parler honteusement.

Mais, s'il était soulagé d'avoir quitté le lycée, y revenir aujourd'hui le troublait. Il éprouvait le besoin de parler à quelqu'un tout en considérant ce besoin comme une faiblesse. Or, il se souvenait d'avoir souvent observé avec envie d'autres élèves en train de discuter avec M. Fitzgerald après le cours, partageant avec lui des secrets et des blagues, et d'avoir alors regretté de ne pouvoir lui aussi se confier à quelqu'un.

« Mais c'est Nasser, n'est-ce pas ? » David posa son sac et tendit la main au garçon, heureux de cette diversion qui lui permettait d'ignorer l'avis rose de sa carte Visa gisant parmi les copies pas encore corrigées de ses cinq classes.

La pensée qu'il avait un découvert de 2 005 dollars lui donnait la nausée.

Son visiteur leva des yeux d'un marron lumineux semblables à ceux de sa sœur. « Je suis étonné que vous vous souveniez de moi. » Sa poignée de main était molle et prudente.

« J'oublie rarement mes élèves », répondit David.

Pourtant, ce Nasser n'avait pas fait grand-chose pour retenir l'attention – toujours à tirer la gueule dans le fond de la classe. Il y en avait un certain nombre comme lui chaque année ; 20, 30 pour 100 peut-être. Les inaccessibles. Qui soit ne parlaient pas la langue, soit s'en foutaient complètement. Après toutes ces années, David acceptait cette sélection. Vous aidiez les plus susceptibles de réussir et vous vous accommodiez du mieux possible des autres. De temps en temps, vous trouviez un diamant dans le gravier. Un garçon comme Kevin Hardison, sans réel potentiel, mais que vous arriviez à polir et à rendre brillant. Un à qui vous pouviez faire entendre qu'il y avait de la vie, des idées et un mystère, passé la frontière de l'âge adulte ; que l'existence ne se résumait pas à rouler plein pot sur la voie express, à bouffer des hamburgers et à dealer de la came au coin de la rue. Le lycée était la dernière chance d'accéder à une véritable démocratie, avec tout le monde plus ou moins à égalité. Alors, vous étiez prêt à vous défoncer pour ces gosses-là. Vous leur apportiez des bouquins, vous alliez à leurs matches de basket le vendredi soir, vous consultiez les travailleurs sociaux lorsqu'ils avaient des problèmes avec la famille, vous preniez leurs appels téléphoniques quand ils s'étaient fait ramasser par les flics.

Ce soutien-là, David l'avait offert à Nasser, chez qui il avait cru percevoir une qualité particulière. Mais le môme était parti avant qu'ils aient seulement pu se fixer un rendez-vous.

Le véritable mystère, aux yeux de David, c'était bien que la petite sœur de ce même Nasser, Elizabeth, s'affirme comme l'une des meilleures élèves qu'il eût jamais eues...

Tirant une chaise libre à lui, David s'assit. « Alors, comment ça va ? Qu'est-ce que tu deviens ?

— Ça va bien, très bien même. » Nasser tira nerveusement sur sa cravate. « Je fais le taxi. Ça marche. Je gagne de l'argent.

— Je suis heureux de l'apprendre, et on dirait que ton anglais s'est amélioré.

— C'est encore très difficile pour moi. » Il enroula la cravate autour de son doigt et, l'air fier et embarrassé à la fois, porta son regard sur les petits drapeaux aux couleurs nationales décorant les murs.

« Oui, le gouverneur doit venir cette semaine – pour nous exprimer sans doute toute la sympathie que ce lycée lui inspire, déclara David en rapprochant sa chaise. Mais pourrais-je connaître l'objet de ta visite, Nasser ? Serait-ce pour obtenir ton diplôme d'équivalence ? »

Le jeune homme regarda David. « Non, je voudrais discuter de quelque chose de très sérieux. » Il laissa retomber sa cravate, et sa pomme d'Adam saillit derrière le col boutonné de sa chemise. « Je dois vous parler de ma sœur.

— Elizabeth ? »

Nasser posa sa serviette à plat sur ses genoux, l'air sur la défensive.

« Eh bien, qu'y a-t-il ? demanda David. Elle est formidable. Une vraie championne ! Elle a obtenu la note maximale aux tests d'aptitude. Elle pourra postuler auprès de n'importe quel collège[1].

— Ce n'est pas bien pour une fille de faire des études supérieures.

— Et pourquoi cela ? »

Nasser fronça les sourcils, redressa le nœud de sa cravate, tripota sa serviette. Drôlement tendu, ce garçon, pensa David, abandonnant l'idée de lui proposer une tasse de café.

« Une fille comme elle devrait rester à la maison en attendant de

---

1. Établissement de formation supérieure, public ou privé, délivrant les licences. *(N.d.T.)*

se marier et de devenir une bonne épouse musulmane », répondit Nasser avec une ferme conviction.

Ces paroles ne pouvaient que susciter chez David un sentiment de révolte. Pourquoi cherchait-on toujours à enfermer ces enfants dans une cage ? Il lui semblait parfois qu'une partie de son travail était précisément de leur donner les moyens de se libérer.

Mais il décida d'argumenter en jouant par la bande.

« Qu'est-ce qui te fait dire qu'elle ne réussira pas à se marier, si elle va au collège ?

— Non, répondit Nasser en secouant vigoureusement la tête, ça ne marchera pas. Pas avec toutes ces choses qui se passent.

— De quoi parles-tu ?

— Des choses qu'elle ne devrait pas voir. L'immoralité, la luxure. Je passe souvent dans le quartier avec mon taxi. Il y a plein de prostituées et de drogués dans les rues. Tous les jours, des filles comme elle se font violer. Des gens sont tués sans raison, juste parce qu'ils se trouvent là au mauvais moment. C'est terrible, tout ça. »

Cet intérêt du frère pour la sœur troublait quelque peu David. Il était fréquent que, pour des raisons culturelles ou religieuses, certaines familles voient d'un mauvais œil leurs enfants s'émanciper. Mais David se demandait parfois si ce souci déclaré de préserver leur progéniture au nom de la tradition n'obéissait pas avant tout à un besoin égoïste de tranquillité.

« Et peut-on savoir pourquoi c'est toi qui viens me parler de ça, et pas tes parents ? » s'enquit-il en se penchant vers le garçon.

Nasser eut un mouvement de recul. « Notre mère est morte, répondit-il, grandement agité. Quelqu'un doit surveiller ma petite sœur.

— Et ton père ? J'ai fait sa connaissance, l'an passé, répliqua David, enclin à défendre le vieil homme après ce qu'Elizabeth avait raconté à son sujet.

— Mon père ? s'exclama Nasser avec une moue de mépris. Mon père n'est pas celui qui peut protéger ma sœur. Il est marié avec une Américaine qui n'a pas de morale, et a des filles qu'elle autorise à manger du porc et à regarder des saletés à la télévision ! Je suis désolé de vous dire ça, mais c'est la vérité. Mon père n'est pas un homme religieux. Il essaie, mais ce n'est pas assez. Alors, quelqu'un d'autre doit être responsable. »

Nasser se tut abruptement et porta son regard en direction du couloir.

Sa sœur venait de passer en compagnie de sa meilleure amie, Merry Tyrone, une fille noire très flashante en minijupe et chaussures à semelles compensées.

« Vous voyez ? » Nasser tapa dans ses mains, l'air très affligé. « Elle ne porte pas son *hijab*, aujourd'hui !

— Son quoi ? demanda David.

— Son foulard. Une jeune musulmane doit toujours sortir la tête couverte.

— Oh ! » David regarda Nasser avec une expression navrée et curieuse à la fois. « Allons, Nasser, ta sœur est une fille sérieuse, pas du tout le genre à faire des bêtises.

— Ah non ? Regardez ça. » Nasser ouvrit sa serviette. « Voyez un peu ce que j'ai trouvé dans sa chambre. »

Il commença de sortir un exemplaire de *Cosmopolitan*, le catalogue d'un grand magasin, *L'Attrape-Cœur, La Couleur pourpre* – avec plusieurs pages marquées et des passages soulignés à l'encre rouge –, et enfin sa permission de sortie pour la visite du Metropolitan Museum prévue le mardi suivant.

« Vous voyez ? répéta-t-il. *Haram, haram, haram !* » Il désigna chaque chose. « Tout ça est interdit. »

Haram. Le mot évoquait un bruit de moteur. David avait l'impression d'avoir pris en pleine poire la fumée d'un pot d'échappement.

« Que te dire, Nasser ? » Il soupira et, levant la tête vers le plafond, se frotta la gorge d'une main. « C'est le monde moderne. Je n'approuve certes pas tout ce qui s'y passe, mais tu ne peux tout de même pas mettre des œillères et prétendre que ça n'existe pas.

— Mais vous ne comprenez pas combien tout ça est dangereux pour une jeune fille ?

— À la vérité, je n'en sais rien. » David hésitait à dire à Nasser que c'était lui-même qui avait recommandé certaines de ces lectures à Elizabeth. « Tu ne crois pas que tu exagères les dangers dont tu parles ?

— Non, je ne crois pas. »

David vit le jeune homme glisser sa main sous sa chemise,

comme pour contrôler ce terrible bouillonnement qu'on sentait en lui.

« Franchement, Nasser, je pense que tout se passera bien pour ta sœur, affirma David d'un ton rassurant.

— Alors, vous ne m'aiderez pas à l'empêcher d'aller au collège ? répliqua Nasser en fixant David d'un regard intense. C'est ça ? »

David comprit soudain qu'il s'était trompé : Nasser n'était pas, comme il l'avait d'abord supposé, simplement jaloux de la réussite scolaire de sa sœur et de sa capacité d'intégration. Non, il y avait là quelque chose de plus fort : voilà un jeune homme que cette fin de XXe siècle plongeait dans une espèce d'effroi. David se souvenait maintenant que cela avait déjà été son problème auparavant. Durant sa brève scolarité avec lui, Nasser s'est montré terrifié à l'idée de faire un pas hors du cadre familial et de se familiariser avec la nouveauté.

« Je ne peux forcer personne à aller contre sa propre volonté, lui répondit David. Il n'y a rien d'autre dont tu aimerais me parler ? »

Il étudia le visage de Nasser. Étrange qu'il y eût si peu de ressemblance, hormis les yeux, entre le frère et la sœur. Sans le foulard qui la distinguait, Elizabeth se fondait dans le creuset de la foule new-yorkaise. Mais il y avait chez Nasser une gravité, une pesanteur, qui donnait à penser qu'il arrivait tout droit des rues de Bethléem. Même leurs prénoms les apparentaient à des cultures opposées.

« Non, rien d'autre n'est important. » Nasser rangea les affaires de sa sœur dans la serviette. « Je suis déçu. J'espérais que vous m'aideriez. »

Chaque année, ils venaient et repartaient avec la marée, songea une nouvelle fois David. Les gosses. Jeunes et moins jeunes. Il y en avait que vous repêchiez, d'autres pas. Comme un sauveteur en mer.

« Je regrette, Nasser. C'est un pays où chacun est libre de ses choix. Je respecte tes croyances, et je continuerai de veiller sur ta sœur comme je le fais pour chacun de mes élèves. Mais tout le monde a le droit de commettre ses propres erreurs.

— Non, ce n'est pas mon avis. » Nasser referma sa serviette et se leva.

David tendit sa main, mais le jeune homme regardait la citation de Melville au-dessus du bureau.

« Et ça non plus, ce n'est pas juste, conclut-il en pointant un doigt accusateur sur la phrase. Un homme doit toujours finir ce qu'il a entrepris. »

3

« Qu'est-ce qu'il y a ? questionna Youssef.

— Rien, répondit Nasser, détournant les yeux. Pourquoi tu me demandes ça ?

— Parce que t'as pas l'air dans ton assiette. »

Appuyés contre la Plymouth, ils cassaient la graine devant *Temple Mount All-Halal*, un traiteur oriental dans Atlantic Avenue, juste en face d'une église pentecôtiste et d'un mont-de-piété. Pour les passants, ils ne pouvaient être que deux chauffeurs de taxi calmant leur faim par un chaud et brumeux après-midi – certainement pas des combattants projetant la prochaine action de leur guerre sainte.

« C'est notre dernière opération qui te tracasse encore ? » Youssef mordit dans son sandwich *falafel.*

« Euh... non... bien sûr que non. »

Le souvenir du braquage hantait Nasser depuis des jours. Il revoyait sans cesse cette femme qui s'écroulait et l'enfant avec son étoile de shérif en fer-blanc. Mais il craignait de montrer le moindre signe de faiblesse devant son mentor.

« C'est ma sœur, cheikh, déclara-t-il, désireux de changer de sujet.

— Qu'est-ce qu'elle a ? » s'enquit Youssef avec un regard en biais vers Nasser. Il n'avait rencontré que deux fois la jeune fille, mais sa beauté l'avait tellement fasciné qu'il n'avait pu en détacher les yeux.

« Je suis allé à son lycée, ce matin, dit Nasser, nerveux. Et je suis très inquiet de ce qui se passe là-bas.

— Ah bon ?

— Oui, c'est un lieu maudit. Personne n'y apprend à respecter Dieu. Les filles s'habillent comme des putains, les garçons parlent comme des voyous, et tout le monde trouve ça normal. Je te le dis, cheikh, j'ai très peur de l'influence que ça peut avoir sur elle. »

Il se tut, le regard fixé sur la maison d'arrêt située plus bas dans la rue. La tuerie de l'autre soir et le bien-être de sa sœur s'étaient d'une certaine manière liés dans son esprit, et il avait le sentiment confus qu'un terrible châtiment le guettait, lui ou quelqu'un qu'il aimait.

« Oui, c'est grave. » Youssef posa son sandwich sur du papier sulfurisé et déboucha une bouteille de Coca light. « Le jugement d'Allah les attend tous. »

Le jugement d'Allah. Ces paroles arrachèrent un frisson à Nasser, alors qu'il détachait un bout de son pain pita dans son sac en papier. « Et le gouverneur va visiter le lycée, reprit-il. Comme si, pour lui aussi, ce qui se passe là-bas est normal.

— Le gouverneur doit se rendre là-bas ? demanda Youssef en se redressant brusquement.

— Oui, la semaine prochaine, je crois. » L'air absent, Nasser roulait entre ses doigts des boulettes de pain.

Il sentit le poids de Grand Ours ébranler légèrement la voiture. Il suivit des yeux un bus qui passait lentement, le flanc placardé d'une affiche où un mannequin vous souriait en posant à quatre pattes à moitié nue pour une marque de sous-vêtements. On aurait dit qu'elle venait de s'accoupler comme une chienne et attendait qu'on la couvre encore.

« Pourquoi cette visite du gouverneur ? questionna Youssef, soudain attentif, en promenant un regard vif sur le visage de son jeune compagnon.

— Je ne sais pas, cheikh. » Nasser chercha dans le sac la petite barquette de *tahina* pour y tremper son pain. « J'ai été là-bas pour parler au professeur de ma sœur. Je suis très inquiet à cause de toutes ces idées qu'ils lui mettent dans la tête. »

Il était conscient qu'un changement était intervenu au cours de leur conversation. Durant les six derniers mois, il n'avait été que le jeune servant de Youssef. Or, il lui semblait détenir soudain quelque chose qui intéressait vivement Grand Ours, même s'il ignorait quoi.

« Et tu as étudié les possibilités ?

— Les possibilités ?

— Aurais-tu oublié notre projet ? répliqua Youssef d'un ton âpre. Est-ce qu'on peut y poser la *hadduta* ? »

Nasser ressentit un léger frémissement dans ses paupières, comme la fille sur l'affiche semblait lui faire un clin d'œil.

« Tu te rappelles ? » Youssef rota et porta la main à sa bouche. « On ne prononce jamais le mot "bombe", au cas où quelqu'un nous écouterait. On parle de *hadduta*. Comme si c'était un conte de fées. »

Un camion Budweiser roula sur un nid-de-poule, et trois mille bouteilles de bière s'entrechoquèrent avec fracas.

« À vrai dire, je n'y ai pas pensé. » Nasser, sur la défensive, poussa des reins sur la portière à laquelle il était adossé. « J'ai été là-bas pour ma sœur.

— Tu n'y as pas pensé ? répéta Youssef. Dans une semaine, le gouverneur – celui-là même qui se présente à la présidence – rend visite au lycée, et tu n'as pas pensé à poser la *hadduta* là-bas ? On parle et on parle tout le temps du djihad, de ce qu'on pourrait faire pour le mener à bien, tu sais qu'il nous reste 3 000 dollars de notre dernière razzia et que j'ai encore les détonateurs que j'ai volés sur ce chantier de démolition l'année dernière, et il ne t'est même pas venu à l'esprit que cette visite pouvait être la grande occasion qu'on cherche ? Qu'est-ce qu'il se passe ? Aurais-tu perdu la foi ? »

Il lâcha de nouveau un rot sonore et jeta un regard agacé autour de lui, comme si quelqu'un d'autre en était l'auteur.

Nasser regardait s'éloigner le bus en se demandant si, en vérité, il n'avait pas perdu la foi. Tout avait commencé au printemps précédent, alors qu'il attendait l'appel d'un client au garage de la compagnie de taxis dans Flatbush Avenue. Il n'était encore qu'un jeunot perdu dans ce pays étranger, enfournant pièce après pièce dans le flipper de la station. Et puis, un soir, cet autre chauffeur lui avait adressé la parole. Grand, costaud, plus âgé, il restait d'ordinaire dans un coin à lire le Coran et à manger des sandwiches. « Le Prophète dit que lorsqu'on est témoin d'une mauvaise action il faut essayer de s'interposer d'abord avec ses mains, ensuite avec ses paroles, et enfin avec son cœur. Alors, arrête de perdre ton argent dans cette machine maudite. »

Après quoi ils avaient parlé. Au début, Youssef n'avait eu à la bouche que des préceptes du Prophète, puis il avait raconté à Nasser sa guerre sainte contre les Soviétiques en Afghanistan, où des conseillers de la CIA lui avaient appris le maniement des armes. Le jeune homme en avait été très impressionné ; sa propre carrière de combattant avait eu pour cadre l'Intifada, et avait consisté à jeter des pierres contre les Israéliens dans les rues de Bethléem. Et voilà qu'il avait en face de lui un frère qui avait guerroyé et risqué sa vie pour le djihad. Ils passèrent de plus en plus de temps ensemble, partageant leurs repas, se rendant de concert à la mosquée de Bond Street, allant même de temps à autre voir un film d'action américain (à la condition qu'il n'y eût pas d'images *haram*). Ils finirent par être comme père et fils, et Grand Ours demanda un jour à son protégé si celui-ci était prêt à s'engager à son tour pour le djihad.

« Non, je n'ai pas perdu la foi, protesta Nasser tout en observant un écureuil qui courait le long d'une ligne téléphonique. Je suis prêt à combattre, il n'y a pas l'ombre d'un doute.

— Alors, pourquoi ne trouves-tu pas un endroit où placer la *hadduta* ? » Youssef mordit de nouveau dans son sandwich. « Ça fait longtemps qu'on veut entreprendre une action contre l'un de leurs politiciens, mais quand l'occasion se présente enfin tu restes les bras croisés. Comment se fait-il que tu n'y aies pas songé ? C'est comme si Dieu nous l'ordonnait. Il y a quelque chose qui ne va pas dans ta tête ?

— Je ne sais pas. » Nasser, honteux, baissa les yeux. « J'étais trop préoccupé par ce qui arrive à ma sœur. »

Grand Ours le considéra pendant un moment avec un mépris appuyé. Oui, Nasser se rappelait que Youssef avait parlé de poser une bombe, et il n'y avait vu qu'un vœu pieux... jusqu'à l'autre nuit, quand le sang de ce Noir avait éclaboussé le mur, et qu'il avait soudain réalisé que tout pouvait arriver.

L'irritation de Youssef finit par s'estomper. « Tu sais, dit-il enfin en jetant un regard autour d'eux afin de s'assurer qu'aucun passant n'était trop près pour l'entendre. La sécurité sera renforcée pour la visite du gouverneur, mais je pense avoir trouvé le moyen de faire entrer la *hadduta*.

— Et lequel ?

— Eh bien, répondit Youssef en regardant les camions tourner dans Tillary Street pour prendre la direction du pont de Brooklyn, on pourrait la mettre dans le cartable de ta sœur, le jour où le gouverneur sera là. Ça fera un grand boum dans la salle de classe et un autre grand boum à la télévision. »

À ces paroles, Nasser éprouva une soudaine faiblesse dans tout le corps. « Je ne crois pas que je puisse faire ça, cheikh.

— Non ?

— Non, vraiment pas. » Nasser mit sur le toit de la voiture le sac contenant son déjeuner. « C'est ma sœur. Je ne veux pas qu'il lui arrive malheur. Elle est tout ce qui me reste, depuis la mort de ma mère. »

Youssef soupira et regarda ailleurs pendant un moment. Puis il sortit de sa poche son flacon de pilules à la nitroglycérine, en prit une et l'avala avec une gorgée de soda.

« Mon ami, t'ai-je jamais raconté comment j'ai hérité de ma cicatrice ? »

Nasser porta son regard sur la vilaine balafre qui barrait l'échancrure de la chemise de son mentor.

« Non, pas celle-là, dit Youssef en portant la main à sa poitrine. Ça, c'est le pontage qu'on m'a fait à l'hôpital du Caire. Ils ont laissé un garçon de salle me recoudre... Je parle de ça. »

Il pointa son index sur la fine cicatrice nacrée qui marquait sa pommette sous son œil gauche.

« Je me suis toujours demandé ce que c'était, fit Nasser.

— Je l'ai récoltée pendant la guerre contre les Soviétiques en Afghanistan. Un de leurs soldats, un vrai démon, m'a tiré une balle en plein visage dans un abri.

— Ah ouais ? » Cela faisait six mois que Nasser n'osait lui demander d'où venait cette marque.

« Oui, il a cru m'avoir tué, mais ce n'était qu'une éraflure. Je me suis redressé et je lui ai lâché une rafale en plein cœur, à ce diable rouge. » Youssef caressa sa barbe grisonnante en souriant. « Ah ! ce jour-là a vu la victoire des musulmans, petit frère. Je regrette pour toi que tu sois né trop tard pour en être.

— Moi aussi, je le regrette, dit Nasser en se mordant la lèvre.

— Les frères arrivaient de partout dans le monde pour se battre, poursuivit Youssef en posant un bras sur l'épaule de Nasser. D'Égypte, de Bosnie, du Pakistan, de Syrie, même de Gaza, d'où je viens. Et c'était ça, la plus belle chose. Hélas ! ceux de mon âge n'ont pour la plupart plus l'occasion de prouver leur courage. Ils vivent dans le compromis, et ne comprennent pas qu'il est parfois nécessaire d'être radical.

— C'est comme mon père », constata tristement Nasser.

Son père ne s'était jamais battu pour quoi que ce soit. C'était un lâche. Il n'avait jamais fait qu'abandonner ce qui comptait le plus : sa terre, son pays, et maintenant sa fille.

« Oui, dit Youssef. Nous avons déjà parlé de ça. Les hommes de ma génération ne savent vivre qu'à genoux. » Il pressa l'épaule de Nasser. « Mais toi, tu as aujourd'hui la possibilité de te dresser, mon ami. De prouver qui tu es. D'aller jusqu'au bout de ton idéal.

— Oui, je le veux, mais je ne pourrai jamais rien faire qui mette ma sœur en danger.

— Il y a peut-être un autre moyen. » Youssef libéra l'épaule de Nasser et reboucha sa bouteille de soda. « Peut-être que tu préférerais ne pas t'impliquer du tout, et il n'y a rien à redire à ça. Tout le monde n'est pas taillé pour être un héros. Il y a peut-être d'autres choses que tu peux faire pour notre cause. Comme distribuer des tracts devant l'ambassade d'Israël... (Il se mit à ricaner.) ... ou jouer de nouveau au flipper. »

Nasser le fixa avec un sentiment de honte et de faiblesse. Il savait qu'une autre épreuve l'attendait et qu'il devrait une fois encore prouver son ardeur au combat. Il regarda de nouveau la circulation automobile dans la rue, les camionneurs, les chauffeurs de taxi comme Grand Ours et lui-même – des hommes au service du patron, du client, des individus enfermés dans une existence dénuée de sens. Il lui arrivait de boire un café en compagnie de collègues arabes ou pakistanais dans ce petit restaurant près de la mosquée, dans la 96e Rue à Manhattan. Des hommes qui, dans leurs pays d'origine, avaient été médecins, avocats, ingénieurs, mais étaient désormais contraints d'épargner le moindre pourboire pour réunir les 240 000 dollars que coûtait la licence d'exploitation d'un taxi. Ils restaient assis sur leurs culs, à écouter les nouvelles du monde à la radio, suivant des événements dont ils ne seraient jamais les acteurs. Cette vie-là n'était pas pour lui. Il voulait autre chose ; il désirait appartenir à la confrérie des combattants de la foi.

Il regarda Youssef. « Non, je n'ai pas peur, affirma-t-il. Je veux me battre, mais il n'est pas question que je compromette ma sœur. Ce n'est pas trop exiger. Ce combat est le mien, et je veux être le seul à en payer le prix.

— Alors, par Allah, mange quelque chose, répliqua Youssef en désignant du pouce le sac en papier sur le capot. Et prends des forces, car tu en auras besoin. »

4

« Un homme doit toujours finir ce qu'il a entrepris. »

Les paroles de Nasser revinrent une fois de plus à l'esprit de David, alors qu'il frappait à la porte de son ancien appartement, sur le coup des 6 heures du soir. Il attendit, impatient et nerveux, se demandant s'il devait ou non embrasser Renee. Comment devait-on se comporter avec son ex-femme au milieu d'un divorce ?

Il y eut un cliquetis de chaînes, des verrous claquèrent, et la porte s'ouvrit. Renee apparut dans l'entrée, ses cheveux roux répandus sur les épaules, son peignoir de bain vert bâillant légèrement à la taille et dévoilant ses longues jambes de danseuse, tandis que la lumière du crépuscule sur Upper West Side baignait la pièce derrière elle.

« Tu es en retard, dit-elle. Je m'inquiétais. »

Baiser ou pas baiser ? « Je sais. Je suis désolé. Les élèves, le métro. » Il passa devant elle et entra dans le salon. « J'ai déconné. J'aurais dû t'appeler.

— Non, non, ça va bien. » Elle laissa la porte se refermer derrière elle et s'adossa au battant. « Si quelqu'un déconne, c'est moi. Tu as toujours vingt minutes de retard au moins, et j'essaie d'en tenir compte. Mais ce soir j'ai pensé qu'il t'était peut-être arrivé quelque chose, parce que ça faisait plus d'une heure. J'ai eu peur que des types t'aient agressé dans le métro, qu'ils t'aient fauché ton portefeuille – et qu'en plus de ton argent et de tes clés ils aient ton ancienne adresse sur ton permis de conduire, et qu'ils viennent donc d'abord ici.

— Non, tout va bien. » Il fit un pas vers elle pour la réconforter et interrompre ce flot ininterrompu de paroles. « Il ne m'est rien arrivé.

— Je sais, je sais, répliqua-t-elle, se tordant les mains. C'est ce que je me suis dit : *Renee, tu refais encore ta parano. Il a seulement été retardé et il aura faim, le temps qu'il arrive ici.* Alors, j'ai fait des pâtes. Puis je me suis rappelé que tu projetais de dîner dehors avec Arthur, et j'ai jeté la moitié des spaghettis et mangé le reste, et je t'ai attendu, toute ballonnée d'avoir mangé trop vite et me sentant coupable. C'est complètement dingue, non ?

— Je suis content de te voir, Renee. » Il lui effleura le visage de la main et l'embrassa sur la joue.

Même dans ses phases maniaques, elle avait le pouvoir de lui briser le cœur. Elle était tellement désireuse de plaire et, en même temps, elle ne pouvait s'empêcher de s'autodétruire.

David jeta un regard autour de lui. 890 dollars par mois pour un minuscule trois pièces donnant sur la 98e Rue et Broadway. Étrangement, David éprouvait des regrets de ne plus habiter là – malgré la poussière qui montait de la rue, le camion des ordures qui passait à 5 heures du matin, les alarmes des voitures, le boucan de la plomberie, l'obligation de se pencher par la fenêtre et de se démolir le cou pour pouvoir apercevoir un bout de l'Hudson. Car il y avait eu entre ces murs quelques instants d'amour scintillant comme des rais de soleil entre les immeubles.

« Alors, comment vas-tu ? demanda-t-il.

— Je peux dire que je vais mieux, répondit-elle un peu trop gaiement. Le nouveau médicament me réussit.

— C'est quoi, déjà ?

— Clozaril.

— Et quel effet a-t-il ?

— Il m'aide à me calmer et à coordonner mes pensées. Le seul ennui, c'est qu'il peut tuer certaines personnes. En tout cas, je touche du bois, ça ne m'est pas encore arrivé. »

Je touche du bois. Le petit sourire courageux qu'elle lui adressa lui perça de nouveau le cœur. Cela s'était passé ainsi chaque fois qu'il lui avait rendu visite, au cours de ces quatre derniers mois. Ces lueurs d'amour. Il se sentait coupable d'avoir décidé – ils l'avaient fait de concert – de déménager juste avant la fin de l'année scolaire, la laissant seule avec les médecins et leur fils. Mais il ne pouvait plus supporter ces sautes d'humeur, ces accès paranoïaques de jalousie, la violence des querelles qu'elle provoquait, et ces mutismes qui pouvaient durer toute une semaine. Il avait besoin d'un changement et de repos, s'était-il dit, juste pour recharger ses batteries. Il était sûr de revenir avant le 4 juillet.

Au lieu de cela, la séparation avait suivi son propre cours, et Renee avait fini par rencontrer quelqu'un d'autre. Aussi tout semblait se conjuguer au conditionnel, aujourd'hui. L'état de leur mariage, la stabilité mentale de Renee et, surtout, la question de savoir comment cet enfant qu'ils aimaient tous deux réagissait à une telle situation. Cela désespérait David de ne pas être là quand Arthur se réveillait le matin.

« Tu as bonne mine, remarqua-t-elle en lui tapotant furtivement le dos de la main.

— Et toi, tu as l'air mieux. »

De fait, elle était en beauté. Mais c'était toujours quand elle traînait ainsi chez elle qu'elle resplendissait. Un vieux peignoir de bain prenait sur elle une élégance de robe du soir. En revanche, sitôt qu'elle s'habillait pour sortir, son angoisse prenait le dessus, et elle mettait trop de mascara et se peignait les lèvres de travers.

« Quoi de neuf ? demanda-t-il en la suivant dans le living. Tu as passé d'autres auditions ?

— Ouais, je dois me présenter chez Herbert Berghoff la semaine prochaine. Les gens de Stella Adler m'ont dit qu'ils n'avaient pas de place pour moi, alors il faut que je travaille un monologue. Crois-tu que je sois trop vieille pour tenter une des tirades de Laura dans *La Ménagerie de verre* ? Peut-être que je ferais mieux de jouer la mère, Amanda, à la place ?

— L'un ou l'autre, je suis sûre que tu les épateras. »

Renee et ses bouts d'essai avaient toujours été une arme à double tranchant pour David. Il se réjouissait qu'elle sorte de la maison et tente de se construire une identité ; mais, d'un autre côté, il redoutait l'effet d'accumulation de tous les refus qu'elle essuyait.

Depuis leur rencontre au lycée, il l'avait toujours connue

s'essayant à une chose ou une autre, cherchant sa voie, éternelle fillette courant après l'approbation des grands. Elle avait d'abord tâté de la danse classique ; puis, parce qu'elle nourrissait des ambitions de peintre, elle avait fait un temps l'École des arts décoratifs. Plus tard, ç'avait été le chant et, comme cela n'avait pas marché, elle avait décidé à l'âge de trente ans qu'elle serait comédienne. Le plus navrant, c'est qu'elle avait manifesté un certain talent dans toutes les disciplines avec lesquelles elle avait flirté. Mais ce qui avait inquiété David, c'était de la voir dramatiser et encaisser de plus en plus durement chacun de ces petits échecs. Elle avait perdu sa souplesse et sa capacité à faire le deuil de ses déceptions. Elle s'était mise à boire et avait sombré dans la mélancolie, jusqu'à ce que David la persuade de consulter un psychiatre.

Son traitement semblait lui faire du bien ; elle était de nouveau capable de sourire, de rire, de se montrer plus responsable, et parfois même de se joindre à David et Arthur lors de leurs sorties « entre hommes ». Mais David redoutait encore ce gouffre noir qui semblait toujours menacer de s'ouvrir sous les pieds de Renee. Il avait envie de lui dire : *Oublions les mauvais souvenirs et les vieilles querelles, et laisse-moi retourner auprès de toi et d'Arthur.* Puis il se rappelait qu'elle avait un autre homme dans sa vie, et il lui revenait l'image d'une assiette volant à travers la pièce.

« Tu vois toujours ce type ? Le musicien, comment s'appelle-t-il, déjà ?

— Anton.

— Oui. Le joueur de saxo... »

Anton était un gosse de riche qu'elle avait connu au lycée, à Columbia, avant de s'amouracher de David. Naturellement, Anton s'était rappelé au bon souvenir de Renee sitôt qu'avait couru le bruit de la séparation. Comment Rachel, l'amie de Renee, décrivait-elle la musique du dénommé Anton ? Ah oui : *« Adulte contemporain. Une espèce de Kenny G., mais en plus free. »* De la musique de supermarché, tel était l'avis de David, après en avoir écouté un échantillon sur cassette.

« Comment ça se passe avec lui ? » questionna-t-il avec un

détachement appliqué. Aux dernières nouvelles, ils étaient au bord de la rupture.

« Ça va, répondit-elle en raclant de son orteil la moquette bordeaux. On s'entend bien la plupart du temps. Et ça marche pour lui. Il a joué pour un tas de pubs télévisées dernièrement, et ça paie vachement, ces trucs-là.

— Ah oui ?

— Oui, il envisage même de s'installer à Los Angeles pour profiter de son succès du moment.

— Oh ? » David sentit la peau de son crâne se contracter. « Et cela veut dire quoi ?

— Eh bien... » Elle se détourna à moitié de lui, comme si cette position de biais avait le pouvoir d'atténuer l'impact de sa réponse. « Il m'a demandé si je voulais l'accompagner. »

Il fallut quelques secondes à David pour enregistrer totalement le message. « Et qu'est-ce que tu lui as répondu ? s'enquit-il d'une voix blanche.

— Que je devais en discuter avec toi, parce que je ne pouvais pas partir sans Arthur. »

David s'éclaircit la gorge et redressa les épaules ; il avait soudain conscience d'approcher rapidement d'un de ces moments, dans la vie, où la douleur devient inévitable, et où la seule question est de savoir quel sera son degré et combien de temps elle durera. À cet instant, toutes ses raisons de s'en aller s'envolèrent et, tel un enfant, il n'eut plus qu'un seul désir : être là, au lit avec elle, Arthur entre eux deux, écoutant la cloche du marchand de glaces tintinnabuler dans la rue, tandis que l'enfant glisserait dans le sommeil et que, le soleil sombrant entre les immeubles, le ciel passerait du rose au gris et enfin au noir.

« Je ne pense pas que ce soit une bonne idée, Renee... »

Il se tut, car Arthur venait de surgir dans la pièce, lutin roux en T-shirt Batman et jean Gap. Il se jeta dans les bras ouverts de son père et commença la bagarre, poussant de toutes ses faibles forces le géant contre le vieux divan couleur chocolat que David et Renee avaient remonté de Ludlow Street par un après-midi flamboyant, huit ans auparavant.

« Papa ! Papa ! Papa ! Je jouais dans ma chambre avec sir Gawain et le Chevalier vert ! J'ai coupé la tête au Chevalier vert et je l'ai plantée sur un piquet !

— Quoi ! Tu as commencé sans moi ? Comment as-tu osé ? »
David glissa ses gros doigts sous les aisselles du gamin pour le chatouiller, pendant qu'Arthur gigotait dans tous les sens et essayait de prendre en ciseaux la tête de son père entre ses jambes grêles.

Il devait cacher à l'enfant sa tristesse et son inquiétude. Depuis leur séparation, Arthur était devenu aussi fragile que sa mère. Ses professeurs à l'école lui avaient rapporté qu'il s'exprimait très peu en classe, et qu'il se cognait parfois la tête contre les murs quand il était contrarié. Il avait un sommeil agité, peuplé de cauchemars remplis de nuages effrayants et de rochers menaçants. Et il avait contracté une forme alarmante d'asthme, qui pouvait surgir à tout moment.

« Doucement, vous deux, dit Renee. Je n'ai pas envie de courir une fois de plus aux urgences. »

David, se souvenant de son terrible sentiment d'impuissance la première fois que son fils avait été pris d'une irrépressible quinte de toux, lâcha le garçon.

« Ça va bien, maman », affirma Arthur, le visage rougi et le souffle un peu court.

Mon petit, pensa David, je ne te laisserai jamais partir. Il se revoyait lui-même enfant, dans son fils – un garçon passionné par les héroïques chevaliers du Moyen Âge et les sanguinaires Vikings ; mais craintif quand venait le moment de quitter le banc de touche pour jouer au football, le samedi matin dans le parc.

« Alors, vous êtes prêts ? » demanda Renee.

Non, avait envie de répondre David. Je ne suis pas prêt. Je ne suis pas prêt à t'abandonner, et encore moins à abandonner mon fils.

« Voilà. » Renee posa sur les genoux de David le sac à dos d'Arthur. « J'y ai mis son inhalateur, son pyjama, son livre de chevet, et du lait de soja au cas où tu n'en aurais plus. »

David se leva. Comment avait-il pu en arriver là ? Séparation, perte, manque, ce n'étaient point les thèmes qu'il avait choisis. Il avait toujours rêvé de Grandes Choses – d'apprendre à ses élèves à vivre, d'écrire un jour un chef-d'œuvre –, mais certes pas de voir sa famille se disloquer.

« On en reparlera, ajouta Renee avec nervosité, observant Arthur qui enfilait ses tennis.

— Oui, il le faut, approuva David.
— Rien n'est gravé dans la pierre. »
David regarda par-dessus son épaule, et vit que le soleil avait disparu derrière les immeubles, projetant de longues ombres dans le living. « Oh ! regarde, dit-il. Le soir tombe. »

5

Nasser et Elizabeth Hamdy habitaient dans ce que leur père appelait « la maison la mieux tenue de Brooklyn », une maisonnette de deux étages dans l'Avenue Z, avec une pelouse de la taille d'un timbre-poste et une allée en ciment. Chaque weekend, M. Hamdy passait des heures à tondre son gazon, et à le débarrasser des bouteilles et des saletés qu'y balançaient les camés au crack. Et tout ça pour convaincre ses voisins italiens qu'il était leur semblable, et non pas un sale Arabe, sans avoir conscience de l'agacement qu'il provoquait en réalité chez eux.

Peu avant 7 heures ce soir-là, Elizabeth était dans sa chambre au premier ; assise en tailleur sur son lit, elle écrivait dans son journal relié d'un tissu à impression cachemire.

« Je t'ai vue. »

Nasser se tenait sur le seuil, enroulant et déroulant sa cravate autour de son doigt.

« Quoi ?

— Je t'ai vue au lycée, aujourd'hui, et tu ne portais pas ton *hijab.*

— Moi aussi, je t'ai vu. » Elle repoussa son journal. « Qu'est-ce que tu faisais là-bas ?

— Je devais parler à quelqu'un.

— Oui, je sais. À M. Fitzgerald, mon professeur. Que lui voulais-tu ? »

Il s'accota au chambranle. « Je n'aime pas ce qui se passe là-bas.

— Nasser, nous avons déjà parlé de ça ! » Elle posa son stylo et se leva. « Tu n'es ni mon père ni ma mère. On ne vit pas en Cisjordanie. Tu n'as pas le droit de me surveiller ainsi !

— J'essaie seulement de te protéger. Les gens pourraient penser que tu ne te conduis pas en bonne musulmane.

— Je me fous de ce que les gens pensent. On est en Amérique !

— Tu ne crains pas de déshonorer ta famille ? dit-il sans oser la regarder dans les yeux.

— Arrête avec ça ! Je suis une fille comme les autres ! »

À présent, le père, attiré par les éclats de voix, était monté. Ventripotent, le regard las, et les mains calleuses à force de manier les cageots et les caisses dans son épicerie, il entamait la longue marche menant à la vieillesse.

« Allons, que se passe-t-il ? Pourquoi mes enfants se disputent-ils ? »

Nasser fit deux pas dans la chambre sous le regard d'Elizabeth, campée sur ses jambes, les mains sur les hanches. « Ce n'est rien, déclara-t-elle. Seulement Nasser qui fait encore l'idiot. »

Le père eut un faible sourire qui trahit sa fatigue. Oui, il se faisait vieux. À l'âge de seize ans, il avait emmené son frère et sa sœur de l'autre côté du Jourdain, et n'avait cessé depuis de porter à bout de bras le reste de sa famille. Il avait vingt et un ans quand ses parents de Jordanie en avaient eu assez de les avoir sous leur toit, et il s'était retrouvé dans un horrible camp de réfugiés, où il avait rencontré celle qui était devenue la mère de ses enfants. Pendant des années, il n'avait eu de cesse de mettre de côté assez d'argent afin de partir pour l'Amérique avec les siens. Et cela faisait maintenant dix-sept ans qu'il tenait cette boutique dans Stillwell Avenue, travaillant dix-huit heures par jour, toujours se privant et économisant. Il désirait désespérément la paix, mais chaque mot sorti de sa bouche semblait avoir le don d'irriter Nasser, son seul fils.

« Sois gentille avec ton grand frère. Il essaie seulement de trouver son chemin. »

Il s'approcha d'Elizabeth et l'embrassa sur le haut du front. Puis il voulut tapoter l'épaule de Nasser, mais celui-ci s'écarta. Il feignit de ne rien remarquer. « Nous devrions être heureux, ajouta-t-il en quittant la pièce. Ne tardez pas à descendre. Le dîner est bientôt prêt, et je voudrais prier. »

Elizabeth le regarda partir. *Oui, nous pourrions être heureux*, pensa-t-elle. Mais elle devait s'avouer que ce n'était pas le cas depuis quelques années. Depuis que son dingue de frère était revenu du Moyen-Orient.

Elle tentait toutefois de se convaincre que ce n'était pas entièrement la faute de Nasser. Avant son retour, ils avaient vécu à l'image d'une famille américaine ordinaire – son père, elle-même, sa belle-mère Anne, et Leslie et Nadia, les deux filles du second mariage de son père. Bière dans le frigo, hot dogs le samedi soir, et peu importait qu'elle aille en minijupe à l'école. Sitôt que Nasser était arrivé, leur maison s'était transformée en petit avant-poste de l'Islam. Finie la bière, à la poubelle les minijupes et, avec elles les hot dogs : rien de tout cela n'était *halal*. Et tout le monde hormis la belle-mère était censé prier cinq fois par jour.

Bizarrement, son père emboîta le pas à son fils ; lui qui conduisait une Chevy et fumait des Marlboro se mit soudain à fréquenter la mosquée. Au début, Elizabeth y vit les effets d'un sentiment de culpabilité, pour avoir été séparé aussi longtemps de Nasser. Mais elle pensait depuis peu qu'il y avait autre chose. Quand son père priait, son visage exprimait une étrange nostalgie, comme s'il aspirait à renouer le lien avec une ancienne foi perdue. Mais, ce qui la troublait le plus, c'était de ressentir parfois elle-même un désir similaire.

« Tu sais, tu commences à m'énerver avec tes histoires de tradition, lança-t-elle. Qu'est-ce que tu faisais à la porte de ma chambre, ce matin à 4 heures et demie ?

— J'appelais à la prière du matin. J'ai pensé que tu n'avais pas envie de la manquer.

— J'ai besoin de dormir. » Elle souleva un coussin et fut tentée de le lui jeter à la tête. « Tu ne t'es pas encore rendu compte que je fais des études ?

— Je suis désolé. » Nasser toucha la clé qu'il portait à son cou. « Peut-être que je suis trop sévère avec toi et que je devrais te faire confiance.

— C'est exactement ça, répliqua-t-elle en commençant de natter ses cheveux.

— Tu comprends, ça m'inquiète de voir comment les enfants

grandissent ici. Au milieu de toute cette licence, tous ces dangers. Des fois, en te regardant, je pense à notre mère, Dieu veille sur son âme. » Il pressa la clé sur ses lèvres. « Elle n'est plus là pour t'apprendre à distinguer le bien du mal, alors je le fais à sa place.

— Crois-tu qu'elle se serait réellement inquiétée que je porte ou pas un foulard sur la tête ?

— Ça, je ne peux pas te le dire. » Il sourit et laissa pendre sa clé devant sa cravate.

Un mystère. Sa famille entière était un mystère pour elle. Surtout Nasser. Il y avait tant de choses dont il ne parlait jamais... ses amis, son emprisonnement à Ashqelon, leur mère. Même après cinq années passées ensemble sous le même toit, elle sentait en lui une part d'ombre qu'elle n'avait jamais percée.

« Tu es trop, Nasser. Vraiment trop !

— Je sais. » Il ramassa l'un des rollers de sa sœur et, d'une pichenette de l'index, fit tourner une roue. « Tu ne dois pas m'en vouloir. Qu'est-ce que je peux faire pour toi ? »

Elizabeth baissa malgré elle sa garde. Nasser pouvait être si gentil parfois, et tellement paumé ! Et il y avait tant de choses qu'elle désirait savoir de lui...

« Tu me promets que tu ne viendras plus au lycée pour me surveiller ?

— Oui, je te le promets.

— Bon sang, je ne sais pas ce que je vais pouvoir dire à M. Fitzgerald ! lança-t-elle, décidée à lui manifester son irritation quelques secondes de plus.

— Ne lui dis rien. Il n'est pas de la famille.

— Peut-être, mais il est mon professeur, et j'ai besoin de lui, si je veux poursuivre des études supérieures. »

Nasser plissa les yeux d'un air contrarié, mais il se reprit aussitôt et reposa le roller par terre. Elle le regarda, et reconnut sur le visage de son frère une expression grave que le miroir lui renvoyait parfois d'elle-même, et ce rappel de leur ressemblance l'emplit d'un nouvel élan d'affection fraternelle.

« Hé ! s'exclama-t-il en claquant des doigts, c'est bientôt ton anniversaire, non ?

— Oui, dans deux semaines.

— J'aimerais t'acheter quelque chose. Si on allait faire les magasins, mardi prochain ?

— Mardi, je ne peux pas, répondit-elle en s'asseyant sur le lit. Je vais avec la classe au musée. »

Il la regarda, le front barré d'un pli soucieux. « Mais c'est mon seul jour de libre, répliqua-t-il. Le reste de la semaine, je travaille comme un fou. Mardi, je t'offrirai tout ce que tu voudras.

— Tout ce que je voudrai ? »

Il pinça les lèvres, et porta son regard sur le patin à roulettes à ses pieds. « Ça te plairait, des protège-genoux et un casque ? Je t'ai vue patiner sans casque. Il faut que tu te protèges. »

Elle croisa les bras. « Nasser, rien qu'un bon casque peut te coûter 150 dollars. Tu le sais, non ?

— Et après ? L'argent est fait pour être dépensé. »

C'était là un de ces traits américains qu'il avait pris inconsciemment. Il se moquait toujours d'elle pour ses façons trop « occidentales », mais lui aussi se coulait dans le moule. Sans en être encore conscient. Des fois, elle le surprenait en train de fredonner une chanson entendue à la radio, ou de se balader dans la maison avec la paire de godillots Timberland que leur père lui avait offerte à son dernier anniversaire. Il s'en voulait terriblement chaque fois qu'il était pris en flagrant délit d'intégration, mais c'étaient ces moments-là qui le rendaient plus proche d'Elizabeth.

« Oh ! je pourrai peut-être sécher le musée, déclara-t-elle. Ce n'est pas une interro écrite, après tout.

— Bien sûr, dit-il en approuvant d'un signe de tête. Alors, c'est d'accord ? Je t'emmène mardi.

— C'est d'accord, Nasser.

— Parfait, parfait. »

Il eut un sourire de soulagement et s'approcha comme pour l'embrasser mais, à la dernière seconde, il s'écarta, se contentant de lui prendre la main. Et tout ça pour un cadeau d'anniversaire. Mon frère, l'étranger.

« Je suis content que tu n'ailles pas au musée pour voir tous ces tableaux et ces statues immoraux, affirma-t-il. Ils ont une mauvaise influence.

— Ce que tu es bizarre, quand même ! » Elle se leva et lui fit une grimace comique. « Tu sais, tu devrais te trouver une fiancée.

— Pour quoi faire ? » répliqua-t-il.

6

La grande roue immobile se découpait sur un ciel d'un bleu cristallin, et les montagnes russes semblaient figées dans l'invisible gangue du silence. Nasser et Youssef étaient dans la Plymouth, garée le long du trottoir à trois cents mètres du lycée de Coney Island.

« Comment tu te sens ? demanda Youssef. Bien ?

— J'ai mal au ventre », répondit Nasser. Il portait son blouson marron, un pantalon noir et une chemise blanche. Un sac en papier McDonald's était posé sur ses genoux.

« C'est tout naturel, dit Youssef, occupé à brancher des fils sur deux bâtons de dynamite à l'intérieur d'un petit sac de sport ouvert à ses pieds. J'étais nerveux avant chaque opération militaire. Il n'y a rien de plus normal, et ça tient l'esprit aiguisé. » Il souleva le sac pour le placer entre Nasser et lui, et en sortit un réveil. « Tiens, appuie ton doigt ici pendant une seconde. Juste au milieu des aiguilles. »

Dans un état d'hystérie contrôlée, Nasser pressa un index fébrile sur le point de rotation des deux flèches, pendant que Youssef, qui avait défait le boîtier arrière de la petite pendule, introduisait l'un des fils dans le mécanisme.

« Voilà, ajouta Grand Ours, remettant le boîtier en place et glissant avec une grande précaution le réveil dans le sac. Nous sommes prêts. Passe-moi mon hamburger. »

Nasser tendit à son ami l'emballage de polystyrène jaune. Il était 13 h 25. Dans vingt minutes, la sonnerie clôturant le dernier cours se déclencherait, et un flot braillard se répandrait sur le trottoir, en bordure duquel des charpentiers dressaient une estrade pour la visite du gouverneur prévue le surlendemain.

« L'autre jour, j'ai demandé à l'imam si ce genre de nourriture était *halal*, déclara Youssef en sortant son *king burger* de sa boîte.

— Et qu'est-ce qu'il t'a répondu ?

— Qu'il était bien triste que dans ce pays on abatte les bêtes sans les consacrer, mais qu'on était obligés de faire des exceptions chez les infidèles : on peut se contenter de remercier Dieu, avant de manger.

— Et lui as-tu aussi demandé sa bénédiction pour l'opération d'aujourd'hui ?

— Disons que je l'ai fait... à mots couverts, mais tout ira bien, répliqua Youssef avant de bénir brièvement son sandwich et de mordre dedans. Ne t'inquiète pas, Dieu nous protégera. C'est très très simple – on répète encore une fois : tu entres avec la *hadduta* et ton ancienne carte d'élève. Personne ne t'arrêtera parce que tu as fréquenté le lycée et qu'on t'a vu souvent venir chercher ta sœur. Ne te tracasse pas non plus pour le détecteur de métal : le minuteur est en plastique, j'ai enlevé moi-même les vis.

— Vraiment ?

— Ouais, et je peux te dire que j'en ai sué. » Youssef mâchait bruyamment, la bouche ouverte. « Ensuite, tu descends au sous-sol et tu places la *hadduta* dans la chaufferie, à côté du réfectoire. Introduis-la à l'intérieur de la chaudière si tu peux. Tu sais où c'est, hein ?

— Bien sûr que je sais, cheikh. »

Nasser fronça les narines au souvenir de l'odeur infecte que répandait la nourriture servie au réfectoire. « Tirez fort sur la chasse d'eau, le chemin est long jusqu'aux marmites. » Le premier graffiti américain qu'il ait jamais compris.

« Tu verras, tout se passera bien. » Youssef avala un nouveau comprimé à la nitroglycérine. « Ce serait beaucoup plus dur si on avait choisi de faire ça le jour de la visite du gouverneur, avec toute la sécurité autour. Là, le message aura la même portée mais sans les risques. Tu glisses la dynamite dans un conteneur fermé, genre chaudière, et tu peux faire sauter tout le bâtiment.

Alors, ils sauront que même leurs enfants ne sont pas à l'abri de la colère de Dieu. Ça sera sur toutes les chaînes de télé, ce soir. »

Nasser se surprit à manger ses frites mécaniquement, d'un geste compulsif. Une nourriture impure, mais au goût salé bien agréable. Il était 1 heure passée à la pendule du tableau de bord.

« Je vois que tu as encore cet air triste, remarqua Grand Ours, guettant sur le visage de Nasser le moindre signe de faiblesse. N'aurais-tu plus le cœur de passer à l'action ?

— Non, cheikh, je suis toujours aussi résolu. » Nasser s'efforçait de paraître calme et maître de lui, conscient que le moindre relâchement de sa vigilance déclencherait Dieu sait quel mouvement de panique.

« Dans ce cas, quel est le problème ? demanda Youssef d'un ton sec. Tu t'inquiètes encore pour ta sœur ?

— Non. » Nasser s'essuya les mains avec une serviette en papier. « Je me suis arrangé pour qu'elle ne soit pas là.

— Alors, c'est quoi ? »

Nasser se regarda dans le rétroviseur, essayant d'imaginer les minutes qui allaient suivre. Il se rêvait froid, impitoyable et efficace, tel un héros de film d'action, laissant la mort et la désolation derrière lui. Mais la réalité était autre, et semblait en cet instant être tout entière contenue dans la boucle de son ceinturon, qui appuyait douloureusement contre son nombril.

« J'ai tellement de choses en tête, murmura-t-il. Ma mère. Mon père. Tout ce que je veux faire au nom de la foi... »

Pourquoi éprouvait-il cet insupportable sentiment d'effroi ? Trois années durant, il avait arpenté les couloirs de ce lycée avec l'envie de tirer sur tous ceux qu'il croisait. À présent qu'il avait enfin une chance de le faire, et pour une grande cause, pour quelque chose qui dépassait infiniment sa propre personne, il se découvrait sans forces et sans courage.

« Tu sais, tu peux laisser tomber. » Youssef posa son hamburger sur le tableau de bord et le regarda de nouveau avec une extrême attention. « Pas de problème. » Il se pencha vers le sac. « Il me suffit d'arrêter le minuteur. Nous avons encore dix-sept minutes devant nous. »

Nasser baissa les yeux sur sa barquette de frites et sentit la clé frôler sa poitrine. Il avait peur de dire quoi que ce soit.

« Mais laisse-moi quand même te demander quelque chose,

ajouta Youssef. Combien de temps es-tu resté à la prison d'Ashqelon ?

— Presque deux cents jours.

— Et ça t'a plu là-bas ou quoi ? Tu ne m'as pas dit qu'ils t'avaient torturé pour te faire avouer et donner les noms de tes amis ? Ils t'ont passé à l'eau glacée ?

— Oui.

— Et ils t'ont mis dans la position de la banane ?

— Bien sûr. » Il ne risquait pas d'oublier ces douleurs crucifiantes dans sa colonne vertébrale ployée à craquer.

« Et le sac ? lança encore Youssef. Ils te l'ont mis aussi ? »

Nasser hocha la tête, pris de nausée à ce dernier souvenir. Un sac grossier en toile de jute et puant les excréments. Ses tortionnaires l'avaient emmené dans l'une des cours de la prison, lui avaient lié les mains dans le dos, l'avaient fait asseoir sur un tabouret, et lui avaient enfilé cette horrible chose sur la tête. Là, pendant deux ou trois heures, il avait cuit sous le soleil ardent des Juifs, macérant dans sa sueur et le cœur soulevé par l'odeur infecte, se demandant s'il survivrait jamais à un tel supplice. À un moment, il s'était tourné sur son siège, et l'un des gardes l'avait frappé si fort à la tête qu'un éclair blanc de lumière l'avait un instant aveuglé. Il avait alors pensé qu'il ne tiendrait pas plus longtemps, qu'il allait vomir et mourir là, dans la fournaise de cette petite cour aux murs couronnés de barbelés. Mais il avait survécu. Insensiblement, l'engourdissement avait gagné son corps, estompant la douleur, et c'est ainsi qu'il avait survécu. En se jurant de ne plus jamais rien ressentir.

« Souviens-toi de tout cela, mon ami, poursuivait Youssef. Et aussi de ce que dit le Livre : on doit parfois combattre alors que c'est la dernière chose qu'on désire. »

Dehors, la brise océane agitait les bannières du parc d'attractions, et les coups de marteau des charpentiers résonnaient sur la promenade. Nasser se tourna lentement vers Youssef. L'homme était couvert de cicatrices – il en avait une sous un œil, une autre sur la poitrine... – et ses phalanges étaient tordues et enflées. Tout son corps racontait son calvaire de combattant de la foi. Le père de Nasser, qui ne s'était jamais battu et n'avait jamais rien fait d'autre que fuir en traversant des fleuves, ne portait nulle cicatrice, lui.

« Ça va bien, affirma-t-il. Je suis prêt. »

Comme pendant la torture du sac, il allait se fermer à toute sensation, s'interdire toute pensée. Vous deviez vous transformer en machine. Et ce pour un dessein plus grand. Vous n'étiez qu'un instrument dans les mains de Dieu, et si Dieu voulait vous arrêter Il le ferait.

« Parfait. » Youssef ramassa le sac de sport et le plaça sur les genoux de Nasser. « Tu sais ce que tu dois faire. Quand l'aiguille des minutes atteindra son point de contact, elle déclenchera la mise à feu, et la *hadduta* explosera. Ne la secoue pas trop, et ne t'arrête pas si jamais tu rencontres quelqu'un que tu connais. Fais confiance à Dieu et pense à la vitesse de la foudre. »

Il se pencha par-dessus Nasser, et ouvrit la portière sur la lumière dorée de ce bel après-midi.

Au troisième étage, David Fitzgerald sortit des toilettes avec la gueule de bois et un mal au ventre persistant. Il s'était couché tard la nuit précédente, après avoir bu et s'être rongé les sangs, comme tous les autres soirs depuis que Renee lui avait annoncé son intention de suivre Anton en Californie. Il venait à peine de commencer son cours quand il avait été pris d'une violente nausée. Retournant dans la classe après un bon quart d'heure d'absence, il retrouva des élèves qui se comportaient comme des cobayes sous l'effet d'un puissant excitant hormonal. Ils se hurlaient après les uns les autres, grimpaient sur les tables, envoyaient voltiger feuilles et cahiers, se tiraient les cheveux, et faisaient tourner des crécelles dont le bruit irritant se mêlait aux martèlements des charpentiers au-dehors.

« Merci de les avoir bien échauffés en attendant mon retour. » David fit la grimace à son meilleur ami, Henry Rosenthal, censé surveiller la classe et l'accompagner à la sortie prévue dans l'après-midi au Metropolitan Museum.

« De rien, dit Henry. N'oublie pas que Hendrix a joué un jour en première partie des Monkees. »

Avec ses longs cheveux gris et son polo noir à col roulé genre Black Power chic, Henry ne faisait pas dans l'autorité. Il avait milité dans le mouvement Libre parole et les programmes d'éducation alternative des années 60 – mais sans trop s'impliquer : il préférait, et de loin, parler de bons vins plutôt que de politique.

« Très bien, on se calme, et rangez-moi ces crécelles. » David passa devant Henry. « Et si vous n'avez pas l'intention de me laisser parler, baissez au moins le volume, que je puisse dormir jusqu'à la sonnerie, d'accord ? »

La matinée avait été un blizzard de complications diverses et variées. Des parents se pointant à l'improviste, désireux de savoir pourquoi leurs enfants avaient de si mauvaises notes ; les photocopieuses tombant toutes en panne ; Shooteema Edwards, en classe de quatrième, apprenant que sa mère avait un cancer inopérable au cerveau. Et, pour ne rien arranger, une équipe de télé qui tournait un reportage sur la situation déplorable de l'établissement.

Du charivari émergea la main noire de Seniqua Rollins. Une grande bringue coriace aux cheveux tricotés en grosses mailles, qui avait été renvoyée un temps l'année précédente pour avoir cogné la tête d'une autre fille contre une armoire, et qui était d'après la rumeur la favorite d'un chef de gang dénommé King Shit et présentement en taule. Elle portait aujourd'hui, outre son habituel jean moulant, un T-shirt rose qui disait : « J'SUIS DEBOUT ET HABILLÉE, ALORS QU'EST-CE QUE TU VEUX DE PLUS ? » et un blouson bleu marine.

« Hé ! Hé ! Hé ! m'sieur Fitz, j'ai une question pour tout le monde ! s'exclama-t-elle d'une voix plus forte que dix rames de métro.

— Laquelle ?

— Pourquoi nous faire perdre notre temps avec cette sortie ? Il est tard, mec. On devrait déjà être rentrés chez nous. »

Une onde de rire traversa la classe, les élèves titillés par l'audace de Seniqua. David fit claquer son cahier d'appel contre sa cuisse.

« J'veux dire, vous nous répétez sans arrêt qu'on doit pas tout accepter, poursuivit-elle. Alors, pourquoi c'truc de bouffon ? J'préfère retourner chez moi et lire Alice Walker à ma p'tite fille. »

Plusieurs grincements de crécelles saluèrent sa dissidence.

« Écoute, répondit David en s'efforçant d'être à la hauteur pour la première fois de la journée, d'abord, c'est la seule occasion qu'on a d'aller au Metropolitan et d'étudier les racines du sujet qui nous occupe en ce moment. Je parle des Égyptiens, des Sumériens, et même de nos copains les Grecs. Achille, le premier héros de la littérature occidentale, refusa de quitter sa tente pour aller se battre pendant la guerre de Troie, parce que son général lui avait piqué sa maîtresse. La rancune, la jalousie, la fierté. Tu comprends ça ?

— Non, rétorqua Seniqua, bravache et tapageuse.

— Vraiment ? »

David remarqua qu'elle avait pris place à côté d'Amal Lincoln, qui jouait arrière dans l'équipe de basket et avait la réputation d'être le plus mauvais rappeur amateur de Brooklyn. Que penserait King Shit de cette petite alliance si jamais il sortait de prison plus tôt que prévu ? Probable qu'il entrerait dans une colère achilléenne, attacherait Amal au pare-chocs d'une LeBaron, et le traînerait pendant douze jours autour des murs de l'école – dans le genre de ce qu'Achille avait fait avec le corps d'Hector.

« J'suis pas pour, dit Seniqua, se disputant une crécelle avec Amal. Ça m'paraît trop un truc de... Blancs. »

Ah ! le vieux coup de pied de vache racial. David para sans réfléchir. « Ma foi, les Égyptiens et les Sumériens, c'étaient pas vraiment des wasp, non ? répliqua-t-il tout en prenant conscience qu'il venait de se faire entraîner sur le même terrain boueux.

— Ouaais ! s'écria Seniqua en balayant la repartie d'un geste de la main. J'suis fatiguée, c'est tout, et j'veux rentrer chez moi !

— Nous aussi ! » clamèrent plusieurs voix accompagnées de crécelles. Que se passe-t-il ? se demanda David. Il n'y avait pas seulement sa gueule de bois, et son angoisse au sujet de Renee et d'Arthur. Le rythme de la matinée semblait aller à contretemps. Balayant du regard la salle, il constata que le tiers de ses élèves manquait. Même Elizabeth Hamdy, qui à sa manière avait le don de stabiliser la classe. *Toi aussi, Elizabeth ?* Le problème était peut-être là. Une classe développait sa propre chimie tout au long d'un trimestre et, si on ôtait un seul élément d'importance, l'ensemble de l'édifice s'écroulait et se consumait.

« De toute façon, nous sommes déjà en retard, alors on ferait mieux d'y aller », déclara David en se massant les tempes. Les coups de marteau et les crécelles semblaient mettre en italique son mal de tête. « D'autres questions ? demanda-t-il.

— Ouais. » Seniqua le considérait sans bienveillance. « Qu'est-ce que vous avez fait aux chiottes, pendant tout ce temps ? »

Fais confiance à Dieu et pense à la vitesse de la foudre.

Ces paroles, Nasser se les répétait sans cesse tandis qu'il se rapprochait du lycée et que s'amplifiait le tintamarre charpentier.

Il avait le soleil dans le dos et portait le sac de sa main gauche. Sa détermination jouait au yo-yo : il ne cessait d'osciller entre l'état de doute et l'état de confiance, tandis que le poids de la *hadduta* et son souci de ne pas la secouer le faisaient pencher légèrement à gauche en marchant.

Il n'était plus qu'à une centaine de mètres de l'entrée. Devant lui, il voyait les premiers élèves sortir et descendre les marches, prêts à assiéger les marchands de frites et de hot dogs installés le long de la promenade, plutôt que de s'infliger le rata du réfectoire. Il se rappelait avoir fait de même, quatre ans plus tôt – en espérant parfois que d'autres l'invitent à se joindre à eux, tout en étant résolu à leur dire non.

BOUM ! Il les imagina écrasés sous l'avalanche de briques. La peine inconsolable des filles. La longue plainte des sirènes. Oui, ce serait horrible, mais il se garderait de toute compassion. Il avait eu son compte d'horreurs dans les rues de Bethléem. La guerre des pierres, l'odeur âcre des pneus qui brûlaient, les gaz lacrymogènes, les balles en caoutchouc qui pouvaient tuer. Les enfants gisant sans vie dans les ruelles et les lamentations des mères. Elles aussi étaient inconsolables.

Il n'était plus qu'à une trentaine de mètres. Il voyait les charpentiers clouer planche après planche, mais le bruit de leurs marteaux lui parvenait avec un décalage. Il croisa une bande de garçons ; et l'un d'eux, un *abbed*, un Black en polo jaune et jean bouffant, se fit un devoir de le bousculer au passage.

Pris par surprise, Nasser trébucha et se tordit une cheville. Mais il retrouva in extremis son équilibre, et évita de s'affaler sur le sac et la *hadduta*, tandis que cet abruti d'*abbed* poursuivait sa marche en ricanant par-dessus son épaule. Ignorant qu'il venait de frôler la mort. Les Noirs. Ils étaient censés être des frères, pensa Nasser. Mais il avait toujours eu peur d'eux, à l'époque où il fréquentait le lycée.

Il se redressa et se mit à marcher plus vite, sachant qu'il n'avait plus que huit minutes pour poser sa bombe. Le rythme des marteaux semblait s'accélérer. Des bannières rouge-blanc-bleu pendaient de l'échafaudage au-dessus de l'entrée. De plus en plus d'élèves dévalaient les marches ; on aurait dit la rupture d'un barrage. Et ils se déplaçaient avec une liberté et une aisance insolentes, balançant les bras et roulant les épaules, comme s'ils étaient nés pour régner sur les grands espaces. Il ne pourrait jamais être leur semblable, lui qui avançait à petits pas prudents. Il avait connu pendant trop longtemps l'enfermement. Même aujourd'hui, son col de chemise le serrait à l'étouffer. Et plus il s'efforçait de se calmer, plus il sentait ses jambes se bloquer.

Oublie les sensations.

Il passa le sac sous son bras, alors qu'il croisait une bande de filles qui riaient et chantaient, et pénétra dans le hall. Il retrouva les murs peints en bleu, l'horrible et familière odeur d'ammoniac. *Fais confiance à Dieu et pense à la vitesse de la foudre.* Le plus difficile serait maintenant de franchir le portique de détection de métaux. Il se tourna, s'attendant à voir le garde qui l'avait laissé passer sans rien lui demander la semaine précédente – un Portoricain apathique et au regard endormi du nom de Miguel, qui avait été dans sa classe quelques années plus tôt. Mais là, c'était quelqu'un d'autre ; un Noir d'une cinquantaine d'années, à l'air vif, vêtu d'un blazer et d'un pantalon gris au pli impeccable, qui vérifiait scrupuleusement les cartes des élèves. Nasser considéra la mise soignée du bonhomme et sentit son ventre se nouer.

Bon sang, il aurait dû songer à cette éventualité ! À la différence de Miguel, ce type exigerait une pièce d'identité et consignerait son nom sur le registre des visiteurs, fournissant ainsi une foutue piste aux policiers. Ils auraient vite fait de le retrouver et de le jeter en prison avec tous ces Noirs et ces Hispaniques.

Le hall, si vaste à ses yeux quelques secondes plus tôt, lui parut soudain aussi étroit qu'une cabine téléphonique. Il avait la respiration coupée, le ventre noué. Il devait s'arracher de là !

Sans réfléchir, il pivota vers le grand carré de soleil qui éclairait l'entrée et ressortit. Il eut l'impression que les marches se multipliaient sous ses pas et qu'il ne finirait jamais de les descendre. Il croyait entendre le tic-tac de la pendule dans le sac, tandis que s'amplifiait le brouhaha des élèves toujours plus nombreux à se déverser sur le trottoir.

Pour la première fois, il remarqua, à une vingtaine de mètres de là, un grand gaillard avec une caméra à l'épaule, accompagné d'une jeune femme en tailleur bleu qui tendait un micro à un groupe de garçons et de filles. Derrière elle, les plus jeunes se bousculaient pour être dans le champ de la caméra et faire les singes. Une chaîne de télévision avait envoyé une équipe prendre la température du lycée avant la visite du gouverneur... Il ne manquait plus qu'ils le prennent dans leur objectif ! Nasser jeta un coup d'œil à sa montre ; il lui restait six minutes. Son cœur tressautait à l'unisson de l'aiguille des secondes. Il était sûr d'une chose, à présent : il savait ce qu'était la peur.

Il prit par le côté de la bâtisse, pour gagner l'entrée de derrière. Il se souvenait d'une ouverture, au bas du mur, qui servait avant à la livraison du charbon... Mais, comme il tournait au coin du bâtiment, il découvrit des douzaines d'élèves assis sur les marches à fumer et à siffler des canettes dissimulées dans des sacs en papier. La voie était barrée de ce côté-là aussi. Et, pour une fois qu'il voulait être invisible, tout le monde le regardait !

Il revint en courant sur le devant, conscient d'avoir à présent moins de cinq minutes. Il paniquait. La *hadduta* allait lui péter à la gueule ! Le cameraman et la journaliste interrogeaient maintenant les élèves dans l'escalier, de manière à avoir le parc d'attractions en toile de fond. Nasser pensa à glisser le sac sous l'estrade voisine, mais la présence des charpentiers l'en empêcha. Son cauchemar fut à son comble avec l'apparition de M. Fitzgerald, qui sortait par l'entrée principale, suivi de ce Juif, M. Rosenthal, et de deux douzaines d'élèves appartenant à la classe de sa sœur.

Comment se faisait-il qu'ils étaient encore au lycée ? C'était vraiment un sale coup ! D'après ses calculs, ils auraient dû partir une demi-heure plus tôt... S'il restait là, l'une des amies de sa sœur le reconnaîtrait et demanderait à Elizabeth ce que son frère faisait au lycée ce jour-là. Et si M. Fitzgerald l'apercevait ? Retourner à la voiture avec la *hadduta* était hors de question. Il mourrait de honte devant Youssef ; et puis il n'était pas sûr d'avoir le temps d'atteindre la Plymouth, et moins encore de pouvoir faire désamorcer la bombe par son ami. Le sang lui battait aux tempes. Il songea à déposer le sac dans l'allée et à s'enfuir en courant. Mais, avec la chance qu'il avait aujourd'hui, il se trouverait bien quelqu'un pour le ramasser et lui courir après en criant : « Hé ! trouduc, t'as oublié quelque chose ! Hé ! arrête-toi, nègre des sables ! »

Le choc des marteaux lui parvenait avec une force extraordinaire, et il restait là, figé par l'indécision, se demandant si c'était cela, son destin : sauter avec sa bombe devant son ancien lycée ? Oui, était-ce la volonté de Dieu ?

Il se vit lui-même, jeune homme d'Arabie perdu au milieu de la foule, portant le tonnerre dans sa main.

Et puis le salut arriva. Sous la forme d'un bus scolaire de couleur jaune, qui vint s'arrêter pratiquement à sa hauteur le long du trottoir.

La voie était libre, et ce qu'il avait à faire... évident. Nasser attendit qu'une autre vague d'une trentaine d'élèves descende les marches, et il se joignit à eux au moment où ils passèrent devant le véhicule pour traverser la rue. Poser le sac par terre et le pousser du pied sous les roues avant à côté d'une boîte de Coca vide lui prit moins d'une seconde. Aucun des élèves ne s'en aperçut : ils étaient tous bien trop occupés à chahuter et libérer leur énergie contenue pendant les heures de cours.

Puis Nasser se détacha du groupe et s'éloigna d'un pas rapide sans se retourner. Il ne s'était jamais entendu avec M. Fitzgerald, et peut-être était-ce la volonté de Dieu.

« Allons, les enfants, restez groupés ! »

Parvenu devant le bus qui s'était garé le long du trottoir, David, suant encore sa vodka de la veille et portant à l'épaule un sac rempli de bouquins pour Arthur, essayait de mettre sa classe en rangs – mais autant demander aux vagues de s'aplatir.

Trois filles de la sororité hip-hop étaient restées au bas des marches, où elles saccadaient à mort une breakdance au bénéfice de l'équipe de télé, pendant que Ray-Za, dont la coiffure du jour tenait de la paillote hottentote, chantait les paroles du dernier rap en vogue, vrai catalogue de mots se conjuguant avec « salope » : « Salope devant, salope en cloque, salope derrière, salope en feu, salope hip, salope hop... » Quant aux autres, à leur habitude, ils se vannaient. Même les Chinois se foutaient des Coréens, qui avaient des mères comme des patates avec du poil aux pattes. C'était le style, maintenant : Je vanne donc je suis.

« Très bien, j'attendrai ! » leur cria David.

Cela aurait dû être l'une de ces glorieuses journées où tout-semble-possible. Il aimait emmener les gosses à l'extérieur, pour leur ouvrir de nouveaux horizons. Alors, pourquoi planait-il une ombre sur ses pensées ? Ce n'était pas son divorce qui en était la cause, mais plutôt un sentiment d'impuissance à contrôler le monde qui bougeait autour de lui. Les administrateurs corrompus, les livres de classe périmés, les panneaux électroniques, les banques informatisées, les cédéroms, les téléphones portables, les mômes armés de revolver, les filles de treize ans enceintes, le Prozac, la philosophie New Age, les classes surpeuplées, les virus incurables, les foyers brisés. Il s'en foutait la plupart du temps, de la Grande Faille. Mais, présentement, il la ressentait avec une étrange acuité. Il avait envie de leur dire d'arrêter et de l'écouter une minute.

« Hé ! m'sieur Fitzgerald... » Seniqua Rollins le tirait par la manche. « J'ai quelque chose à vous demander.

— Quoi ? »

Elle se rapprocha de lui. Elle s'était parfumée au patchouli aujourd'hui. « J'aimerais savoir si j'peux monter dans le bus la première.

— Pourquoi ça ? » Il était un rien méfiant envers elle, après le comportement qu'elle avait eu en cours.

Elle baissa la voix. « J'suis grosse de cinq mois. J'aimerais m'asseoir devant près d'une fenêtre pour pas être malade.

— C'est bien vrai ? répliqua David en arquant un sourcil, façon Victor Mature.

— Un peu que c'est vrai, dit-elle dans un soupir en roulant des yeux. Vous avez pas remarqué le ventre et les nichons que j'ai pris ? »

À la vérité, elle avait toujours été bâtie comme une lanceuse de poids et pouvait abriter des quintuplés sans que ça se voie. Il la regarda avec un mélange de tendresse et d'agacement. Il se demandait si le père était Amal ou King Shit, mais il n'avait pas vraiment envie de connaître la réponse. « Ça ira, tu crois ?

— Ouais, j'ai juste besoin d'un peu d'air.

— On en parlera plus tard, si tu veux. » David fit signe au chauffeur du bus, Sam Hall, d'ouvrir la portière à l'avant. « Hé ! Sam ! Ça t'ennuie pas que cette jeune dame s'asseye à côté de toi ?

— J'apprécie toujours la compagnie. » Sam, sexagénaire courtois au visage d'ébène et aux belles mains fuselées, leur fit signe de monter à bord.

David suivit Seniqua et se débarrassa de son propre sac en le posant près du siège de Sam. Ce devait être la nouvelle encyclopédie Larousse de la mythologie qui pesait autant, se dit-il.

« Comment ça va, Sam ? »

Il n'avait pas vu le chauffeur depuis quelque temps, et il se souvenait que celui-ci avait été opéré d'un cancer de la prostate le printemps précédent.

« On fait aller », répondit Sam avec un sourire et un vague clin d'œil. Tous les rappeurs *gangsta* du monde réunis ne pourraient jamais être aussi cool que lui, pensa David.

La plupart des gosses ignoraient que Sam avait été chanteur dans les années 50 – et même classé un temps numéro trois au hit-parade rhythm and blues, avec une balade lancinante intitulée « L'Homme le plus seul au monde ». C'était il y a longtemps, et plus guère d'actu dans la culture de l'immédiat, du jeu électronique et du shopping sur Internet.

« Dis donc, Sam, je peux laisser mon sac ici ? demanda David. Il me scie l'épaule.

— *No problemo.* »

Toujours en proie à ce bizarre sentiment de décalage par rapport au monde en général, David voulut redescendre le marchepied ; mais le reste de la classe, voyant que Seniqua était déjà à bord, se précipitait pour monter.

« Ohé ! pas si vite, matelots ! » David bloqua la porte de son grand corps de plomb, et repoussa les premiers au bas de la marche. « Je dois d'abord vous compter. J'ai pas envie de perdre quelqu'un en route. »

Oui, c'était exactement ce qu'il fallait faire... ralentir, rester en place, arrêter de filer aux quatre coins du monde sous des soleils ardents. Il les fit s'aligner et commença de les appeler un par un, ne sachant pas trop pourquoi il leur imposait une telle discipline, aujourd'hui. Peut-être qu'avec la menace de perdre Arthur et Renee il éprouvait le besoin existentiel de prouver que lui, David Fitzgerald, pouvait encore avoir quelque prise, si mineure fût-elle, sur le monde.

Puis il l'entendit – ou plutôt le ressentit : un coup de marteau sur ses tympans.

Il se retourna, et vit l'avant du bus se soulever à près d'un mètre du sol pour retomber dans un violent fracas. Le bruit de l'explosion en parut presque dérisoire.

Pendant une ou deux secondes, son esprit se refusa à enregistrer l'information. Ce n'était pas arrivé ! Ils allaient tous monter dans le véhicule, et il ferait le long et pénible trajet jusqu'à Manhattan avec une bande d'ados hurleurs et bagarreurs, qui transformeraient les places à l'arrière en théâtre de diverses infractions...

Mais alors le bus s'écroula vers l'avant comme un ivrogne sur le comptoir d'un bar, et la roue droite de devant fendit les airs. Une multitude de morceaux de verre tomba en pluie, et David leva instinctivement un bras en travers de son visage. Puis, comme il reculait d'un pas, il découvrit le bus couché de guingois, le moteur en feu et la colonne de fumée montant de sous le capot. La force de l'impact, quand le véhicule s'était écrasé sur la chaussée, avait projeté Sam contre le pare-brise. Il gisait la tête en sang contre le verre étoilé.

Une vague de panique balaya David. *Que se passait-il ?* Une seconde plus tôt, il partait en excursion, et voilà qu'il se retrouvait en zone de guerre. *Bon Dieu, qu'est-ce que je peux faire ?* Soudain, il aperçut Seniqua, qui tentait de sortir par la fenêtre à l'avant. Plusieurs de ses amies venaient de se précipiter et tendaient leurs bras vers elle, telles des demoiselles d'honneur jetant des poignées de riz sur la mariée. Seniqua était parvenue à passer la tête et les épaules par l'ouverture, mais elle ne pouvait aller plus loin, gênée qu'elle était par l'amplitude de sa taille et de ses hanches.

Ce que tu peux faire ? se répéta David. *Tu peux essayer de la sauver, pardi !* Il toussa. La chaleur des flammes s'élevant du moteur le repoussait comme une main. Une fumée noire et âcre commençait d'envelopper le véhicule, et David se dit que le feu ne tarderait pas à se communiquer au bus entier.

« Seniqua, essaie la portière de derrière ! » cria-t-il en se précipitant vers elle.

Mais elle était trop occupée à hurler pour l'entendre. Le trottoir autour de David grouillait d'élèves accourus depuis la promenade et l'école pour voir le spectacle. Toutefois, le feu les maintenait à une distance respectueuse d'une cinquantaine de mètres, et de leur masse compacte montaient les pleurs des filles et les jurons des garçons. Le seul à garder son calme était le cameraman : posté sur les marches du lycée, il braquait son objectif sur le bus en flammes avec une force tranquille qu'il semblait tirer du désastre lui-même.

« Ça va aller, David ! cria Henry Rosenthal en courant vers le bâtiment. J'appelle tout de suite les pompiers ! »

Pour quoi faire ? Ils arriveraient trop tard. David ne bougeait pas, paralysé par la peur. Il attendait que le feu s'éteigne de lui-même, mais celui-ci s'intensifiait de seconde en seconde. Toute sa vie, il avait attendu la Grande Occasion, qui révélerait sa lâcheté foncière (dont il avait toujours eu le soupçon) ou sa capacité à faire preuve d'un formidable courage. À présent que ce moment était arrivé, que la bête était là, il découvrait qu'il n'était pas prêt.

Il avait un fils. S'il lui arrivait malheur, qui s'occuperait d'Arthur ? C'était une bonne raison, non ? Il commença de reculer. Il l'avait, à présent, sa réponse. Il était un pleutre, après tout : le sauveteur qui n'avait jamais sauvé personne.

Seniqua disparaissait dans le nuage de fumée toxique qui enveloppait le bus.

« Mon Dieu, que quelqu'un la sorte de là ! s'écria l'une des autres filles. Elle voulait tellement le garder, ce bébé ! »

David toussa dans ses mains et s'aperçut qu'il ne pouvait pas reculer davantage. Que dirait son héros de père s'il voyait son fils battre en retraite ? Non, il fallait une certaine forme d'audace pour aller jusqu'au bout de sa lâcheté, et David n'était même pas sûr d'avoir ce cran-là.

Un insidieux courant le portait maintenant en avant. Le cœur étreint de doutes et la bouche pleine de jurons, il s'avança vers l'arrière du bus, sur lequel une pancarte proclamait : SI CE VÉHICULE EST CONDUIT AVEC NÉGLIGENCE, APPELEZ LE 555-1000. Il hésita une seconde, puis vit les sœurs hip-hop qui l'observaient, attendant qu'il fasse quelque chose. « Oh, regardez ! s'exclama l'une d'elles. Il y va ! Il va sauver le gros cul de not'sœur. J'ai toujours dit, qu'il était cool, c'mec ! »

L'écrasement du bus à l'avant avait eu pour effet de le surélever à l'arrière, et David, malgré sa haute taille, dut se hisser sur la pointe des pieds pour se saisir de la poignée. Il s'étonna de la fraîcheur du métal dans sa main, l'actionna, et tira vers lui en s'attendant que la portière refuse de s'ouvrir, l'absolvant enfin de toute responsabilité. Mais, à sa grande stupeur, elle s'ouvrit facilement, et il en sortit un nuage de fumée aussi épais que de la poix. Pris à la gorge, il toussa et cracha, comme s'il venait d'avaler de l'huile de moteur. Le courant continuait de l'emporter.

Je ne suis pas vraiment en train de faire ça, n'est-ce pas ?

« Attends, mec, j't'aide à grimper. » C'était Ray-Za, qui s'agenouillait devant lui, offrant son dos comme marchepied.

David regarda l'étoffe tendue du T-shirt noir sur le dos de Ray-Za. Pour rien au monde, il n'avait envie de monter dans cet enfer. Tout son corps était entré en résistance. Mais il ne pouvait pas laisser tomber. Il devait s'obliger à agir. S'efforçant d'ignorer les battements de son cœur affolé, il posa un pied sur le dos du volontaire et se hissa dans le bus.

Il eut l'impression de pénétrer dans un four. La chaleur l'enveloppa, comprimant ses organes et frisant ses cheveux. Il perçut un son qui ressemblait au souffle d'un géant. Un nouveau nuage de fumée arriva sur lui, le contraignant à reculer. Il se baissa, crut entendre une voix lui dire : Sors de là et envoie quelqu'un de plus qualifié. *Je suis d'accord*, pensa-t-il, *et puis j'ai un fils qui a besoin de moi*. Mais la force des circonstances et l'inclinaison du plancher le poussèrent vers la hurlante Seniqua.

Il se noyait dans la suie et n'y voyait goutte. Mais chaque pas qu'il faisait en avant rendait plus difficile l'idée même d'en faire un en arrière. L'impact avait déplacé des sièges, et David poursuivait sa marche accroupie en tâtant des coussins brûlants.

Pourquoi est-ce que je fais ça ? Pourquoi est-ce que je ne laisse pas tomber ? À présent, il avait le vertige, et éprouvait une faiblesse dans tous ses membres. Mais toujours ce courant l'emportait plus loin. Et, juste au moment où, la tête lui tournant, il allait défaillir, il trouva enfin Seniqua, toujours coincée dans la fenêtre à l'avant. Il la prit par les cuisses et tenta de la dégager. Elle ne bougea pas. Autant essayer de faire passer un orgue à travers le vitrail d'une église. Il avança entre les deux sièges pour s'assurer une meilleure prise.

« OK ! ma belle, j'vais te libérer. »

Lui entourant la taille de ses bras, il s'arc-bouta sur ses jambes fléchies et tira de toutes ses forces. Elle tomba en arrière sur lui en hurlant de terreur, à la pensée peut-être qu'il l'entraînait dans le feu et une mort certaine.

« Tout va bien, tout va bien, répéta-t-il, s'efforçant de la rassurer. On va se sortir de là. »

Mais rien n'était moins sûr. La portière à l'arrière était à une bonne douzaine de mètres, et son accès rendu difficile par l'inclinaison du plancher et la fumée qui la masquait. Une fumée qui vous piquait les yeux et vous suffoquait. David perçut deux craquements secs, suivis d'une pluie de verre. Deux fenêtres venaient d'éclater, provoquant un appel d'air qui allait nourrir les flammes. À tout moment, le bus risquait de s'embraser.

Tu te trouves au milieu d'une mer sombre et glacée, et tu vas mourir, pensa-t-il absurdement, et cette idée l'accabla. Tu croyais fêter prochainement tes quarante ans et obtenir le divorce, mais en réalité la mort t'attendait dans un bus scolaire. Tout le reste n'était qu'un préambule.

Tu ne reverras jamais plus ta femme et ton fils, se dit-il encore, tandis que la carcasse du véhicule gémissait. Il essaya de se rappeler les paroles du *Notre-Père... Notre Père...* c'était quoi, la suite, bon Dieu ? *Je Vous salue, Marie, pleine de grâce...*

Non, il n'allait pas accepter la mort. Arthur et Renee avaient encore besoin de lui, n'est-ce pas ? Il devait regagner le rivage. Avec un regain de force, il se mit à pousser Seniqua vers la sortie de secours. Survivre, rien d'autre ne comptait. Il jeta un regard derrière lui et, à travers le rideau de fumée, vit de petites flammes rougeoyer dans l'allée entre les deux rangées de sièges. Il poussa plus fort Seniqua, prêt à la frapper pour qu'elle avance, s'il le fallait. Son cœur battait à tout rompre.

Et puis il le distingua devant eux, le rectangle de lumière – la portière, la vie sauve.

Mais Seniqua s'était arrêtée, vaincue par les émanations toxiques. « Allez, avance, on peut y arriver ! » beugla David.

À quatre pattes sur le plancher, elle ne bougeait plus. David entendit une nouvelle fenêtre exploser, annonçant le début ou la fin de quelque chose. Que s'était dit son père face aux nids de mitrailleuses à Okinawa ? *Continue de foncer*. David se pencha, saisit Seniqua par la taille et la jeta comme un sac trop lourd devant lui. Elle retomba en travers de la portière, et des mains s'emparèrent de ses bras pour la tirer à la lumière du jour.

David sauta derrière elle, toussant terriblement et se couronnant les genoux à l'atterrissage. Il avait les yeux rouges, et une morve noire lui coulait des narines et de la bouche, mais il avait gagné.

Tu es un bon gars, Fitzgerald ! songea-t-il, reprenant la formule dont usait son père, les rares fois où il était fier de son fiston. Puis David vit les amis de Seniqua coucher doucement la jeune fille sur le trottoir quinze mètres plus loin.

« Hé ! elle va bien ? » demanda-t-il.

Mais sa question se noya dans la masse de gosses qui se pressaient autour d'elle, tandis que le cameraman prenait place parmi eux.

David les rejoignit en titubant, et le cercle s'ouvrit pour lui. Les cris s'étaient tus, remplacés par un murmure lugubre. Merry Tyrone, d'ordinaire exubérante et bavarde, le fixait des yeux, grise et muette. Seniqua gisait sur le dos, la bouche entrouverte et son blouson dégrafé sur son opulente poitrine. David s'agenouilla à côté d'elle.

« Elle respire plus, dit Merry, brisant enfin le silence. Elle a dû inhaler trop de fumée. »

David observa les autres mômes. Certains jetaient des regards vers le ciel, d'autres vers le bus, tous semblaient rentrer en eux-mêmes. Il appliqua son oreille contre les lèvres de Seniqua, espérant que sa respiration reprendrait d'elle-même.

Mais il ne percevait rien d'autre que le grondement des flammes voisines et le claquement des vitres. Où étaient les ambulances ? Que foutaient les pompiers ?

« Est-ce que l'un de vous sait pratiquer le bouche-à-bouche ? »

Un silence consterné lui répondit. Le cameraman se frayait un chemin dans la masse compacte pour obtenir un meilleur angle.

« Hé ! Reculez un peu ! cria David. Cette gosse a besoin d'air. »

Il regarda les lèvres sèches de Seniqua, et la croûte blanche qui s'était formée aux coins. Il n'y avait donc personne d'autre que lui pour faire ça ? D'accord, il avait été surveillant de baignade, mais même les pompiers ne pratiquaient plus le bouche-à-bouche, pour cause de sida...

Quand même, il ne pouvait pas laisser son élève, enceinte de surcroît, mourir sous ses yeux. Il se pencha au-dessus d'elle, et souffla prudemment dans la bouche entrouverte. Allez, petite. Vas-y, David, vas-y, mon gars, à toi de jouer ! Il sentait la chaleur du feu dans son dos et une brise océane dans ses cheveux. Sans parler de la présence de la mort.

Il pinça le nez de Seniqua et souffla très fort dans cette gorge sans vie. Cela ressemblait à un baiser, mais n'en était pas un. Il lui revint l'image d'Arthur en crise d'asthme, se débattant dans les bras de l'infirmière, cherchant avidement son souffle.

Il tourna la tête, guetta en vain une réponse, et souffla de nouveau tentant désespérément de forcer l'ouverture des alvéoles pulmonaires. Mais autant essayer de regonfler un dirigeable avec une pompe à vélo. Seniqua demeurait sans vie. David toussa, se racla la gorge, et se souvint de son père mort à l'hôpital, juste après sa crise cardiaque. Une blême copie de ce qu'il avait été. Il sentit au-dessus de lui l'ombre du cameraman, qui captait voracement le déroulement de ce drame, l'objectif de son appareil lapant ce qui restait de vie dans le corps de Seniqua.

Les plus durs du cercle commencèrent de se détourner, peu désireux de montrer leur émotion. Les filles, toujours plus sincères, pleuraient par grappes douloureuses. Et puis David se pencha une fois de plus sur Seniqua. Allez, la môme, ne meurs pas dans mes bras. Ne meurs pas devant tout le monde... Il prit une profonde inspiration et souffla de toutes ses forces, arrachant de ses poumons tout ce qu'il pouvait, désirant éperdument redonner la vie. Après quoi il s'affaissa sur le côté, épuisé.

Il entendit dans le lointain la plainte syncopée des sirènes. Puis le bus explosa dans un vacarme assourdissant. On aurait dit qu'un poing s'était abattu du ciel pour écraser ce qui restait du véhicule. Tous sursautèrent, tandis qu'un champignon de fumée noire s'élevait dans l'air. Et, alors seulement, David réalisa que Sam Hall était resté à l'intérieur.

« Oh, merde ! Regardez, regardez ! » C'était Ray-Za qui dansait et tendait une main brune vers le sol.

David suivit son geste, juste à temps pour voir Seniqua battre des paupières. De nouveau, il se pencha vers elle, entendit un raclement de gorge et le bruit d'une toux, d'abord faible, puis plus forte. Le cameraman se déplaça pour mieux cadrer la jeune fille, qui soudain se redressa, hoqueta violemment et aspira sa première bouffée d'air.

« Ouaahhh ! s'écria d'une voix stridente Merry Tyrone. T'as gagné, Sen ! »

David se remit péniblement debout et vit Henry Rosenthal

reparaître à côté de lui. Où était-il passé pendant tout ce temps ? Son ami lui parut soudain plus petit et plus vieux.

« T'as réussi, mec, lança Henry en lui tapant sur l'épaule d'un air gêné. Tu l'as sauvée ! Mais t'as pété les plombs, ma parole ! »

7

Judy Mandel, vingt-quatre ans, blouson en jean bleu et jupe un peu trop serrée, avait déjà une sale migraine et de méchantes douleurs menstruelles avant même de parvenir sur les lieux de l'explosion.

En déplacement dans une cité de Red Hook, elle couvrait un fait divers – la chute mortelle d'une grand-mère dans une cage d'escalier – quand son rédacteur en chef au *New York Tribune* l'avait appelée pour qu'elle se ramène dare-dare à Coney Island.

C'était ridicule de la dépêcher là-bas : elle dut attendre dix minutes qu'un taxi consente à venir la chercher à Red Hook, puis le chauffeur s'enlisa dès le départ dans un bouchon interminable. Le temps qu'elle arrive au lycée, John LeVecque, le porte-parole de la police, un type aussi prétentieux qu'avare d'informations, en avait terminé avec les journalistes présents ; quant à l'inspecteur chargé de l'affaire – gai comme une morgue –, il ne daignait même pas adresser la parole à la presse. Judy apprit seulement qu'un professeur dénommé David Fitzgerald avait sauvé l'une de ses élèves et épargné aux autres d'être blessés. Ce qui en faisait le héros du jour, en attendant l'exploit de quelqu'un d'autre.

Les autres reporters encerclaient déjà leur bonhomme au bas des marches du lycée avec l'avidité d'une meute aux abois. Cette seule vision aggrava les crampes de Judy, tandis qu'elle accourait, sa carte de presse plastifiée lui battant le sein. Comment pourrait-elle bien glaner le moindre bout d'histoire au milieu de ce charivari ? Ils commençaient déjà à lui casser les pieds à la rédaction, la menaçant de la renvoyer à la rubrique des chiens écrasés. Dans deux minutes, quand ces vautours s'en seraient allés, il ne lui resterait pas le moindre os à ronger. Elle reconnut le petit gros du *Daily News*, le grand maigre aux allures de cowboy du *Post*, l'élégante journaliste politique du *Times* ; et, la pire de tous, cette salope prétentieuse de Sara Kidreaux de Channel 2, avec son équipe de gros bras et son camion de régie garé le long du trottoir, paré pour le direct.

Toute sa vie, Judy avait gravité autour de déesses aux longues jambes et tailleur Chanel comme la Kidreaux, et elle s'était vue vouée au rôle de la fille « pas mal » au milieu d'un bataillon de reines de beauté. Elle avait accepté d'être donnée perdante au départ de chaque course, sachant qu'elle devrait se battre plus fort et avec moins de scrupules que les autres si elle voulait participer à l'arrivée. Aussi fonça-t-elle dans le groupe tel un missile à tête chercheuse. Se frayant à coups de coude un chemin jusque sur le devant de la scène, poussant de plus grands et de plus renommés qu'elle, s'assurant que personne ne l'ignore.

« Dites, qu'est-ce qui s'est passé ? »

« Dites, qu'est-ce qui s'est passé ? »

David Fitzgerald, encore étourdi et ébranlé, prenait lentement conscience de cette frénésie quasi animale autour de lui. L'équipe de secours venait tout juste de l'examiner, et de lui appliquer une pommade calmante sur les mains et le visage, quand un pack de reporters de la presse écrite et de la télévision l'avait littéralement chargé. Ils étaient au moins une vingtaine. D'où diable sortaient-ils ? Il en avait d'abord été apeuré et perplexe. *Que lui voulaient-ils ?* Le piétiner ? Il pensa au concert des Stones à Altamont et à ces tragédies du football en Europe. Mais peu à peu la raison lui revint et il reconnut certains visages. Des têtes entrevues de temps à autre au journal télévisé ou des signatures dans la presse écrite, dont il lisait maintenant les noms sur la carte de presse accrochée au revers du veston. Ils voulaient comprendre ce qui était arrivé. *Ils voulaient qu'il les aide.*

« Pourquoi avez-vous empêché les élèves de monter dans le bus ? demanda le petit gros du *Daily News*, qui portait un jean et une cravate club.

— Je ne sais pas, répondit David en se frottant les yeux. Je voulais les compter, voir s'il n'en manquait pas à l'appel.

— Ne pourriez-vous pas être plus précis ? » demanda une fille aux cheveux noirs coiffés à la garçonne et aux lèvres peintes en marron prune, du nom de Judy Mandel, du *Tribune.*

David la regarda. Elle n'était pas ce qu'on appelle « une beauté », mais il y avait en elle une énergie qui la rendait séduisante et forçait l'attention.

« Plus précis ? À quel sujet ? » Parler essoufflait David, qui avait encore du mal à respirer.

« Pourquoi avez-vous éloigné les enfants du bus ?

— Parce qu'il y avait une bombe. » Sa réponse ne lui parut pas avoir plus de sens que la question. Et pourquoi parlait-il d'une bombe ?

« Très bien, répliqua résolument Judy Mandel en le regardant avec de grands yeux marron tout en résistant aux poussées de ses aimables confrères. Mais comment le saviez-vous... qu'il y avait une bombe ? »

La question laissa David bouche bée. Quelqu'un braquait sur son visage un projecteur monté sur une caméra. Il se sentait la proie d'une attention démesurée. Derrière lui, une bande d'élèves chahutait, adressant aux journalistes le signe de reconnaissance de leur gang, et se bousculant les uns les autres pour être dans le cadre de l'un ou l'autre des objectifs.

« Alors, quel effet ça fait d'être un héros ? s'enquit Sara Kidreaux en venant coiffer la fille du *Tribune.*

— Oh... je... euh. » Il se tut pour regarder les pompiers, qui continuaient de noyer sous leurs lances les restes calcinés du bus. « Je ne pense pas être un héros... Je pense que c'était juste... vous savez... un de ces moments dans la vie...

— Quelle matière enseignez-vous ? questionna un reporter de radio à l'arrière de la meute.

— Euh... » David toussa et cracha discrètement dans son mouchoir. « Excusez-moi. J'enseigne l'anglais, et notre sujet en ce moment est précisément l'héroïsme. C'est ce que nous allions faire aujourd'hui, au musée... visiter les héros de la mythologie.

— Et, à la place, c'est une leçon concrète d'héroïsme que vous avez donnée à vos élèves ? » Sara Kidreaux se dressait sur la pointe des pieds pour demeurer dans le même champ que David.

« J'aimerais bien savoir comment il a pu soupçonner la présence d'une bombe », cria Judy Mandel. Passant la tête pardessus l'épaule de la grande dame de la télé, elle interpella David : « Hé ! comment le saviez-vous ? »

Les autres journalistes poussaient comme des passagers se précipitant sur les canots du *Titanic.*

« Vous leur avez donc montré ce qu'est un acte de bravoure ? reprit Sara Kidreaux, impatiente d'avoir sa réponse avant de se faire piétiner.

— Oui, je suppose », répondit David d'un air absent, alors qu'une ambulance emportait le corps brûlé et déchiqueté de ce pauvre Sam.

David frissonna et s'efforça de penser de nouveau à la question qu'on lui posait. Mais, Dieu, que c'était difficile ! Il avait l'impression d'être pris dans un rêve et d'essayer en même temps de l'expliquer.

« Et que leur appreniez-vous exactement, au sujet de l'héroïsme ? poursuivit Sara, feignant d'avoir obtenu la réponse à sa question précédente.

— Je ne sais pas. » David cherchait toujours son souffle.

« Allez, dites-moi quelque chose. »

Non loin d'eux, une équipe médicale avait rassemblé les élèves de sa classe pour les examiner. Puis, comme il baissait les yeux, il vit un petit Black qui ne devait pas avoir huit ans se frayer un chemin entre les jambes des journalistes ; sur son T-shirt était épinglé un petit carré de papier sur lequel il avait griffonné : REPORTER.

« Je suis désolé, mais j'ignore tout de l'héroïsme, déclara enfin David. Le seul héros que j'aie jamais connu était mon père, et il n'en parlait jamais.

— Votre père ?

— Oui, il a fait la guerre. »

David porta son regard en direction de Surf Avenue, et des bannières du parc d'attractions d'Astroland qui battaient au vent.

« Votre père était un héros de guerre ? »

Il eut le sentiment d'avoir révélé quelque chose qui plaisait au groupe.

« Oui. Il a fait la Seconde Guerre mondiale. Dans le génie, chez les artificiers. Vous savez, ceux qui s'occupent des explosifs.

— Et qu'a-t-il fait pour être un héros ?

— Euh... un jour, il a été blessé en grimpant une colline à Okinawa, pour balancer une charge de dynamite dans un nid de mitrailleuses qui avait décimé la moitié de sa section...

— Oka... quoi ? interrogea l'un des reporters, à l'arrière de la mêlée que venait de relancer cette dernière confidence du héros du jour.

— Et il est toujours en vie ? insista Sara Kidreaux. Votre père ? »

David baissa les yeux vers le petit Noir, qui faisait semblant de prendre des notes. « Non, il est décédé.

— Pensez-vous qu'il serait fier de vous ? »

Pendant un moment, David ne sut quoi répondre. Les rapports qu'il avait eus avec son père étaient bien trop complexes pour qu'il pût les expliquer dans les circonstances présentes. Toutefois, il était conscient de l'attente impatiente qu'il suscitait.

Alors, il dit : « Oui, je suppose qu'il serait fier de moi. En tout cas, je l'espère. »

Comme il prononçait ces paroles, David eut l'impression de se diviser : son double se détachait de celui qu'il avait toujours été, pour s'exposer aux regards des caméras et aux oreilles des micros – un double qui hanterait les écrans de télé dans la soirée.

Le vrai David Fitzgerald restait pelotonné à l'intérieur de lui-même, abasourdi et encore effrayé par ce qu'il venait de vivre. Mais l'imposteur avait le verbe haut. « Corps des marines. Soldat de première classe Patrick V. Fitzgerald, sixième division, bataillon du génie, énonça-t-il à un reporter qui lui demandait le nom et le rang de son père. Il a été décoré de l'Étoile d'argent, de l'Étoile de bronze, de la médaille des blessés de guerre et de tout un tas d'autres décorations dont je ne me souviens plus pour le moment... Oui, je crois qu'il serait content de moi. »

En vérité, David savait que son père avait toujours été un rien déçu que son fils ait choisi la carrière d'enseignant.

« Où c'était, déjà, cette histoire du nid de mitrailleuses ? questionna un journaliste du *New York Post*.

— Okinawa, répéta David. O-K-I-N-A-W-A. »

Il essaya en vain de déglutir, tant il avait la gorge sèche et serrée. Ses yeux lui piquaient et il claquait légèrement des dents. Le petit garçon avec sa carte de presse crayonnée lui souriait.

Plus que tout, David avait envie de rentrer chez lui, d'embrasser Renee et de serrer longuement son fils contre lui.

« Qu'est-ce que vous voulez ? disait une voix. C'est notre prof. »

David se retourna et vit Nydia Colone et trois autres filles de sa classe tousser et pleurer sur les marches du lycée. Un peu plus loin, les sœurs hip-hop poussaient une plainte lugubre, tandis que l'une d'elles vomissait dans le caniveau. Yuri Ehrlich se tenait près du trottoir, observant d'un air béat la fumée qui se dissipait au-dessus des ruines du parc de Dreamland.

Le ciel, toutefois, continuait dans son indifférence bleue d'afficher beau fixe.

David promena son regard sur la foule et aperçut de nouveau la brunette du *Tribune*, Judy Mandel, qui le fixait de ses yeux à demi clos, la tête penchée, comme si elle percevait différemment les choses.

« Écoutez, c'est tout ce que j'ai à vous raconter pour l'instant, déclara David. Il faut que j'aille voir ma gosse. » Il se reprit. « Je veux dire, tous mes gosses. »

Et, comme il se détournait, il se retrouva face à un petit homme chauve et décharné en complet gris. La première image qui vint à l'esprit de David fut celle de *Nosferatu le vampire*, de Murnau. Le nez était long et aquilin, les yeux enfoncés dans les orbites et cernés d'un mince trait rouge.

« J'ai besoin de vous parler, déclara tranquillement l'homme en posant une main forte et noueuse sur l'épaule de David. Je suis l'inspecteur Noonan, de la brigade criminelle du sixième arrondissement. Nous avons quelques questions à vous poser. »

David en éprouva un choc. Chaque fois qu'il se sentait sur le point de renouer contact avec la réalité, une nouvelle secousse l'en empêchait.

« Oui, oui, bien sûr », répondit-il, s'efforçant de se reprendre en suivant le policier.

Une petite femme à l'air courroucé et à la tignasse auburn taillée à la serpe lui fourra dans la main une carte de visite qui la désignait comme la productrice d'une des émissions matinales télévisées.

« Appelez-nous », lança-t-elle d'une voix vibrante de certitude. On pouvait également lire sur le bristol : « Record du taux d'audience ! Trente millions de téléspectateurs. »

Un jeune homme tout en nerfs, chemise blanche et pantalon kaki, se planta devant la femme. « Nous vous téléphonerons plus tard, nous avons eu votre numéro », dit-il en remettant lui aussi à David sa carte. Les « Nouvelles du jour » de CBS.

« Mais... comment ? » s'enquit David.

Tout cela était confondant. L'explosion, la carcasse fumante du bus, le feu roulant des questions amicales des journalistes qui comptaient sur lui. Il se demandait s'il pourrait jamais avoir de nouveau deux pensées cohérentes à la suite.

En attendant, l'inspecteur continuait de le pousser doucement mais fermement à travers la foule.

« Allons, allons, grogna Noonan, éloignons-nous de ces rapaces. »

Un peu excessif, ce « rapaces », pensa David, en suivant Nosferatu jusqu'à une Ford bleue garée de l'autre côté de la rue. Ces gens-là faisaient seulement leur travail, après tout, et à l'instar de l'inspecteur ils sollicitaient son concours, il n'y avait rien à y redire. Pour sa part, il ne détestait pas se savoir utile, il y voyait même une chance de reprendre contact avec le sol autant qu'avec lui-même, au milieu de ce pandémonium. Il aiderait donc d'abord la police, qui désirait certainement une description précise des événements ; ensuite, il retournerait auprès de ses élèves, qui eux aussi avaient besoin de lui.

Alors, pourquoi cette déception et ce ressentiment à devoir quitter si précipitamment les journalistes et les caméras de télévision, comme si on l'arrachait à sa propre fête d'anniversaire au moment où il commençait à bien s'amuser ? Le garçonnet au badge de papier lui fit au revoir de la main.

L'inspecteur Noonan n'était pas un maniaque de la propreté, à en juger par l'intérieur de sa voiture. Air confiné, odeur d'essence, cendrier débordant de mégots, papiers gras sur le plancher, vitres sales. Un haut-parleur pendait hors de son logement, tel un œil arraché, dans la portière côté passager.

« Très bien, ça ne vous ennuie pas que je récapitule encore une fois ? demanda-t-il en continuant de prendre des notes dans un calepin qu'il tenait appuyé sur le volant.

— Pas de problème, dit David, qui lui avait déjà décrit deux fois ce qui s'était passé.

— Vous sortez du lycée avec vos élèves. Vous laissez l'une

des filles monter avant les autres. Vous échangez quelques mots avec le chauffeur. Vous redescendez et vous mettez le reste de la classe en rang. À ce moment, le bus explose. C'est ça ?

— Oui, pour autant que je m'en souviens, répondit David, fasciné par la grosse veine verdâtre qui battait à la tempe du policier. Mais, comme je vous l'ai dit, tout ça demeure flou dans ma tête.

— Alors, permettez que je vous repose la question : auriez-vous remarqué quelqu'un de suspect tournant autour du bus avant ou après l'explosion ?

— Non. Je n'ai vu personne susceptible d'éveiller ma méfiance. »

David reporta son regard de l'autre côté de la rue. Les journalistes continuaient d'interroger les élèves. Il avait l'impression que, tel un puzzle éclaté, toutes les images de ces dernières minutes volaient autour de lui comme autant de bouts de tôle arrachés au bus.

« Vous partiez avec du retard, remarqua l'inspecteur.

— Quoi ?

— Je disais que vous étiez en retard pour votre sortie. Je me suis demandé si le bus n'avait pas eu un problème mécanique.

— Je n'en ai pas la moindre idée, répliqua David, agacé par un bourdonnement continu dans les oreilles. Quant au retard... j'ai dû aller aux toilettes à la fin du cours. Mais vous pensez que l'explosion serait due à une cause mécanique ?

— Pour tout vous dire, je n'en sais rien. Il appartiendra aux experts d'en définir la cause.

— Oui, bien sûr. »

L'inspecteur griffonna quelques nouvelles notes, et la veine à sa tempe se remit à battre.

« Et puis vous avez eu cette espèce de prémonition, qui vous a fait retarder l'embarquement de vos élèves ? C'est exact ?

— Prémonition, c'est beaucoup dire. J'ai seulement voulu les rassembler, et voir s'il n'en manquait pas un avant de monter dans le bus. »

Noonan lui jeta un regard de biais ; David se demanda si par quelque obscure intuition le policier savait qu'il avait picolé la nuit passée.

Les flics l'avaient toujours mis mal à l'aise. Adolescent, il avait, pour plaire aux copains, piqué une voiture sur un parking à Long Island et cela avait bien failli lui valoir un séjour en prison. Cet épisode lui avait en tout cas fichu une telle trouille qu'il n'avait plus fréquenté ces crétins de l'équipe des cadets qui l'avaient encouragé à faire le coup. Depuis, le regard trop appuyé d'un flic avait parfois le don de l'indisposer.

« Inspecteur, puis-je vous demander quelque chose ? lança-t-il, impatient de détourner l'attention du policier.

— Oui, je vous écoute.

— Pensez-vous qu'il y ait eu une bombe ? »

Noonan posa son crayon et regarda longuement David.

« Je l'ignore. Vous connaissez quelqu'un qui aurait pu faire une chose pareille ?

— Non, certainement pas.

— Vous en êtes sûr ? insista l'inspecteur, son regard toujours fixé sur David. Vous êtes professeur. Vous devez rencontrer pas mal de gosses en colère.

— Oui, mais pas au point de faire sauter leurs copains », rétorqua David, que l'atmosphère confinée de la voiture commençait à incommoder. Il avait besoin d'air.

« Et quelqu'un qui n'apprécierait pas la visite du gouverneur ?

— Non, je ne vois vraiment pas. » David toussa. Il avait l'impression qu'un mille-pattes lui chatouillait le fond de la gorge.

L'inspecteur sortit de son portefeuille une carte de visite et la tendit à David. « Appelez-moi si jamais il vous revenait un détail quelconque.

— Je n'y manquerai pas. »

En proie à un besoin irrationnel de s'éloigner de cet homme, David avait déjà la main sur la poignée de la portière quand la voix de Noonan le retint.

« Oh, une dernière chose...

— Oui ? fit David en tournant la tête vers le policier.

— Comment vous dire cela ? déclara l'inspecteur en écartant les mains. Un tas de gens vont vous interroger sur ce qui s'est passé. Des gens des médias, j'entends. Je ne peux pas vous empêcher de leur parler, même si ce n'est pas l'envie qui m'en manque. Mais rendez-moi un service, voulez-vous ? Faites bien attention à ce que vous leur répondrez. Parce que, si c'est une bombe qu'on a placée dans ce bus et que tout cela devienne une affaire criminelle, il vous faut veiller à ce que vos propos soient bien interprétés.

— Je comprends », assura David, sans pour autant saisir parfaitement les paroles du policier.

L'inspecteur lui tapa sur le bras et se pencha sur le côté pour ouvrir lui-même la portière. « Ce que vous avez fait aujourd'hui, bien peu d'hommes auraient eu le courage de le faire.

— Vous croyez ? » demanda David en s'extirpant de son siège.

Mais l'inspecteur était déjà retourné à son calepin et à ses notes, la mâchoire crispée et la veine battant, cherchant probablement mille manières de disséquer ces minutes qui venaient de s'écouler.

8

Elizabeth Hamdy, élégante en dépit de son informe pantalon de treillis vert et de son T-shirt noir, attendait assise sur les marches de la maison paternelle, quand Nasser et Youssef arrêtèrent la Plymouth le long du trottoir.

« Tu as vu l'heure ? s'exclama la jeune fille en se levant, sa paire de rollers passée sur son épaule. Tu devais être là à 1 heure et demie. Je croyais que tu voulais m'emmener faire les magasins. J'ai manqué la sortie au musée pour toi.

— Je suis désolé. » Nasser descendit de voiture, l'air tendu et lointain. « On s'est perdus, Youssef et moi.

— Perdus ?

— Enfin presque, on a dû faire un détour, rectifia-t-il en jetant un regard à Youssef derrière le volant. Ocean Parkway est bloqué. Il s'est passé quelque chose.

— Oui, je l'ai entendue d'ici... une forte détonation et puis de la fumée qui montait de là-bas, vers la plage. C'est un incendie ?

— Je ne sais pas. J'étais dans Manhattan avec mon ami. »

Elle remarqua que Youssef l'observait à travers le pare-brise, les yeux dissimulés derrière des lunettes noires. Il l'avait mise mal à l'aise les deux fois qu'ils s'étaient croisés, et maintenant elle avait la désagréable impression qu'il attendait d'elle quelque chose. Elle lui adressa à contrecœur un signe de la main, tandis que deux corneilles atterrissaient sur un toit d'ardoise, de l'autre côté de la rue.

« Ce type me donne la chair de poule, avoua Elizabeth en

suivant des yeux la Plymouth, qui tourna à gauche et disparut dans Stillwell Avenue.

— C'est un homme bien et très religieux, répliqua sèchement Nasser. On y va ? »

Il se mit en marche, et elle le suivit dans la petite rue bordée d'arbres où il avait garé sa Lincoln de location.

« Je me demande où il y a eu cet incendie, dit Elizabeth en levant les yeux vers le nuage de fumée grise qui se dissipait lentement à l'horizon. J'espère que ce n'est pas trop près du lycée.

— C'est peut-être le marchand de hot dogs. Ça lui apprendrait à vendre des saletés pareilles. »

Son frère paraissait encore plus tendu que d'habitude, se fit-elle la remarque. Il se tenait la tête rentrée dans les épaules et avançait d'un pas nerveux. Quand il lui ouvrit galamment la portière, elle remarqua qu'il s'était mordu la lèvre supérieure au point d'y laisser l'empreinte de ses dents.

« Mets ta ceinture de sécurité, s'il te plaît », dit-il, avant de refermer sur elle la portière.

Elle sourit intérieurement, alors qu'il prenait place au volant et démarrait le moteur. L'intérieur de la voiture était passablement délabré mais encore très confortable. Elle aimait bien son frère lorsqu'il se montrait ainsi, prévenant et protecteur. Il avait parfois des manières du Vieux Monde. Elle l'imaginait sans mal tenir la main de leur mère dans les ruelles de Bethléem, ou aider un Bédouin à mener son troupeau de moutons au marché du samedi.

« Ça ne t'ennuie pas que j'allume la radio ? On apprendra peut-être ce qui s'est passé près de la plage. »

Elle tendit la main vers le bouton, tandis qu'ils descendaient l'Avenue Z, longeant des maisons de brique avec des statues de la Vierge sur les pelouses de devant.

« Non ! lança-t-il d'un ton brusque qui la fit sursauter.

— Mais qu'est-ce qui te prend ? »

Il pénétra dans Belt Parkway, une longue artère sinueuse, bordée de chaque côté d'herbes folles et d'hommes aux gros bras tatoués accoudés à la fenêtre de leur véhicule.

« J'ai seulement besoin d'un peu de calme pendant quelques minutes, répondit-il, le volant serré dans ses mains. Mais dis donc, tu ne portes pas ton *hijab*, aujourd'hui ?

— Non, il fait trop chaud. »

Il tourna la tête vers elle. L'opulente chevelure d'Elizabeth s'étalait sur ses épaules, tellement brillante et soyeuse qu'il dut refréner son envie de la toucher. Les autres hommes aussi devaient éprouver ce désir. S'il en avait eu le pouvoir, il l'aurait obligée à se voiler la tête immédiatement.

« Je n'aime pas que les garçons puissent te voir comme ça. Ils se font de mauvaises idées.

— C'est toi qui le dis. »

À le voir changer sans cesse de voie et se rabattre devant les voitures qu'il doublait, elle savait que ce n'était pas le moment de se moquer de lui. Il ne s'écoulait pas un jour où il ne se déclarât choqué par tel ou tel aspect de la vie américaine. Mais, cet après-midi, il semblait y avoir autre chose. Il avait l'air tellement troublé ! Elle se demanda si Youssef n'en était pas responsable.

Par Allah ! quelle force avait eue la seconde explosion ! se disait Nasser. Le bruit résonnait encore dans sa tête. Il avait envie de parler à sa sœur, mais il n'entendait que cette formidable détonation. Un fracas qui vous descendait dans le ventre. Un tonnerre dévastateur. Il en éprouvait une peur rétrospective. Et si jamais un véhicule de police s'arrêtait maintenant à sa hauteur ?

« D'accord, tu ne veux pas qu'on écoute la radio et tu n'aimes pas me voir tête nue, constata Elizabeth. Alors, de quoi pourrait-on parler ?

— Je ne sais pas, répondit Nasser, pendant qu'ils passaient devant Dyker Beach. Est-ce que tu envisages toujours d'entrer à l'université ?

— Ça, c'est un sujet que je ne veux plus aborder avec toi.

— D'accord. »

Il réprima un frisson, et klaxonna un camion-citerne qui le serrait de trop près à sa droite. Le petit cèdre en bois de santal accroché au rétroviseur dégageait un très léger parfum.

« Si on parlait de maman ? proposa Elizabeth.

— Tu veux que je te parle d'elle, c'est ça ? demanda-t-il en portant machinalement sa main à la clé pendue à son cou.

— Oui, dis-moi comment elle était. »

Nasser retira sa main de sous sa chemise pour reprendre le volant.

« Elle avait de très belles mains, très douces, mais c'était une femme forte dans son cœur.

— Quel était le nom du village d'où elle venait ?

— Dir Ghusum. Ça veut dire "le Monastère des Rameaux". C'était un vieux village chrétien, fondé par les Romains. Mais je te l'ai déjà raconté cent fois.

— Je sais, mais j'aime bien quand tu en parles. »

Il y avait de la musique dans la voix de son frère lorsqu'il évoquait ces lieux, quelque part sur la côte méditerranéenne, où leur mère avait vu le jour – là où le sol était riche, et où les oliviers et les citronniers donnaient tant de fruits. Chaque année, à l'époque de la cueillette des olives, les enfants couraient dans les rues derrière le conteur aveugle, car il chantait l'épopée des héros arabes – par exemple Saladin qui, sur son pur-sang blanc, avait guerroyé contre Richard Cœur de Lion pendant les croisades –, ou encore les faits d'armes du Prophète lui-même, qui avait mené trois cents braves à la victoire contre mille Quraychites de La Mecque, à la bataille de Badr. Après que les Israéliens eurent bombardé Dir Ghusum en 1948, contraint la famille à fuir, et arrêté quiconque tentait de revenir, leur mère avait emporté avec elle le souvenir de son village. Elle avait légué à Nasser l'amour qu'elle avait nourri pour cette terre, lui remettant la clé de la vieille maison familiale, afin qu'il pût en ouvrir la porte, le jour où il y retournerait.

« Et elle avait de l'affection pour moi aussi ? s'enquit Elizabeth.

— Quelle question ! » Nasser se força à sourire. « Bien sûr qu'elle t'aimait. Tu étais sa petite fille chérie. Comment ne t'aurait-elle pas aimée ? Tu lui ressembles tellement ! »

Il accéléra de nouveau, et dépassa une Honda bleue dans Gowanus Express. Son cœur débordait de larmes qu'il n'osait verser. Sa mère aurait compris ce qu'il avait fait, aujourd'hui. Elle savait que la guerre sainte exigeait une volonté de fer, elle qui avait toujours été en tête des marches de protestation à Bethléem, elle qui s'était couchée devant les chars au Tombeau de Rachel, et avait hurlé et déchiré ses vêtements lors des funérailles des martyrs. Un bout de femme arabe en foulard blanc, dont la voix portait comme le vent. Elle lui avait appris qu'une place de choix était réservée au paradis à ceux qui combattaient, pas à ceux qui se terraient chez eux.

Non, elle ne ressemblait pas à son père, qui se laissait gifler par les gardes frontières israéliens et qui essayait de sourire à travers les larmes.

Nasser n'avait guère plus de cinq ans lors de cet incident, mais il ne l'avait jamais oublié. Cela ne ressemblait même pas à une gifle ; on aurait dit que le jeune soldat tapotait doucement son père sur la joue. Ils se rendaient à Jérusalem – sa mère, son père et lui – quand leur taxi fut arrêté par une patrouille israélienne, et son père sommé de sortir du véhicule et de présenter ses papiers d'identité. Peut-être le soldat considéra-t-il que ce Palestinien était bien lent à obtempérer, et il eut ce geste. Son père courba la tête, puis remonta en voiture.

Ce fut alors que Nasser vit ce sourire forcé, sur le visage ruisselant de larmes de son père. Sa mère, elle, n'avait pas bougé. Assise bien droite, les lèvres pincées, la tête relevée, elle ne tourna pas la tête vers son mari. Amina... Elle était enceinte, se rappelait Nasser, et, ce jour-là, son père lui avait fait honte. Elle regarda son fils dans les yeux, et Nasser traduisit ce qu'elle lui disait en silence : *Ne sois pas comme lui, car je préférerais mourir plutôt que de te voir lui ressembler.*

Jusque-là, il avait cru qu'ils formaient une famille semblable aux autres. Certes, il savait qu'ils avaient dû se déplacer beaucoup avant sa naissance, quittant la Jordanie pour finir dans ce camp de réfugiés de Deheisha, à la sortie de Bethléem, parce que les Israéliens avaient confisqué la maison où son père avait grandi et qu'ils n'avaient plus d'endroit où aller. Mais toutes les autres familles qu'ils connaissaient avaient subi le même sort. Après cette gifle, toutefois, tout devint de plus en plus intolérable. Voir chaque jour la rigole qui courait au milieu de la ruelle charrier des excréments, empuantissant l'air noir de mouches. Vivre à huit dans un réduit de parpaings au toit de tôle, où sa mère entassait les matelas dans la journée pour qu'ils aient un peu d'espace, et les étendait de nouveau à la nuit tombée pour que chacun ait une place pour dormir. Porter pour sous-vêtements des sacs de toile de l'ONU marqués INTERDIT À LA VENTE. Savoir que la première-née des Hamdy, Maryam, était morte de malnutrition avant son premier anniversaire. Regarder son père aller se poster chaque matin au coin de la rue, près de la porte de Damas, en compagnie d'une vingtaine d'autres hommes, pour attendre qu'un entrepreneur juif suant sa graisse passe dans sa Mercedes et dise : « Toi, toi et toi, vous pouvez travailler pour 40 shekels par jour à bâtir des maisons sur la terre que nous vous avons volée. »

« Comment ça s'est passé quand maman est venue ici ? questionna Elizabeth. Je n'arrive pas à me l'imaginer, cette petite femme arabe à la tête couverte d'un foulard blanc prenant le métro avec nous...

— Elle n'est pas venue, répliqua Nasser, regardant droit devant lui. Elle n'a jamais traversé l'Océan.

— Comment ça, "elle n'a jamais traversé l'Océan". » Elizabeth se tourna vers Nasser pour qu'il la regarde. « Tu vas me dire qu'elle ne nous a pas amenés ici, toi et moi, après que papa y a travaillé pendant une année, et mis assez d'argent de côté pour nous faire sortir du camp de réfugiés ? On n'a pas vécu tous ensemble dans Starr Street, peut-être ?

— Oui, elle est venue ici, mais elle n'est jamais partie de là-bas, tu comprends ? Dans son cœur, elle est restée en Palestine. »

Il lui revint soudain une image de sa mère à Deheisha, juste après la naissance d'Elizabeth : une femme déjà ridée avec deux jeunes enfants, transportant des légumes pourris le long d'une haie de barbelés, se déplaçant plus lentement que l'eau de l'égout. Son courage faiblissant sous l'ardeur du soleil. Une partie d'elle-même était déjà morte. Des choses que Nasser avait du mal à exprimer.

« Qu'importe, ajouta-t-il. Tu étais trop jeune pour en avoir gardé le souvenir.

— Mais tu peux me l'expliquer, aujourd'hui », rétorqua Elizabeth en lui touchant le bras.

Ils longeaient maintenant les entrepôts de Bush Terminal, une zone industrielle, sombre et dangereuse, où des hommes se livraient à toutes sortes de dépravations.

« Elle n'a jamais supporté d'être ici, affirma Nasser. Elle ne connaissait qu'un seul endroit au monde où vivre... son village, Dir Ghusum. Elle disait qu'elle y retournerait un jour, ou bien qu'elle mourrait en attendant que les Juifs quittent la Palestine. Voilà comment elle était. »

L'Amérique a brisé nos cœurs, disait-elle. *L'Amérique nous a pris votre père. L'Amérique aide les Juifs à nous traiter de la sorte. Un grand châtiment s'abattra sur ceux qui ont été si cruels envers nous.*

« Des fois, elle nous emmenait sur ce bateau qui fait le tour de l'île de Manhattan, reprit Nasser. Elle s'appuyait au bastingage et regardait l'eau sans la voir, comme si elle était ailleurs, et je ne lui lâchais jamais la main, de peur qu'elle saute pardessus bord et nous laisse seuls.

— C'est ce qui s'est passé ? C'est comme ça qu'elle est morte ?

— Non. » Nasser se repoussa en arrière sur son siège, les bras bien tendus sur le volant, comme s'il se préparait à un choc. « Elle est tombée malade et, un jour, elle a pris trop de médicaments. C'était un accident.

— Tu veux dire qu'elle s'est suicidée ? »

Nasser eut l'impression de prendre un coup sur la tête. « Ne dis pas ça. C'est un blasphème ! »

Pendant quelques secondes, il ne parla ni ne regarda sa sœur. Le macadam défilait sous eux, et il ressentait de nouveau la pression des larmes derrière ses yeux.

Non, ce n'était pas une suicidée, mais une martyre. Il ne pouvait penser autrement à la mort de sa mère. Il se souvenait d'elle étendue sur le lit, les mains croisées sur la poitrine. « Ce n'est pas ma mère ! avait-il hurlé à son père. Qu'est-ce que tu lui as fait ? » Il était devenu un combattant pour honorer sa mémoire. Quand il avait rejoint l'Intifada, chaque pierre qu'il avait jetée contre les soldats avait été pour elle ; chaque caillou, un morceau de son propre cœur brisé. Aujourd'hui aussi, il avait combattu pour elle. Elle l'aurait compris.

« Alors, que s'est-il passé ? demanda Elizabeth. J'ai le droit de savoir. Elle était ma mère, aussi.

— Je te répète que c'était un accident, personne ne prétendra jamais le contraire, répliqua Nasser d'une voix dure. On ne parle jamais mal de sa mère. » Il prit une profonde inspiration et renifla.

« Je le sais, mais des fois je t'entends discuter avec papa en arabe, et j'ai le sentiment que vous me cachez quelque chose.

— Peut-être que ça vaut mieux ainsi. » Il cligna fortement des paupières, et les larmes refluèrent – hormis une qui, heureusement, s'échappa sur sa joue, du côté que ne pouvait voir sa sœur.

« Pourquoi dis-tu ça ? »

Gowanus Expressway tournait dans Red Hook. Des nuages bordés de gris dérivaient vers l'ouest.

« Oublions tout ça pour le moment, répliqua Nasser en relevant le menton. Plus un mot là-dessus. Restons seulement ensemble, toi et moi. Comme une famille. »

9

Au moment où la porte de l'ascenseur se rabattit, David ferma les paupières, et eut l'impression d'encaisser de nouveau le coup au ventre qu'il avait ressenti au moment de l'explosion. Il rouvrit les yeux et reprit contact avec l'immédiat : il montait voir Renee et Arthur au dix-huitième étage. C'était un besoin physique, une urgence. Il fallait qu'il soit près d'eux, qu'il les touche, qu'il reprenne possession de lui-même et acquière la certitude d'avoir survécu.

Il sortit de l'appareil en toussant violemment.

« Bon sang, qu'est-ce qui t'est arrivé ? » Renee en survêtement gris l'attendait sur le seuil de l'appartement.

« Un incendie. » Il la suivit à l'intérieur en se disant qu'il devait encore puer la fumée, en dépit de la douche qu'il avait prise chez lui avant de venir.

« Un incendie ? répéta-t-elle en refermant la porte.

— Oui, un incendie. Tu n'as pas vu les infos à la télé ? Le bus du lycée a explosé.

— Ça alors ! » Elle vint vers lui, les bras grands ouverts. « Tu n'es pas blessé ?

— Non, je n'ai rien. »

Elle se hissa sur la pointe des pieds pour lui passer les bras autour du cou, et il ferma les yeux, s'attendant à revoir l'explosion. Mais il ne ressentit que la fraîcheur du front de Renee contre son menton. Son métabolisme commençait enfin à se rapprocher de la normale. Il entendit Joni Mitchell chanter sur la radiocassette de la cuisine, rouvrit les paupières, et vit la lumière du soleil entre les façades et Margot Fonteyn qui dansait au-dessus du divan.

« C'est papa ? » appela de sa chambre Arthur.

Ils s'écartèrent l'un de l'autre, gênés par cet élan qui les avait rapprochés.

« Tu ferais mieux d'aller lui parler, dit Renee, une main posée sur la poitrine de David. Montre-lui que tu vas bien avant qu'il apprenne la nouvelle et s'inquiète.

— Oui, tu as raison. » Il lui saisit la main, lui embrassa les doigts. « Je reviens tout de suite. »

Affamé de contact charnel, il disparut dans le couloir.

« Ohé, mon petit tigre ! Quoi de neuf ?

— Ulysse massacre les prétendants.

— Et pourquoi fait-il ça ?

— Pour reprendre sa famille », répondit le garçonnet, le front plissé par la concentration.

David remarqua combien sa main, posée sur le dos étroit du garçon, semblait énorme. Du pouce à l'extrémité des autres doigts, il aurait pu encercler la taille d'Arthur. Et c'était bon. C'était réel. C'était la vie. Il se pencha pour frotter son nez contre les cheveux de l'enfant.

« Écoute, camarade, il est arrivé quelque chose de grave, aujourd'hui au lycée. Je te raconterai plus tard. En tout cas, sache que ton papa est sain et sauf.

— Tant mieux, répondit Arthur, l'air distrait. Dis, ajouta-t-il en se tournant vers son père, tu veux bien me raconter encore les Walkyries ? »

La demande laissa David perplexe un instant. Était-ce bien le moment ? « Les Walkyries du livre qu'on a lu l'autre soir ? » Il cligna les yeux, s'efforçant de s'accorder avec les désirs du garçon.

« Oui, j'ai vraiment envie de savoir. »

David éprouva un léger vertige. Il aurait aimé raconter à Arthur ce qui lui était arrivé, mais le moment lui sembla mal choisi.

« Quand il y a la guerre, les Walkyries participent invisiblement aux combats, et elles apparaissent seulement aux guerriers choisis par le dieu Odin pour mourir ce jour-là, dit-il d'une voix grave.

— Oui, oui, c'est ça ! Continue. »

David prit une profonde inspiration, s'efforçant de concentrer ses pensées sur le réel et l'immédiat. Tu n'es pas blessé, tu ne vas pas mourir, tu es en compagnie de ton fils, le plus dur est passé, l'incendie est maîtrisé...

« Alors, le guerrier ainsi choisi sait que sa fin est proche, et il se jette dans la bataille et tue autant d'ennemis qu'il le peut, avant de succomber à son tour.

— Et ensuite ? »

Continue, tu n'es pas celui qui devait mourir, aujourd'hui. « Eh bien, il est transporté au Walhalla, pour y vivre parmi les Walkyries et les autres grands guerriers de l'Histoire, festoyant et guerroyant jusqu'à la fin des temps.

— Génial ! » Arthur passa ses petits bras autour du cou épais de son père. « Merci, papa.

— Tout le plaisir est pour moi. »

Sa joie assombrie par l'image de Sam projeté contre le pare-brise éclaté, David embrassa son fils sur la tête. Pourquoi n'ai-je pas été celui qu'Odin a choisi ? Pourquoi suis-je toujours en vie ?

Il baissa les yeux sur la tignasse rousse d'Arthur qui se relevait sur la nuque telle une crête de coq, et pensa que la réponse était là.

David entendit Renee allumer la télé dans le living, le signal habituel qu'il était temps pour lui de partir. Ce serait une brève visite, en fin de compte.

« Très bien, Arthur, je vais te laisser, dit-il en se relevant. On se voit vendredi après l'école, d'accord ?

— Papa. » Arthur roula sur le côté. « Maman s'est coupée.

— Quoi ? »

Arthur se remit sur le ventre pour jouer de nouveau avec ses figurines, innocent non conscient du froid qui venait de saisir son père.

« Qu'est-ce que tu disais, camarade ?

— Rien, répondit Arthur entre ses imitations de mitraillage et le tapement de ses tennis l'une contre l'autre, de nouveau perdu dans son petit monde de guerriers et de héros. Je joue. »

N'osant insister, David serra dans sa main l'un des pieds du garçon, puis regagna le salon. Anton, le « prétendant », était assis à côté de Renee sur le canapé. Vêtu du peignoir de bain rouge de David, la ceinture bien serrée à la taille.

Comme ce crétin devait faire cinq centimètres de plus que lui, constata David, les manches étaient trop courtes, et le bas du peignoir lui arrivait aux genoux. Il avait de longs cheveux soyeux, à l'aspect plus romantique que son visage aux traits épais, empreints d'une expression molle et suffisante. Il portait une fine chaîne de cou en or et un bracelet navajo serti de très belles turquoises, avec lequel il ne cessait de jouer.

« David, tu connais Anton », déclara Renee d'une petite voix.

L'ultime onde de choc ne lui serait pas épargnée. Oui, il avait déjà rencontré Anton, mais jamais dans ces conditions. L'intimité de la scène lui donnait des crampes à l'estomac. Un étranger dans sa maison, le cul sur son canapé, enfilant son peignoir et sa femme itou. De quoi vous donner envie de réduire la taille de cet échalas à coups de poing sur le crâne.

« Comment ça va ? dit David.

— Super, et toi, mec ? » Anton tapa dans la main que David lui tendait – le genre de tape-m'en cinq à la coule, avec mouvement souple du poignet et bracelet indien coulissant.

David jeta un furtif regard vers Renee, se demandant ce qu'elle pouvait bien trouver à cette caricature vivante. Oui, qu'est-ce qui l'attirait chez l'énergumène ? Le fait qu'il soit musicien ? Ou bien avait-elle réellement perdu tout sens commun ? Il lui avait connu meilleur goût.

Puis, tandis que jaillissait du téléviseur la petite musique de générique des infos du soir, David chercha sur le cou, les bras et les jambes nues de Renee la trace de la coupure dont avait parlé Arthur ; mais aucun pansement n'était visible.

À l'écran, un homme-tronc annonçait la nouvelle de la soirée : l'explosion d'un bus au lycée de Coney Island. Et voilà que le cauchemar recommençait, souligné cette fois d'un sous-titre au bas de l'image : « New York 1, En exclusivité. »

La caméra avait cadré le bus juste après l'explosion. Le véhicule penchait sur le côté, le capot en flammes, et les gosses couraient dans toutes les directions en hurlant. Puis David apparaissait ; il avançait vers l'arrière du bus, ouvrait la portière, montait avec l'aide de Ray-Za. Et David se vit grimper à l'intérieur et foncer à travers la fumée. La caméra ne pouvait pas filmer la peur qui l'étreignait à ce moment-là ; elle ne percevait de lui qu'une vague silhouette progressant à travers l'épais nuage en direction de Seniqua, toujours coincée dans la fenêtre et beuglant piteusement.

Tout semblait aller beaucoup plus vite et plus facilement que dans le réel. David vécut à se regarder ainsi une expérience passablement schizoïde, venant infirmer le fait qu'on ne peut agir et en même temps se regarder agir. Le cameraman avait braqué son objectif à temps pour saisir les images des amis de Seniqua la tirant par la portière, juste avant que David émerge et saute à son tour.

« Oh, mon Dieu ! dit Renee. C'est vraiment toi ? »

David se posait la même question. Il constata qu'elle et Anton le regardaient bizarrement, comme s'ils avaient du mal à relier l'homme qui était à l'écran avec celui qui se tenait devant eux. Entre-temps, la caméra s'était encore déplacée pour filmer David tentant de réanimer Seniqua. L'image prise ainsi sur le vif avait un grand pouvoir dramatique. Le cameraman avait dû se pencher au-dessus de David, pour rendre ainsi palpable l'approche de la mort sur le visage de la jeune fille. L'absence de musique et de commentaire ajoutait à la violence crue de la scène.

À se voir penché sur le visage de Seniqua, tentant désespérément de lui réinsuffler la vie, il ressentit de nouveau un sentiment de peur, auquel se mêlait étrangement du détachement. Il finit par s'asseoir sur l'un des accoudoirs du canapé.

« Bon Dieu ! s'exclama Renee en se rapprochant de lui pour lui toucher le bras. Tu te sens bien ?

— Oui, ça va.

— Mais que s'est-il passé ? demanda-t-elle, le visage pâli.

— Je l'ignore. Le bus a explosé. Et, maintenant que tu as vu les images, tu en sais autant que moi. »

Il avait envie de lui raconter la chaleur des flammes et les questions que lui avait posées l'inspecteur, mais elle le regardait avec une expression rêveuse et tellement lointaine qu'il s'abstint.

« Oh, David, j'ai toujours su que tu étais capable de faire une chose comme ça !

— Vraiment ? »

Elle lui prit la main et la serra. Pendant une seconde, l'électricité du contact dépassa sa perception du temps et de la raison, et David regretta de ne pas être seul avec Renee, pour pouvoir parler et renouer le lien défait. Mais Anton était là, qui les regardait avec un mélange de stupeur et de consternation.

« Te voilà le héros du jour, mec.

— Ma foi, je n'en sais trop rien, répondit David.

— Hé ! sans toi, ces gosses seraient morts.

— À la vérité, je n'en ai sauvé qu'une. Et Sam, le chauffeur, est mort. »

Renee lâcha la main de David et s'écarta légèrement. « Merde, c'est vachement étrange, remarqua-t-elle. C'est comme tous ces niveaux de réalité. Je suis assise là, je regarde les infos, et je me demande : "C'est lui ou bien une scène de cinéma ?" »

Elle eut un rire nerveux, et il lui sourit pour lui faire plaisir. « Ma foi, c'était...

— Tu comprends, l'interrompit-elle, je suis là à essayer et essayer et essayer d'apprendre ce texte... » Elle désigna de la main un exemplaire de *La Ménagerie de verre* ouvert sur la table basse. « Et puis, j'allume la télé et je te vois à l'écran... comme si tu jouais dans un film. »

Elle alluma une cigarette d'une main tremblante, et il se demanda si son trouble manifeste signifiait qu'elle tenait encore à lui.

« Je peux te dire, Renee, que ça n'avait rien de fictif, répondit-il doucement. Le chauffeur est vraiment mort. »

Elle parut se calmer. « Mais toi, tu n'as rien ?

— Non, ça va bien. »

Elle lui serra de nouveau la main en le regardant avec une drôle de lueur dans les yeux ; et, comme un moment plus tôt, à son arrivée, il sentit renaître en eux ce lien qui les avait unis... cette impression de ne faire qu'un contre le reste du monde... cette façon qu'ils avaient eue de croire en chacun d'eux, de se nourrir l'un de l'autre. Sur ce canapé, ils avaient fait l'amour un matin après qu'il se fut porté malade au lycée. Il se souvenait du peignoir qui glissait, révélant la blancheur gracile des épaules de Renee, tandis qu'il la couvrait de son corps en prenant soin de ne pas l'écraser. Peut-être n'était-il pas trop tard pour renflouer leur beau navire échoué. Ils avaient besoin d'être ensemble ; un homme a besoin d'une femme, un enfant a besoin de sa mère et de son père. Puis il se souvint de ce qu'avait dit Arthur : « Maman s'est coupée. »

« Et toi, tu vas bien ? » s'enquit-il en l'examinant une fois de plus, cherchant une trace de blessure sur les poignets, les chevilles, la gorge.

— Mais oui. » Elle sourit, et secoua la tête en ouvrant de grands yeux. « C'est toi qui as failli mourir, aujourd'hui, et tu me demandes si ça va ? Pourquoi, je n'ai pas l'air en forme ?

— Au contraire, tu as une mine superbe. »

Pas de traces de coupure, pensa David. Arthur a peut-être péché par excès d'imagination.

Anton posa une main sur l'épaule de Renee, comme s'il revendiquait son droit sur elle. « Ce n'est pas l'heure de dîner ? » grommela-t-il.

Renee s'écarta vivement de lui, tel un chat arquant l'échine. « Je suis en train de parler avec David, répliqua-t-elle.

— Je sais, fit Anton en jouant avec son bracelet navajo. N'empêche que c'est l'heure.

— C'est possible, mais je te le répète : je parle avec David. »

Tout n'était donc pas pour le mieux dans le meilleur des mondes entre eux. Parfait, songea David. Peut-être que leur petit projet d'installation sur la côte Ouest ne verrait pas le jour, et qu'il n'aurait pas à se battre pour qu'elle et Arthur restent à New York...

« Je ferais mieux d'y aller, déclara-t-il.

— Pourquoi ? Je t'ai demandé de partir, c'est ça ?

— Non, mais il se fait tard. »

Connaissant par expérience ce ton de voix, il avait hâte maintenant de s'en aller. Une moitié de pomme brunissait dans une assiette à côté du manuscrit ouvert. Laissons la nature reprendre son cours, pensa-t-il. Si nous devons nous réconcilier, nous le ferons. Mais ce ne sera pas ce soir.

« Je suppose que je te verrai vendredi, reprit-il lentement en se dirigeant vers la porte. Je passerai prendre Arthur après l'école. »

Il décida de ne pas lui rappeler qu'ils avaient aussi rendez-vous avec le psychiatre et le juge pour leur divorce, la semaine suivante. Il ne désirait pas provoquer plus d'émoi qu'il n'y en avait déjà eu. Il avait mal aux bronches et aux jambes. Cette journée l'avait vidé de son énergie.

« Bon sang, David, dit-elle en courant vers lui pour l'embrasser sur la joue alors qu'il avait déjà la main sur la poignée. Je suis tellement fière de toi !

— Vraiment ?

— À présent, j'aimerais tant accomplir quelque chose et qu'on puisse être fier de moi ! »

10

Chez eux, dans Avenue Z, Elizabeth Hamdy et sa famille, assis immobiles sur le canapé du salon devant le poste de télévision, regardaient le « 20 heures ». Les images du bus en flammes étaient déjà passées tant de fois qu'elles en devenaient le symbole de toutes les craintes parentales. À travers l'ensemble du pays, les pères et les mères voyaient dans ce véhicule qui brûlait le clone mécanique de ceux que leurs enfants prenaient chaque jour.

« Mon Dieu, heureusement que tu avais mal à la tête ce matin et que tu n'es pas allée en cours ! s'exclama Anne, la belle-mère d'Elizabeth, en prenant la jeune fille dans ses bras. J'aurais été folle d'inquiétude.

— *Allah akbar*. Dieu est bon, Dieu est le plus grand », murmura son père, les bras serrés autour de lui comme s'il avait très froid, sa moustache bien taillée agitée de tics.

En revanche, Leslie et Nadia gloussaient et se tiraient les cheveux, avec l'air de trouver que ces images étaient d'un ennui mortel.

Elizabeth, qui avait posé sur ses genoux le casque offert par Nasser, se tourna pour dire quelque chose à son frère.

Mais il avait déjà quitté la pièce.

C'était le djihad, la guerre sainte, et, comme dans n'importe quelle guerre, il y avait des pertes. Néanmoins, Nasser se souvenait de Sam, le chauffeur, et son décès lui pesait.

Il tentait de se dire que ça ne comptait pas : c'étaient des infidèles, et il y aurait eu bien davantage de morts s'il était parvenu à entrer dans le lycée et à poser la *hadduta* dans la chaudière, comme prévu. De plus, son geste aurait été juste, sinon justifié. Le peuple américain soutenait un gouvernement qui soutenait les Israéliens ; et ces Israéliens opprimaient son peuple, ils avaient volé sa terre et brisé le cœur de sa mère. Et seule la violence pouvait répondre à la violence. Mais il n'en était pas moins troublé de voir combien les victimes étaient étrangères aux souffrances de la Palestine. Les trois du prêteur sur gages, et maintenant ce chauffeur de bus...

Nasser monta dans sa voiture, s'arrêta à la compagnie pour y ramasser sa paie, ainsi qu'il le faisait chaque mardi soir, puis s'en fut vers Manhattan en s'efforçant de raisonner et de trouver la paix de l'esprit. À la radio, les flashes se succédaient : « D'après les premiers éléments de l'enquête, ce serait une bombe qui aurait explosé en début d'après-midi devant un lycée à Coney Island... » Cette dernière information le troubla au point qu'il changea de station pour écouter de vieilles chansons – son vice secret –, et bientôt il se surprit à fredonner sur une sirupeuse ballade sentimentale.

Il était épuisé, mais il savait qu'il n'arriverait jamais à dormir, cette nuit : il était bien trop tendu. Il avait besoin de parler à quelqu'un de plus âgé, quelqu'un de plus sage. Il avait appris que son ancien compagnon de cellule, le Pr Bin-Khaled, donnait une conférence à l'université de la ville, mais il ne se sentait pas prêt à rencontrer son aîné. Ils avaient à débattre de sujets trop douloureux.

Il choisit de s'arrêter près de la mosquée de la Médina, dans la 11e Rue Est, pria pendant une dizaine de minutes en répétant quatre fois les positions de la *raka* – se lever, s'incliner, placer ses mains derrière les oreilles, s'agenouiller et embrasser du front le sol –, puis il se rendit chez Youssef, qui résidait dans un hôtel meublé de la 23e Rue Ouest. Leur entretien serait âpre et difficile, mais il lui fallait en passer par là.

Il trouva son ami dans le salon de son petit trois pièces, un verre de milk-shake aux protéines à la main. Youssef venait juste de prendre une douche et était encore en peignoir de bain. Ses quatre enfants, que Nasser n'avait jamais vus, se trouvaient dans la pièce voisine avec leur mère, qui s'employait à les faire tenir tranquilles et silencieux, pour ne pas importuner leur père. Une boule de feu rouge et blanc illumina l'écran du téléviseur posé par terre dans un coin du living, au milieu d'haltères et de matériel de musculation. Il fallut quelques secondes à Nasser pour réaliser qu'il ne s'agissait pas de la énième image du bus en train d'exploser, mais d'une cassette vidéo du film *Independence Day*. Il se souvint que Youssef lui avait dit faire commerce des copies de cassettes qu'il louait, dans le but de rassembler un peu plus d'argent pour le djihad.

« Tu as raison, il faut qu'on parle sérieusement de tout ça, toi et moi », déclara Youssef en débarrassant le canapé de revues de culturisme, pour que Nasser puisse s'asseoir à côté de lui.

Pendant quelques secondes, Nasser se découvrit incapable d'articuler un seul mot. La peur verrouillait toujours sa langue. La mobilisation d'adrénaline durant l'action prélevait maintenant son dû, et il était épuisé. Il avait encore mal à la main d'avoir serré si fort l'anse du sac transportant la bombe.

« Alors, redis-moi pourquoi tu as placé la *hadduta* sous le bus ? ajouta Youssef en baissant le son du téléviseur à l'aide de la télécommande. Je t'écoute. »

Nasser était conscient du regard dur que Grand Ours fixait sur lui. À l'écran, en face de lui, le gigantesque vaisseau des extraterrestres s'immobilisait au-dessus de la Maison-Blanche, tandis que le Président et sa fille tentaient de s'échapper en avion. Sans le son, il se dégageait des images une violence troublante.

« Je te l'ai dit, cheikh, j'ai dû la mettre là où c'était possible sans se faire voir, répondit Nasser en jetant un coup d'œil à Youssef. Le vigile à l'entrée ne laissait passer personne sans une pièce d'identité. Ç'aurait été une erreur de suivre notre plan. »

À la télévision, un rayon vert jaillissait du vaisseau, et pulvérisait un gratte-ciel.

« Serais-tu idiot ? s'écria Youssef.

— Non, cheikh...

— Alors, pourquoi n'as-tu pas cherché le moyen d'entrer quand même pour placer la bombe dans la chaudière, au lieu de la glisser sous un bus, où elle n'aurait pas plus de force qu'un pétard mouillé ? J'ai regardé les infos : on n'a pas eu droit à plus de cinq minutes de reportage !

— L'explosion a tout de même fait la une des journaux

télévisés, protesta faiblement Nasser, ne sachant trop ce que Youssef avait espéré.

— Oui, mais on ne devrait voir que ça sur toutes les chaînes ! Le pays entier devrait être plongé dans la panique. » Youssef se tut pour soupirer d'un air dégoûté. « Tiens, je ne sais même pas si on doit revendiquer une action aussi minable, reprit-il. Tu aurais voulu nous faire passer pour des clowns, tu n'aurais pas mieux réussi. »

Nasser baissa les yeux et pressa son dos courbaturé contre les coussins du canapé. Sur la table basse devant lui, un coutelas à la lame dentée était posé sur un tas de magazines. « Je suis désolé, affirma-t-il. J'ai fait ce que j'ai pu. »

Youssef le regarda en silence pendant un moment. Il semblait très en colère, et Nasser détailla de nouveau le lourd couteau de chasse.

La peur le rongeait, dévorant toute notion de solidarité et de fraternité. N'avait-il pas vu Youssef tuer sans états d'âme une mère sous les yeux de son enfant ? Allait-il le poignarder ici même, alors que dans la pièce voisine jouait sa propre progéniture ? Nasser ne le pensait pas, mais il se tendit néanmoins comme un ressort quand Youssef se pencha vers la table...

... pour prendre son milk-shake.

« Qu'il en soit ainsi, déclara-t-il en avalant une gorgée de lait. On fera mieux la prochaine fois. »

À l'écran, les voitures étaient projetées dans les airs et la Maison-Blanche ressemblait maintenant à un tas d'allumettes calcinées.

« Est-ce que quelqu'un t'a vu mettre le sac sous le bus ? demanda Youssef en reposant son verre, et en s'essuyant la moustache et la barbe avec le dos de sa main.

— Je ne pense pas. »

« On fera mieux la prochaine fois. » Non, il se voyait mal revivre une épreuve semblable.

« Cheikh, lança Nasser en croisant les mains d'un air de supplication. Je voudrais me retirer.

— Quoi ?

— J'ai peur de recommencer. Je ne suis pas sûr que ce soit juste... je veux dire, tout ce qu'on fait. »

Le vaisseau extraterrestre venait de détruire la moitié de Manhattan.

« Tu ne peux pas t'en aller comme ça. » Youssef saisit le coutelas sur la table, et le pointa en direction de Nasser. « Ce n'est pas possible.

— Pourquoi pas ? répliqua Nasser en reculant contre l'accoudoir.

— Un homme est mort dans l'explosion. Tu es le jackpot, mon ami. » Youssef prononça ces derniers mots en anglais.

« Ce n'est pas l'expression qui convient, remarqua timidement Nasser.

— Au contraire, répliqua Youssef, revenant à l'arabe. De toute façon, trop de choses dépendent de toi, à présent. » Il saisit une mangue qui était sur la table à côté des magazines, se mit en devoir de la couper en deux ; puis, de la pointe du couteau, il traça une série de traits dans l'une des moitiés. « Il y a deux heures à peine, j'étais au téléphone avec ce frère que j'ai connu en Égypte et dont je t'ai parlé. C'est lui qui m'a tout appris du maniement des armes en Afghanistan. Tu te souviens de cette attaque d'un car de tourisme au Caire ? Trente-deux touristes allemands sont morts ce jour-là.

— Bien sûr que je m'en souviens, approuva Nasser, soulagé de ne pas avoir pris un coup de couteau, mais conscient de la menace qui pesait sur lui.

— C'était lui le chef du commando. Il a tué de sa propre main cinq des passagers et deux policiers, avant de s'enfuir à moto. Et tu te rappelles le vol 502 qui a explosé au décollage de l'aéroport d'Orly à Paris, tuant soixante-quinze personnes ?

— Oui, je me rappelle. » Nasser n'avait pas oublié les images des ambulances et des camions de pompiers fonçant sur la piste dans le hurlement des sirènes et les cris, ni les larmes des familles pleurant la mort de leurs proches.

« Il y a aussi participé, déclara Youssef. Bref, il arrive ici la semaine prochaine. Ce grand homme. Je lui ai parlé de toi. Je lui ai dit combien j'étais fier de toi, après l'attaque du prêteur sur gages. Il sera très déçu d'apprendre que tu veux nous quitter. »

À ces paroles, Nasser ressentit un énorme poids peser sur sa poitrine. L'un des hommes du vol 502. Il était à la fois terrifié et grisé par la perspective de rencontrer un tel héros.

« Mais je ne suis pas sûr d'être efficace, protesta-t-il. Je sais que j'ai commis une erreur, aujourd'hui...

— Oui, une grosse erreur ! s'exclama Youssef en retournant

la moitié de mangue découpée. C'est pourquoi tu dois te racheter et prouver ta valeur. J'en ai déjà discuté avec mon ami.

— Que veux-tu dire ? demanda Nasser, inquiet.

— Il était très contrarié quand je lui ai raconté que tu n'avais pas su exécuter le plan prévu. Il a tué des hommes pour moins que ça. Mais je lui ai expliqué ta situation. Que tu étais jeune et impatient de bien faire. Et je crois qu'il a compris et qu'il te pardonne. Il a commis lui-même des erreurs. Un de nos laboratoires a explosé par sa faute, et il a été écarté de la lutte armée par nos chefs. Mais il revient pour entreprendre une action d'éclat et leur prouver qu'il est toujours un grand combattant.

— Alors, qu'a-t-il dit à mon sujet ? »

Youssef se pencha vers Nasser. « Il estime que tu feras un bon soldat, répondit-il en baissant la voix. À la condition, bien sûr, que tu fasses tes preuves. Mais je te préviens... la tâche qui t'attend est à la hauteur de ta faute, qui est grande.

— J'en suis conscient, cheikh, et c'est pourquoi je pense que tu devrais choisir quelqu'un d'autre que moi, argua Nasser en regardant Youssef couper en deux sa moitié de mangue, et lui en offrir une tranche de la pointe du couteau.

— Non, il est trop tard pour changer, rétorqua Youssef, tandis qu'à l'écran la statue de *La Liberté* s'abîmait dans les eaux du port de New York. Quand mon ami arrivera la semaine prochaine, tu verras, tout ira bien. Il te parlera. C'est un homme d'une immense valeur. Il te donnera la force et rallumera le courage dans ton cœur. »

11

Le lendemain, le lycée était dans un état de choc collectif, avec un quart des élèves absent, et des psychologues installés dans la bibliothèque pour y recevoir tous ceux qui avaient besoin de parler. David, lui, était bien décidé à retrouver le paysage de la réalité.

Toute la nuit, les divers producteurs des émissions rivales du matin avaient assiégé sa ligne téléphonique, pour le supplier de venir – l'un d'eux allant jusqu'à lui dire : « Je perdrai mon travail si je n'arrive pas à vous avoir avant 7 heures et quart ! » Mais à peine avait-il accepté d'apparaître sur les trois chaînes, dans l'ordre où elles l'avaient appelé, qu'une véritable guerre intestine avait éclaté, et que la matinée avait été une vraie folie. Les producteurs s'étaient disputé entre eux les services de limousines qui devaient passer prendre David chez lui ; puis chacun avait essayé de le convaincre de séjourner jusqu'au lendemain dans un hôtel proche de son studio.

Finalement, Stephanie Kwan, l'attachée de presse de « Morning Program », se présenta à l'appartement de David à 6 heures un quart du matin, avec un petit déjeuner continental et un cappuccino. Cette brunette moulée dans une minijupe de cuir noir qui ne cachait rien de ses jolies jambes poussa David à l'intérieur d'une voiture longue comme un bateau, lui tapota le bras, dit au chauffeur de prendre par West Side Highway, et profita de la balade pour lancer des appels triomphants sur son téléphone portable sans cesser de cajoler David.

« Dieu merci, nous avons quelqu'un d'authentique à montrer ce matin ! s'exclama-t-elle. Il n'y a plus de héros, aujourd'hui. Rien que des célébrités. »

Une fois atteinte leur destination, elle poussa derechef David dans une étincelante bâtisse sur la 9e Avenue, comme si elle redoutait qu'on ne lui enlève son « héros du jour », et le déposa au quatrième étage, pour le confier aux mains expertes d'une efficace maquilleuse répondant au doux nom de Tammy, qui assura David qu'il était télégénique et le pressa d'« oublier ses lunettes ». Puis il prit place dans une salle d'attente en compagnie d'un comédien anglais récompensé par un oscar, un célèbre médecin diététicien mort de trac, et une chanteuse de rock aux pupilles dilatées qui ne tenait pas en place et demandait à quiconque passait par là : « T'as des amphèts sur toi ? »

Quelques minutes plus tard, David fut emmené dans le studio, où on lui accrocha un micro au revers de la veste, avant de le faire asseoir à côté du blond et cordial présentateur, lequel le remercia de sa venue et lui fit fête comme un toutou reconnaissant sitôt que s'alluma le voyant rouge de la caméra. La séquence du sauvetage de Seniqua apparut sur un grand écran mural et, de nouveau, David éprouva cet étrange sentiment de dissociation, alors qu'il s'entendait parler gravement de stoïcisme et de responsabilité. À cette différence près que ce n'était pas lui, mais ce double, qui avait le don de se matérialiser devant les caméras et les micros, comme la veille devant le lycée.

Quelle foutaise ! pensait le vrai David. Comment peuvent-ils me supporter ? Comment ne me devinent-ils pas ? Puis il tourna un bref instant la tête, et s'aperçut que Stephanie Kwan lui souriait béatement, et que les techniciens du son se tenaient le menton d'un air songeur et l'écoutaient sans un mot. Après quinze ans d'enseignement dans un lycée d'État, il était assez gratifiant de récolter une telle attention. Il se demanda si Renee et Arthur regardaient l'émission et le découvraient sous cette nouvelle lumière.

Avant que la matinée se termine, il traversa littéralement deux autres émissions de la même eau trouble, sans seulement se souvenir des gens à qui il parlait. Tout se brouillait comme dans un manège, mais tous continuaient d'être suspendus à ses paroles. Le seul changement qu'il releva fut celui de la rockeuse, qui semblait se détériorer à vue d'œil, tandis qu'elle le suivait de show en show. À son troisième passage, on dut l'aider à quitter le plateau. Elle avait cassé l'un de ses talons et claudiquait dangereusement tout en marmonnant : « Une bière et un acide, une bière et un acide », comme s'il s'agissait là de quelque slogan révolutionnaire.

Mais c'était fini, maintenant.

Seniqua Rollins entra en cours, marmonna « Merci » à David et alla s'asseoir parmi les autres élèves, échangeant les salutations habituelles avec force tape-moi-dans-la-main-brother-cool.

Le reste de la classe bourdonnait telle une ruche surexcitée. À gauche, les sœurs hip-hop poussaient leur chant de guerre. Ray-Za et Obstreperous Q jouaient aux autos tamponneuses avec leurs chaises. Et Kevin Hardison se tenait près des radiateurs dans le fond, où il donnait une version beuglante des récents événements.

« D'accord, d'accord, on se calme, tout le monde ! » David leva les mains. « On met le frein à main et on écoute. Comme on n'a pas pu aller au musée hier, j'aimerais qu'on parle aujourd'hui de *L'Odyssée.*

— On nique *L'Odyssée* ! cria une voix.

— Barre ton cul, *L'Odyssée* », surenchérit en chœur la sororité hip-hop.

La grande poussée hormonale taillait sa route. Mais cette agitation était prévisible. Ils avaient beau venir pour la plupart de quartiers où fusillades, meurtres, capotes et seringues dans les caniveaux étaient manne quotidienne, il s'en était fallu de peu, la veille, qu'ils soient tous montés dans le bus au moment de son explosion. Leur chauffeur était mort et une de leurs copines avait bien failli cramer sous leurs yeux.

Maintenant, après toutes les questions des inspecteurs et des psychologues, et la fouille en règle que chacun avait subie en arrivant ce matin, ils devaient se dire que, derrière cette bombe, il y avait celui qui l'avait posée, et que le bâtard d'enfant de putain appartenait peut-être au lycée.

Homère durait depuis trois mille ans, et il pouvait bien attendre un jour de plus. Les gosses avaient besoin de parler. Par ailleurs, David, pris par ses diverses apparitions télévisées, n'avait guère eu le temps de préparer son cours.

« D'accord, oubliez ce que j'ai dit, et causons un peu. »

Il s'assit au bord de son bureau, une manière d'afficher « cool ».
« Il s'est passé quelque chose de lourd, hier, et j'aimerais savoir ce que vous en pensez. »

Il alla au tableau noir et écrivit : *« Avoir peur de soi-même est la dernière des horreurs. »* Clive Staple Lewis[1].

Puis, comme il se tournait vers sa classe, il remarqua que Seniqua portait un blouson semblable à celui de la veille. Incroyable.

Très bien, pensa David, garder le même accoutrement est une façon inconsciente de dominer sa peur et de nier la mort, tel le Phénix renaissant de ses cendres. L'autre blouson devait être à ce moment précis sous les microscopes d'experts cherchant à déterminer la nature de l'explosif. Pour des raisons identiques, le lycée grouillait de flics, et David avait croisé des agents fédéraux en arrivant.

Qui avait pu poser une bombe ? s'interrogeait-il avec colère. Quelqu'un avait essayé de tuer. Pas seulement lui, mais ses élèves aussi.

Et si c'était l'un d'eux ? Sans le vouloir, il parcourut du regard les mômes, se demandant lequel était le plus susceptible d'avoir commis un tel acte. Yuri Ehrlich ? Il avait certainement la capacité technique de fabriquer un engin explosif, et David se souvenait de l'étrange expression de ravissement qu'il avait saisie sur le visage du garçon après l'explosion. Ou encore King Shit, le chef de gang jaloux qui, de sa prison, aurait eu vent de la trahison de Seniqua et dépêché un sbire pour régler son compte à l'infidèle ?

Mais nourrir de tels soupçons était beaucoup trop perturbant pour que David s'y attardât. Plus vraisemblablement, l'auteur de l'attentat devait être étranger au lycée, se dit-il, et son acte la manifestation radicale d'un opposant à la visite du gouverneur. Une histoire de politique.

« Bref, vous avez bien quelque chose à dire sur ce qui est arrivé. Qui veut commencer ? »

Richie Won leva la main. Mélange de Cubain et de Chinois, le volubile Richie avait pour principale occupation de jouer aux cartes dans le couloir.

« Oui ? lui lança David.

---

1. Écrivain anglais né en Irlande (1898-1963). *[N.d.T.]*

— Ma mère m'a dit qu'elle vous avait vu à la télé, hier au soir. C'était dans quelle émission ? »

David rit, surpris par la question. « Bof, c'était au journal télévisé, répondit-il. Il y avait pas mal de reporters, hier, au cas où tu ne l'aurais pas remarqué. »

Le bref échange déclencha des bavardages entre les tables. Apparemment, ils étaient plusieurs à avoir regardé la télé. David se demanda ce qu'ils en avaient pensé... « Reste avec nous », c'est ce qu'ils se disaient toujours les uns aux autres. « Reste avec nous ! »

« J'voudrais savoir comment qu'elle est, Sara Kidreaux ? dit Kevin Hardison.

— La femme qui m'a interrogé hier ?

— Ouais, superbandante, la meuf, déclara Kevin en hochant la tête.

— Ça, je ne sais pas, répliqua David. Elle est chaleureuse, en tout cas. Mais écoutez, je n'ai pas envie de parler des médias. Il y a des choses plus importantes dont on pourrait débattre... Comment avez-vous ressenti ce qui s'est passé ? Avez-vous eu peur ? Avez-vous été choqués ? Paralysés ? » Ce qu'il voulait, c'était qu'ils tirent une leçon – quelle qu'elle fût – de l'événement.

Seniqua Rollins leva la main avec une telle soudaineté qu'on aurait cru le reste de son corps sur le point de suivre.

« Moi, j'aimerais savoir pourquoi ils vous ont fait passer à la télé sur toutes les chaînes, c'matin, au lieu de prendre une vraie victime ? C'est quoi, leur problème ? Ils veulent pas de nègres ?

— Euh... je ne pense pas que ce soit une question raciale, Seniqua.

— Dawn.

— Quoi ?

— Appelez-moi Seniqua Dawn. J'ai vu Dieu hier, et y m'a demandé d'changer de nom. »

David la regarda. Seniqua l'avait gentiment remercié de lui avoir sauvé la vie, en arrivant en classe. Mais que pouvait-on attendre d'une môme de dix-sept ans qui prenait la parole devant ses amis ? Il y avait une règle intangible : chaque élève devait avoir en classe au moins un double de lui-même.

Il se demanda si elle avait consulté un médecin pour s'assurer que le bébé n'avait rien. « Écoute, Seniqua... Seniqua Dawn, je ne pense pas qu'ils m'ont choisi parce que je suis blanc et que toi, tu es noire...

— Tu parles, mec ! lança une voix depuis le fond de la classe.

— Allez, soyez pas ridicules, répliqua David, choisissant d'ignorer le sarcasme. Vous savez très bien qu'avec la télévision il faut en prendre et en laisser, et conserver toujours un œil critique. Alors, gardez-vous d'être hypnotisés, aujourd'hui. »

Mais, bien sûr, il n'avait guère montré lui-même d'esprit critique en se laissant aspirer dans ce maelström de confidences médiatisées.

Il vit Elizabeth Hamdy qui le fixait intensément depuis le troisième rang, à la fois terrienne et aérienne sous le foulard blanc qui lui couvrait la tête. Elle semblait regarder à travers lui, comme s'il n'était pas là. À moins que ce ne fût elle, l'absente, avec ce regard perce-muraille. Peut-être essayait-elle de s'imaginer cet événement qu'elle n'avait pas vu ?

Mais Tisha Cornwall levait la main, chaque ongle verni d'une couleur différente. Sa chevelure était une histoire des coiffures, faite de tresses, de mèches, de dreadlocks, d'anglaises, de teintures, sans oublier la demi-lune rasée au-dessus de chaque oreille. « Vous pensez pas qu'on va tous passer chez Howard Stern ? » s'enquit-elle.

David en demeura bouche bée.

« Hé ! reste avec nous ! cria Ray-Za. Reste avec nous, *sister* !

— Exactement, approuva David. Je crois qu'on perd de vue l'essentiel. Le problème n'est pas la télé. On a tous vécu un traumatisme. Un ami à nous est mort et une élève a bien failli brûler vive. Ce n'est pas de la fiction, mais une chose très réelle. Ne saurions-nous plus faire la différence ?

— Ouais, on sait plus ! » s'exclama avec enthousiasme Seniqua Dawn Rollins.

12

« Difficile à avaler », déclara Judy Mandel.

La vitalité incarnée, Judy. Assise à son bureau dans la salle de rédaction du *New York Tribune*, elle tapait sur son clavier tout en suivant sur le téléviseur suspendu au-dessus d'elle la conférence de presse du président des États-Unis.

« Qu'est-ce qui est difficile à avaler ? » questionna son ami le chroniqueur Bill Ryan, installé à une table en face d'elle.

Le Président disait que l'ère de l'État-providence arrivait à son terme. Il disait qu'il était temps que les citoyens se prennent eux-mêmes en charge. Et de citer l'exemple de parents en Californie qui avaient organisé leur propre école, de cette femme en Alabama qui avait renoncé à l'aide sociale, à laquelle elle avait pourtant droit, et enfin de mentionner David Fitzgerald qui avait sauvé la vie de ses élèves à Coney Island.

« Il a oublié de préciser que le revenu moyen de ces parents en Californie est de 70 000 dollars, nota Bill en se détournant du poste.

— Il y a quelque chose de bizarre dans cette affaire du bus scolaire, affirma Judy, crachant son chewing-gum pour mastiquer l'embout de son Bic. Mais je n'arrive pas à mettre le doigt dessus. »

La conférence de presse se termina, et les émissions du matin reprirent.

« Il n'y a pas de mal à se méfier du pouvoir. » Bill glissa deux feuilles de papier dans sa vieille machine à écrire Remington, la première pour la frappe, la seconde pour protéger le rouleau. « Lord Acton prétend que les grands hommes sont toujours des ruffians.

— Pourquoi a-t-il empêché les gosses de monter dans le bus ? Et pourquoi a-t-il parlé d'une bombe, alors que la police n'avait encore rien annoncé ? »

Bill sortit de son tiroir une pipe vide et la coinça entre ses dents. « Tu vas demander à Nazi de te laisser couvrir cette histoire ? »

Elle porta son regard de l'autre côté de la salle. Derrière la séparation vitrée, le rédacteur en chef, un Australien au visage gris et émacié nommé Robert « Nazi » Cranbury, faisait les cent pas en asticotant ses trois rédacteurs – qui avaient respectivement pour surnoms Vice, Rancune et Métastase.

« Non, répondit Judy, croisant et décroisant ses jambes, incapable de rester immobile plus d'une seconde. Maintenant que le Président et le gouverneur en font un instrument de propagande, Nazi désire confier l'affaire à la vieille garde.

— Et qu'est-ce qu'il te donne à la place ? »

Elle poussa un soupir et entreprit de lacer ses Doc Martens. « Le chanteur transsexuel.

— Le quoi ?

— Tu n'en as pas entendu parler ? Le type qui est premier au "Top 40" depuis quatre semaines doit venir à New York pour se faire couper le zizi et pousser des seins.

— Je suis vraiment un vieil homme !

— Nazi veut que je planque devant le cabinet du médecin.

— C'est l'un des avantages d'avoir soixante-quinze ans. » Bill gloussa et commença d'enfiler son casque Walkman pour écouter du Mahler en tapant sa chronique. « Nos maîtres préfèrent m'épargner ce genre d'agapes et me laisser ma brève chronique à côté des petites annonces automobiles, où elle ne risque pas de choquer quiconque. »

Elle l'observa pendant un instant : un homme frêle aux cheveux blancs, tapant sur sa vieille machine et tirant sur sa pipe vidée de tabac par le règlement du bureau. Il faisait penser à quelque effigie du journalisme des années 50 posée au milieu d'une salle de rédaction futuriste. Les nouveaux concepts et les modes pleuvaient tout autour de lui, mais il restait solide et pérenne, ancré par son intelligence et sa vie intérieure, un rocher au milieu d'un océan de vanités. Elle aurait aimé être comme lui, elle qui ne cessait de suivre le vent.

Elle luttait toujours avec acharnement pour se faire un nom au journal. La tâche avait été facile, à l'école de journalisme : elle pouvait attirer l'attention en s'asseyant les jambes écartées et en jouant les impertinentes. Mais les rédactions new-yorkaises connaissaient par cœur ce numéro de mauvaise fille. Après une année et demie au *Tribune*, elle en était encore à gratter du papier pour la page des faits divers. Elle avait le sentiment de glisser dans une espèce d'anonymat solitaire. Si elle n'y faisait pas gaffe, elle deviendrait l'une de ces quinquagénaires surnommées les « nonnes », qui travaillaient tout le temps, et n'avaient dans leur réfrigérateur que du fromage maigre et du vin blanc.

« Dis-moi, pourquoi ne mettent-ils pas Riordan sur ce candidat au changement de cap ? interrogea Bill en ôtant son casque.

— Qui ?

— Ton ancien prétendant. » Bill fit un signe de la tête en direction de Terry Riordan, qui téléphonait à une dizaine de mètres d'eux en se balançant dans son fauteuil. « N'a-t-il pas écrit un article le mois dernier sur ce chirurgien esthétique spécialisé dans le ravalement des stars ? »

Judy regarda Riordan, un jeune reporter vaniteux et mondain avec qui elle était sortie brièvement durant l'été.

« Ouais, il adore ce genre de merde.

— Alors, tu n'as qu'à dire à Nazi d'envoyer Riordan, qui connaît bien le show-biz. Et toi, tu resteras sur le professeur.

— Tu penses qu'il marchera ?

— Comme tu le disais, c'est une grosse histoire. Il y a eu ces images fortes, et maintenant la déclaration du Président. Nazi fera tout ce qu'il peut pour couvrir l'événement. Fais-lui croire que tu tiens quelque chose.

— Mais je ne tiens rien. Il n'y a pas un seul policier qui ait voulu me parler...

— Oui, mais tu es gironde. Regarde-toi, avec ta petite jupe de cuir, tes bas noirs et cette coiffure à la garçonne. Tu pourrais vamper le cardinal Spellman en personne. »

Bill était peut-être vieux, mais pas croulant, pensa-t-elle. Le bonhomme avait dîné avec Lauren Bacall, dansé avec Marilyn Monroe, et n'était pas du genre à balancer un compliment sans y croire.

« De toute façon, reprit-il, c'est John LeVecque le nouveau porte-parole de la police. Ce connard qui travaillait au *Post.* Va donc chez les flics et arrache-lui un ou deux tuyaux sur l'enquête.

— Et je m'y prends comment ?

— En étant provocante, impitoyable et séduisante. Pose les questions les plus directes que tu puisses imaginer. Manipule les manipulateurs. Mets le feu.

— C'est tout ?

— Oui, et écris toujours avec passion, tout en tentant de préserver une part de ta dignité.

— Facile à dire pour toi. À ton âge. »

Il remit ses écouteurs en gloussant. Elle se leva, lissa sa jupe, ébouriffa ses cheveux et s'apprêta à aller voir Nazi.

« À propos, dit-elle à Bill, qui penchait sa léonine chevelure blanche au-dessus du clavier. Si les grands hommes sont des ruffians, alors que sont les ruffians ?

— Pire que ce qu'ils paraissent. » Il repoussa le chariot de sa machine. « Tous des fouille-merde et des tricheurs. »

13

Dix minutes avant la fin du cours, on frappa à la porte et Michelle Richardson, la secrétaire particulière du proviseur, entra. Elle se montrait d'ordinaire distante, voire méprisante, envers la piétaille enseignante. Pendant des années, David ne l'avait jamais vue que de profil, car elle se détournait toujours, pour parler au téléphone à quelqu'un de plus important. Et voilà qu'elle se glissait vers lui, familière et feutrée comme un minou.

« Les gens de Larry King ont appelé, et il y a en bas une équipe de cameramen de NBC, lui chuchota-t-elle à l'oreille. Ils veulent vous parler. Le Président vous a cité dans sa conférence de presse, ce matin.

— Eh bien, ils devront attendre que j'aie terminé mon cours », répondit tranquillement David en jetant un coup d'œil à la pendule.

Oui, c'était bien beau toute cette excitation autour de lui, mais il n'en restait pas moins un professeur. Toutefois, Richardson venait d'éveiller sa curiosité : *Qu'est-ce que le Président a pu dire de moi ?*

« Le proviseur a pensé que ce serait parfait si vous pouviez passer un moment avec ces journalistes, précisa Michelle dans un souffle. Il est persuadé que cela serait bon pour l'image de l'école.

— Dans ce cas, j'essaierai de leur accorder un peu de temps, dit David.

— Il aimerait que vous y alliez maintenant.

— Vous en êtes sûre ? » David regarda ses élèves, qui commençaient à donner des signes d'impatience.

« Oh ! oui, j'en suis certaine.

— Bon, les enfants, vous pouvez partir en avance. Ne commencez pas à pleurer tous ensemble. »

Ses dernières paroles se perdirent dans un brouhaha de rires, de claquements de mains et de crécelles. Il observa leurs visages en se demandant une fois de plus s'il était possible que l'un d'entre eux ait posé la bombe. Bien entendu, il ne pouvait pas leur faire part de son interrogation sans briser la confiance qu'ils lui portaient, mais il ne pouvait pas non plus écarter cette piste. « Écoutez, les gars. Je sais que des psychologues vous attendent à la bibliothèque, mais, si l'un de vous a envie de parler avec moi, qu'il vienne me voir à mon bureau. »

Il ne s'étonna pas de ne recevoir aucune réponse ; aucun d'eux ne risquerait de passer pour un faible aux yeux des autres. Ils se levèrent de concert, se dirigèrent vers la porte en chaloupant et traînant des pieds, et ignorèrent David lorsqu'il leur cria qu'il y aurait une dissertation à faire sur le passage de *L'Odyssée* qu'ils avaient étudié.

Il vit du coin de l'œil qu'Elizabeth Hamdy s'attardait, le regard fixé sur le tableau.

« Qu'est-ce qu'il y a, Elizabeth ? »

Elle se leva et vint vers lui, la tête baissée. « Je me demandais si vous aviez une minute, dit-elle. Il y a quelque chose dont j'aimerais parler avec vous.

— Mais bien sûr, affirma David, j'ai toujours du temps pour toi.

— Non, pas maintenant, intervint Michelle Richardson en tirant David par la manche. Le proviseur veut que vous descendiez tout de suite voir ces gens de NBC. » Elle baissa la voix pour ajouter : « Il a reçu un appel du ministère de l'Éducation. »

David regarda Elizabeth. Il ne savait que faire : ses élèves avaient besoin de lui ; les caméras l'attendaient. Le temps semblait s'accélérer, et il prenait conscience qu'il devrait trouver rapidement un arrangement avec cette nouvelle réalité aux multiples niveaux.

« Ça ne t'ennuie pas qu'on se voie un peu plus tard ? demanda-t-il à Elizabeth.

— D'accord. » Elle s'en fut de la pièce, tel un nuage de pluie ensoleillé.

14

La fille de l'autobus regardait de nouveau Nasser. Mais cette fois, depuis la terrasse d'un immeuble dans Times Square, avec une main posée de manière suggestive devant la braguette déboutonnée de son jean.

S'efforçant de l'ignorer, il poursuivit sa maraude dans Broadway au volant de son taxi, à travers la vallée de panneaux et d'écrans publicitaires dont les images et les slogans avaient pour but de modeler ses désirs. Enfants en jeans mode prenant des poses d'adultes, réclames pour des équipements informatiques, des caméras vidéo, des appareils photo, une énorme carte de crédit American Express portant des oreilles de Mickey, « L'Automne à New York avec Coca light ». Devant cette profusion de marchandises, il avait envie à la fois de tout et de rien. Il capta soudain une information sur le gigantesque prompteur coiffant la grande bâtisse blanche du One Times Square.

« *La police poursuit son enquête, après l'explosion d'un bus scolaire à Coney Island,* disait le texte défilant sur la bande lumineuse. *Le Président a rendu hommage au Pr David Fitzgerald...* »

Cela n'avait pas de sens ! Quand il avait glissé la *hadduta* sous le véhicule, Nasser avait pensé que c'était la volonté de Dieu. Mais était-ce aussi la volonté de Dieu que ce Fitzgerald, homme néfaste, en tirât bénéfice en passant pour un héros national ?

Il tourna dans la 42e Rue, où un biscuit géant pivotait sur lui-même sur le toit d'un immeuble, et arrêta son taxi pour prendre une jeune femme en pantalon crème qui le hélait depuis le trottoir.

Il se demandait encore, après que Youssef lui eut annoncé l'arrivée prochaine de son ami, s'il continuerait l'action armée. Ne devait-il pas attendre quelque signe de Dieu, avant de s'engager ?

« Combien pour aller au croisement de la 51e et de la 5e Avenue ? » questionna la cliente en montant.

Nasser éteignit le contact radio avec la standardiste de la compagnie. « 4 dollars », répondit-il en tournant la tête de côté.

C'était une chance de pouvoir remonter vers le nord de la ville. Peut-être Allah lui souriait-il de nouveau ? Il jeta un coup d'œil autour de lui pour repérer les voitures de police, car seuls les taxis jaunes avaient le droit de charger dans cette partie de Manhattan.

« Vous pouvez prendre par la 8e Avenue ? suggéra la jeune femme. Il y a des travaux et des embouteillages dans la 6e.

— Bien, patronne. »

Il n'allait pas discuter. La plupart de ses courses étaient des appels radio de Brooklyn et du Queens, et il se retrouvait invariablement embourbé dans des bouchons, quand il ne s'égarait pas dans des quartiers isolés et dangereux.

Il partit vers l'ouest par la 42e Rue. La fille à l'arrière consulta sa montre, dont le bracelet en argent étincela sous la vive lumière de midi. Quelque chose en elle rappelait à Nasser Elizabeth – la manière de se tenir, le cou long et gracieux. Mais elle était un peu plus âgée, et d'un teint plus foncé.

De l'autre côté de la rue, un homme maniait un chariot élévateur devant un magasin Disney sur la vitrine duquel souriaient de grandes effigies de Mickey et de Minnie. Des hommes en costume sombre et des femmes en tailleur strict allaient d'un pas vif, l'attaché-case à la main. Des employés de la voirie en salopettes rouges balayaient nonchalamment le trottoir. Un prédicateur virulent armé d'un haut-parleur, installé sous un Superman de carton-pâte, promettait la damnation aux passants. Un bus à impériale manqua accrocher la voiture de Nasser. Tout ici n'était qu'agitation et vacarme.

« Ça va, sans l'air conditionné ? demanda-t-il à sa passagère.

— Oui, très bien, dit-elle en s'adossant plus confortablement sur la banquette. Il ne fait pas trop chaud, dehors.

— Vous préférez que je laisse la radio ? » Il essaya de rencontrer le regard de la jeune femme dans le rétroviseur.

« La musique ne me dérange pas, répondit-elle en fouillant dans son sac. Mais mettez-la juste un peu moins fort, le temps que je téléphone. »

Il tourna le bouton dans le mauvais sens, et un puissant riff de trompettes le fit sursauter. Il baissa aussitôt le son et s'excusa. « Où ai-je la tête ? » lança-t-il avec précipitation.

Mais elle s'efforçait d'établir la communication sur son portable, et il l'observa dans le rétroviseur tandis que, assise une jambe repliée sous elle, elle écartait d'une main longue et fine ses longs cheveux noirs. Oui, elle ressemblait à Elizabeth. Il y avait quelque chose de mystérieux en elle.

« Excusez-moi, dit-il quand elle abandonna sa tentative et éteignait son appareil. Je ne voudrais pas vous importuner, mais est-ce que je peux vous poser une question ?

— Oui, laquelle ?

— Vous ne seriez pas d'origine arabe ? »

Dans le rétroviseur, il la vit sourire, alors que la circulation un instant interrompue redémarrait, et que la brise faisait frissonner le chemisier de soie grège qu'elle portait.

« Si, répondit-elle, je suis arabe.

— Palestinienne ?

— Exactement.

— Ah ! c'est encore mieux. *Allah akbar.* »

Il la regarda, s'attendant qu'elle fasse écho à la parole sainte. Mais elle baissa les yeux, un rien gênée, et tourna une bague qu'elle portait au majeur. « Je suis désolée, mais je ne...

— Non, ça va bien », s'empressa-t-il de dire.

Encore une fille d'origine arabe qui ne parlait pas arabe, pensa-t-il. Tout comme sa sœur. Il jugea préférable de dissimuler sa déception. Elle était jeune et jolie. Mais elle aurait quand même dû savoir ce que signifiait *« Allah akbar »*.

« Si ça ne vous ennuie pas, puis-je savoir d'où vous êtes ? » Il lui coûtait de devoir lui parler anglais, les mots lui pesant étrangement sur la langue, aujourd'hui.

« Du Queens.

— Non, je voulais dire avant l'Amérique, là où vivait votre famille ?

— Jérusalem Est. » Elle ouvrit son sac pour en sortir une liasse de documents.

« Ras al-Amud ? Sur les hauteurs de Silwan ?

— Je ne sais pas. Je ne suis pas allée souvent là-bas. »

Il la regarda de nouveau dans le rétroviseur et ressentit un sentiment d'isolement. Il avait déjà pris d'autres filles d'origine arabe dans sa voiture, et n'en avait jamais trouvé une seule avec qui engager une véritable conversation.

« Alors, vous travaillez ? s'enquit-il.

— Oui, dans l'informatique, répondit-elle en esquissant un sourire, mais sans lever la tête de ses papiers.

— Ma sœur aussi, elle veut travailler. Après ses études. »

Le ton de sa voix n'échappa point à la jeune femme, car elle lui demanda : « Et ça ne vous plaît pas ? »

Il leva les mains du volant, en un geste d'impuissance. Qu'est-ce que j'y peux ? semblait-il dire.

Le travail. Encore un sujet douloureux. Sa sœur lui disait toujours qu'il ne devait s'en prendre qu'à lui-même s'il n'était pas capable de trouver un emploi stable dans ce pays. « Tu es trop rigide », lui affirmait-elle. Peut-être. Par principe, il ne travaillerait jamais dans l'épicerie de son père. Pratiquant fervent des préceptes musulmans en matière d'alimentation (en dehors de ses rares écarts chez McDonald's), il n'était pas question pour lui de servir dans un restaurant. Pas question non plus de faire dans la confection, accaparée par les Juifs. Quant à l'informatique, sa piètre carrière scolaire lui en interdisait l'accès. Et c'était à cause de fouineurs comme ce Fitzgerald qu'il avait quitté le lycée avant d'avoir terminé son cycle.

Il regrettait le temps de l'Intifada. Il savait alors qui il était et contre qui lancer les pierres. Mais ce pays l'avait complètement déboussolé.

« Et voici à présent une chanson qui parle d'un nain à un buffet campagnard, annonça le speaker à la radio. "I Can't Help Myself", par les Four Tops ! »

Il vit sa passagère sourire, mais n'en comprit pas la raison. Un nain à un buffet campagnard ? Qu'est-ce que ça pouvait bien signifier ? Il n'osait pas le demander à la fille.

« Vous aimez cette chanson ? questionna-t-il.

— Oui. Vous voulez bien monter le son ? »

Elle avait écarté ses papiers, et il l'examina de nouveau tandis qu'elle se mettait du rouge à lèvres en s'aidant du miroir de sa petite trousse de maquillage. Apparemment, elle avait résolu le dilemme américain et trouvé le moyen de vivre ici sans être déchirée entre deux cultures.

« Ah ! ces p'tites cailles en sucre, j'en ai l'eau à la bouche ! » Le rythme puissant, lancinant, l'entraînait malgré lui. Il détestait ce pays mais, emporté par la voix chaude du chanteur, se laissait aller à chantonner l'air.

Et s'il invitait sa passagère à prendre un café avec lui ? Il formulerait sa proposition avec beaucoup de respect et de gentillesse.

Il l'entendait fredonner la chanson et se mit à rêver au volant, se laissant emporter par le courant de ses pensées. Oui, ils iraient s'asseoir à une table et feraient la conversation, et peut-être la reverrait-il plus tard dans la soirée, juste avant les prières à la mosquée. Puis, un jour, il ferait la connaissance des parents, se débrouillerait pour réunir l'argent de la dot, et ils se marieraient. Ils s'installeraient en banlieue. Elle l'aiderait à mieux comprendre les choses, à trouver un emploi, comme n'importe quel autre Américain.

Si seulement elle disait oui ! Ce serait le premier pas.

Mais pourquoi accepterait-elle d'être son amie ? Comprendrait-elle la vie qu'il avait vécue ? La guerre des pierres. La torture. L'eau glacée. Le sac. Et, pire que tout, ce qu'ils avaient fait en prison à son ami Hamid, un souvenir qu'il n'osait même pas évoquer. Lui aussi, ils l'avaient tenté avec une femme. Comment quelqu'un d'étranger à tout ça pouvait-il comprendre ?

Comme il tournait à droite dans la 8e Avenue, Nasser passa devant un restaurant italien à la marquise rouge, vert et blanc, avec des colonnes de marbre rose et des dorures à l'intérieur. Il pinça les lèvres, doutant d'avoir le courage d'offrir à cette inconnue assise derrière lui de dîner avec lui. C'était fou : lui qui avait le cran de poser une bombe n'osait pas inviter une fille de son pays.

Les choses étaient beaucoup plus simples à Bethléem, où les parents se chargeaient de trouver pour leur enfant un conjoint dans une bonne famille. Ici, c'était la jungle. Il fallait faire ses preuves chaque jour. Et il était sans le sou la plupart du temps.

Il louait la voiture pour 350 dollars la semaine, et il devait donner 50 pour 100 de ses courses à la compagnie, mais aussi supporter le coût des réparations, de l'essence et de l'assurance. Ces trois derniers mois, il n'avait pas pu économiser plus de 250 dollars. Et encore était-il hébergé par son père, qui lui laissait le sous-sol. Il avait eu juste assez pour offrir un cadeau d'anniversaire à Elizabeth. À présent, il n'était même pas sûr de pouvoir inviter cette fille à dîner dans un restaurant italien comme celui-ci. Et puis, auraient-ils seulement un plat qui ne fût pas proscrit par la charia ?

« Alors, vous habitez chez vos parents ? questionna-t-il, essayant de faire plus ample connaissance.

— Pour l'instant. » Elle soupira et regarda par la fenêtre, tandis qu'ils passaient devant les immeubles en construction qui remplaçaient un peu partout, des deux côtés de la 8e Avenue, les hôtels meublés, maisons de passe et autres gargotes d'autrefois.

Le cœur de Nasser battait aussi fort que la veille, quand il avait posé la *hadduta*. Lui demanderait-il ? Soudain, tout se bousculait dans sa tête. Si elle disait oui, peut-être une vie nouvelle s'ouvrirait-elle devant lui, et il oublierait la guerre et Youssef, toute cette rage et cette amertume. Il pourrait vivre comme Elizabeth.

Si elle disait non, eh bien, ce serait la volonté de Dieu, lui intimant de poursuivre le djihad.

Enfin il osa. Il respira un grand coup et lança : « Ça vous dirait qu'on aille prendre un café ensemble ? »

Il y eut un long silence, tandis qu'ils étaient arrêtés à un feu rouge dans la 51e Rue, devant un motel Howard Johnson.

« Non, je suis désolée, mais je ne pense pas, répondit la fille.

— Vous ne pensez pas ? » répéta Nasser, en penchant la tête de côté comme s'il n'avait pas bien entendu.

Les piétons passaient devant le pare-chocs chromé de la voiture. Il regarda ses doigts, qui serraient les cannelures du volant. Des doigts d'Arabe, longs, marqués de cicatrices. Peut-être n'acceptait-elle d'être touchée que par des mains américaines. Il tenta de chasser cette idée de son esprit avant de devenir enragé.

« D'accord ! » Il se redressa légèrement sur son siège. « Pas de problème !

— Je suis désolée », dit-elle derrière lui avant de retourner à ses papiers.

La chanson suivante à la radio avait pour titre : « L'Homme le plus seul du monde », et il y avait quelque chose, dans la voix du chanteur, qui remua Nasser et accentua son malaise.

Elle avait dit non. Il roula en silence pendant quelques minutes, s'efforçant de raisonner. Il ne devait pas s'étonner de ce nouveau rejet. Ça lui était déjà arrivé plus d'une fois, dans ce pays : dans les rues, dans les couloirs du lycée, dans la classe de M. Fitzgerald. « Je ne peux pas accepter d'aussi mauvais résultats... » Dieu miséricordieux, on devenait fou, ici !

« Voilà, c'est ici, déclara-t-elle dans son dos. Merci beaucoup. »

Ils étaient arrivés à l'adresse qu'elle avait indiquée : un immeuble dont l'entrée ornée d'un médaillon représentait un homme soutenant le monde sur ses épaules. La fille tendit à Nasser un billet de 5 dollars, et descendit de la voiture avant même qu'il ait pu lui rendre la monnaie. Un jeune Noir l'attendait sur le trottoir ; il avait le crâne rasé, et à l'oreille un anneau d'or qui brillait au soleil. Elle courut vers lui et, se jetant à son cou, l'embrassa passionnément sur la bouche.

À ce spectacle, Nasser sentit son cœur s'embraser. Comme il haïssait l'Amérique ! Ce qui semblait souvent si beau en apparence se révélait pourri au-dedans. Et les choses qui semblaient à votre portée étaient en fait à des années-lumière de vous.

Il fourra brutalement la coupure dans la poche de son pantalon, se souciant peu de la froisser ou de la déchirer. L'odeur d'un marchand de saucisses non loin lui donna la nausée. Dieu merci, Youssef lui accordait une nouvelle chance de rattraper son erreur au lycée. C'était là un beau geste d'indulgence et de pardon, *Allah akbar*. La vie dans ce monde n'était que vanités et richesses éphémères. Dans quelques jours, l'ami de Youssef arriverait en ville. Une autre *hadduta* ferait du bruit – cent fois plus de bruit –, et tous oublieraient ce petit professeur, parce que le Grand Châtiment leur serait tombé dessus.

Nasser regarda une dernière fois le couple enlacé sur le trottoir, puis il repartit, en passant devant la cathédrale St. Patrick et le grand magasin Saks dans la 5e Avenue, avec les Rolling Stones qui jaillissaient des haut-parleurs et une odeur de chair grillée dans les narines.

15

« Naturellement que nous sommes fiers de David ! disait le proviseur Larry Simonetti, homme au teint pâle et au visage bouffi, à Sara Kidreaux, la journaliste de télévision. Mais, en vérité, il incarne parfaitement le genre de professeur que nous avons toujours su recruter. Et nous sommes heureux d'avoir pu établir avec nos enseignants une relation enrichissante qui... »

Les médias, découvrait David Fitzgerald, formaient un monde en soi, avec ses propres lois de gravité et d'entropie. Le fait d'y entrer vous transformait, vous chargeait de propriétés particulières, qui repoussaient les uns et attiraient les autres.

Il se tenait dans le hall avec Larry et Sara Kidreaux, face à une équipe de cameramen et de techniciens du son et de la lumière. Un cercle de trois douzaines d'élèves environ s'était formé autour des équipes de télé pour observer Sara qui observait Larry qui observait David.

Manifestement, il était devenu un puissant symbole politique, depuis que le Président et le gouverneur, futurs adversaires à la prochaine élection présidentielle, avaient de concert invoqué son nom. Et, dans l'euphorie du moment, la tension qui avait prévalu durant la matinée semblait s'être estompée ; David se surprenait lui-même à baisser sa garde et à oublier ses craintes.

Ce n'était plus une seule équipe de télévision, mais quatre qui avaient envahi les couloirs et les classes, glanant d'autres images qui s'accoleraient à celles prises sur le vif. Cela fascinait David de voir combien leur présence altérait ses relations avec certaines personnes. Des élèves qu'il n'avait jamais vus parlaient avec conviction de l'importance qu'il avait eue dans leurs vies. Gene Dorf, le président du département d'anglais, qui passait son temps à éviter ses collègues et à jouer en Bourse, déclarait que David était son meilleur ami, alors que Henry Rosenthal, le seul à pouvoir revendiquer ce titre de « meilleur ami », décrivait d'un ton doux-amer les « curieuses méthodes pédagogiques » de David. Depuis l'explosion, David avait remarqué une légère tension entre Henry et lui, comme s'il avait violé quelque accord selon lequel ils ne devaient jamais sortir de leur anonymat de petits Blancs.

Donna Vitale, avec ses cheveux fous et son œil égaré, disait simplement, campée devant la sortie de secours, que cela ne la surprenait pas de la part de David. Et celui-ci sentait bien qu'elle était la seule personne susceptible de déclarer la même chose qu'il y eût ou non des caméras. Il coula dans sa direction un long regard admiratif, en se promettant que, une fois tout ce cirque parti planter son chapiteau ailleurs, il lui déclarerait sa flamme.

En attendant, Larry Simonetti se collait presque à David, pendant que Sara Kidreaux les interviewait. Après toute la mauvaise presse que s'était faite son établissement, il se raccrochait à son héroïque professeur comme à un radeau de survie.

« Parce que rien d'autre ne compte que l'éducation, Sara, expliquait-il. L'éducation et nos enfants. Et faire en sorte qu'ils reçoivent ce dont ils ont besoin.

— Absolument, approuva David, profitant de ces paroles pour poser une main sur l'épaule de son supérieur. Et c'est pourquoi j'ai été tellement heureux d'apprendre que ces nouveaux livres de classe et ces programmes spéciaux que je réclame depuis si longtemps entreront en priorité dans le budget, l'an prochain. »

Le teint cireux de Larry pâlit davantage encore, tandis que ses sourcils se haussaient presque jusqu'à la naissance des cheveux.

« Euh... tout à fait, balbutia-t-il, une bulle de salive décorant le bout de sa langue. Mais, David, n'avez-vous pas classe, maintenant ? »

Pour son dernier cours de la journée, trois équipes de télévision campèrent dans le fond de la salle afin de le filmer dans sa tâche quotidienne, et il y eut deux fois plus d'élèves qu'à l'ordinaire. Ils étaient plus de soixante-dix à chercher de l'air, partageant à trois ou quatre une table pour deux, se tournant sans cesse vers les caméras dans l'espoir que leur tronche apparaîtrait aux journaux télévisés du soir. Quelques-uns étaient même accroupis devant aux pieds de David, comme s'il était quelque rock star sur le retour ou Dieu sait quel gourou à la mode dispensant ses lumières à la jeunesse du pays.

« "Il était un héros, un homme sérieux, qui ennuyait tous ceux qu'il rencontrait...", lisait David à voix haute, *L'Adieu aux armes* ouvert dans ses mains.

— Attendez, attendez ! »

Sara Kidreaux se leva soudain dans le fond de la salle et, sirène rouge à la tête blonde, se fraya un chemin à travers les tables et les sièges.

« Qu'y a-t-il ? demanda David.

— Je suis désolée, dit-elle avec un sourire gêné, avant de se retourner en direction d'un de ses techniciens, un jeune obèse en salopette en train de se moucher bruyamment dans son mouchoir. Mon ingénieur du son a un rhume et vos dernières paroles se noient dans un éternuement. Vous ne pourriez pas recommencer, s'il vous plaît ?

— Euh... voyez-vous, je déteste casser le rythme d'un cours.

— S'il vous plaît... » Elle se haussa sur la pointe des pieds, jouant à merveille les impatientes malheureuses. « Cela nous simplifierait tellement la vie !

— Ma foi...

— Allez-y, chef ! » Les gosses étaient pour, se glissant aisément dans leur rôle de figurants.

« Ouais, on s'en fout ! cria une fille.

— Donne ton max, mec ! » Une voix de dur à cuire que David n'identifia pas.

Il haussa les épaules, désireux de faire plaisir à tout le monde. « D'accord, je veux bien reprendre. »

Sara Kidreaux libéra un petit frisson de joie. « Oh ! juste un léger détail. »

Elle se lécha les doigts, et aplatit doucement une mèche rebelle sur le front de David.

Les gosses s'empressèrent de ponctuer d'un « Ouaouhh ! » vibrant ce que le geste de la belle Sara avait d'érotique, tandis que la journaliste regagnait sa chaise le visage un rien rougi et la hanche chaloupante.

David tapa dans ses mains afin de capter à nouveau l'attention et déclara, tout en se retournant pour poser le livre sur son bureau : « À mon avis, Hemingway nous dit qu'un héros peut devenir un casse-pieds si nous...

— Excusez-moi encore, intervint Sara Kidreaux de sa place, mais vous venez de parler le dos à la caméra. Vous ne voulez pas réessayer ? »

David commença de protester, marmonnant qu'il avait l'impression d'être un animal de cirque, mais quelque chose l'arrêta. D'un côté, la télévision et les jeux électroniques représentaient tout ce qu'il détestait et contre quoi il se battait. Ils réduisaient à la longue les capacités d'attention des élèves et parasitaient leurs esprits. Son propre fils était atteint. « Papa, quand est-ce que j'aurai une console de jeux ? lui avait demandé Arthur l'autre jour. Et qui est le plus fort, Batman ou Superman ? » D'un autre côté, il y avait en lui un désir qu'on l'écoute, qu'on s'intéresse à sa personne. Et cette envie d'exister aux yeux des autres, il l'avait déjà eue bien longtemps auparavant, posté sur sa chaise de surveillant de baignade. À présent qu'on se pressait autour de lui, pourquoi aurait-il boudé son plaisir ?

« Encore une fois, juste une, pour moi ? demandait Sara Kidreaux en battant des cils.

— Allez-y, m'sieur ! criaient les mômes.

— D'accord, je reprends. » Il inspira profondément et recommença. « Un héros peut passer pour un raseur... »

Quand il sortit dans le couloir, quelque temps plus tard, il se sentait à la fois heureux et un peu confus. Comment avait-il pu céder aussi facilement ? Mais oui, vraiment, pourquoi aurait-il dû se retenir ? Il n'avait peut-être pas enseigné, aujourd'hui, mais pour une fois il avait eu un auditoire attentif, y compris parmi les plus rétifs.

Comme il croisait Michelle Richardson, elle lui annonça qu'il avait un message de l'inspecteur Noonan. Ce fut tout juste s'il enregistra l'information. Trois élèves l'attendaient devant la porte de la bibliothèque pour lui parler. Il savait ce que deux d'entre eux lui voulaient. Scott Cunningham, un grand échalas passionné de sciences dont la mère et le père étaient morts du sida, avait besoin de son aide pour remplir une demande d'aide financière qui lui permettrait de poursuivre ses études. À son côté, Roberto Suarez, qui avait des ambitions artistiques, souhaitait qu'il parle à son père pour que celui-ci lui laisse terminer le lycée, au lieu de le faire travailler à la poissonnerie familiale.

Elizabeth, elle, se tenait légèrement en retrait des deux garçons, et David ignorait pourquoi elle était là. Elle semblait perdue dans une conversation intérieure et contemplait ses rollers, qu'elle avait posés à ses pieds.

« Je suis désolé, pour tout à l'heure, dit David en s'adressant d'abord à elle. Il faut qu'on parle, tous les deux. Ton frère est passé ici l'autre jour.

— Je sais. » Elle rejeta la tête en arrière, et son foulard battit comme des ailes de chaque côté de sa tête. « C'est aussi pour ça que je voudrais vous voir. »

Larry Simonetti surgit soudain dans le couloir, l'air tout ému. « David, vous ne le croirez jamais, annonça-t-il en baissant la voix. Nous avons CNN et Dan Rather en bas !

— Très bien, mais je dois d'abord m'entretenir avec Elizabeth, Scottie et Roberto », répliqua David en jetant un regard aux deux garçons, pour leur signifier qu'il ne les avait pas oubliés.

Larry lui prit le bras. « Vous n'avez peut-être pas entendu ce que je vous ai dit : nous avons CNN et Dan Rather.

— Bon Dieu, Larry, vous me faites penser à un élève de sixième ! »

Mais Elizabeth s'éloignait déjà dans une direction, et Scott et Roberto dans l'autre. « Hé ! où allez-vous comme ça ? leur demanda David.

— Je vois bien que vous êtes encore occupé », lui répondit Elizabeth avant de disparaître au coin du couloir.

David fut un instant envahi du sentiment d'avoir lâché ceux qui comptaient sur lui. Il avait toujours tiré une certaine fierté à être constamment disponible pour ses élèves, donnant même son numéro de téléphone chez lui aux plus difficiles d'entre eux, les engageant à l'appeler au moindre ennui. Mais, aujourd'hui, il les avait abandonnés. En dépit de toutes ses bonnes intentions, il s'était laissé séduire et entraîner par le chant des sirènes médiatiques.

« Bon, allons-y, disait Larry en l'entraînant vers l'escalier. On ne fait pas attendre CNN. »

Bien qu'il dépassât Larry d'une bonne tête et de vingt kilos, David se laissa faire. Il était inutile de résister. Une partie de lui-même était déjà sous l'œil de la caméra, emportée grâce aux ondes hertziennes et aux satellites par-delà les canyons de béton de Manhattan, les fermes du New Jersey et de Pennsylvanie, les plaines immenses du Montana et les vagues du Pacifique. Ce soir, les gens de Budapest et de Pékin connaîtraient son nom.

« Dis-moi, Larry, est-ce que je les aurai, ces livres pour les gosses ?

— On en parlera plus tard, gros malin. »

David le suivit dans l'escalier. Il aperçut un bout de ciel bleu à travers une vitre sale. Oui, le miracle se produisait : des petits morceaux de sa personne pleuvaient sur le monde entier.

16

Le lendemain matin, Judy Mandel, la jupe battant court sur la cuisse et trois boutons de son chemisier défaits, poussait la porte du bureau de presse, au treizième étage du QG de la police.

« Bon sang ! y a donc personne ici pour me dépanner d'un tampon hygiénique ? »

John LeVecque, transfuge du *Post* et récemment nommé commissaire assistant à l'information, leva la tête, l'air à la fois surpris et gêné.

« Désolé de ne pouvoir vous aider à ce sujet, déclara-t-il en rougissant légèrement.

— Il n'y a pas dans tout l'immeuble un seul distributeur de serviettes dans les toilettes pour femmes, dit-elle. Vous trouvez ça normal ? »

Elle avait décidé de le déstabiliser en le traitant de la même manière que les flics l'avaient traitée, elle, durant ces dix-huit derniers mois. Comme de la merde. Sauf qu'au lieu de parler de pipes taillées par des effeuilleuses ou de se pencher en avant pour lâcher un pet musclé dans la rigolade générale c'était sa propre féminité qu'elle lui balançait au visage. Il ne faisait pas bon être timide face aux flics. Il fallait leur montrer que vous pouviez être plus dure qu'eux, que rien ne pouvait vous choquer ou vous étonner venant d'eux. À la vérité, mieux valait prendre l'initiative dans le domaine de l'épate.

« Alors, quand est-ce que vous allez annoncer qu'il s'agissait d'une bombe ? » lança-t-elle en prenant un siège en face de lui sans y avoir été invitée.

LeVecque se renversa dans son fauteuil, et reposa avec ostentation le cigare à 5 dollars qu'il était en train de fumer. « Vous êtes Murphy, n'est-ce pas ?

— Mandel.

— Pourquoi vous ? Où est Lippman ? »

Ernie Lippman était le chargé de mission du journal auprès de la police, une tête brûlée qui préférait de loin pêcher à la mouche et draguer les femmes des policiers tués en service plutôt que faire le travail attendu de lui. Judy avait eu moins de mal que prévu à convaincre Nazi qu'elle était toute désignée pour mener cette affaire.

« Lippman est parti taquiner la truite. » Elle croisa les jambes et balança sa cheville, qu'elle avait fine. « Dois-je répéter ma question ?

— Oui, pourquoi pas ? »

Elle plaça son calepin sur ses genoux, tandis que le télécopieur grinçait dans un coin de la pièce. « Tout le monde sait qu'il y avait une bombe dans ce bus. Pourquoi traînez-vous des deux fesses pour annoncer la nouvelle ?

— C'est très naïf de votre part, ce que vous dites. Vraiment très naïf. Jamais je n'oserais poser une question aussi stupide. Croyez-vous que nous sortions nos résultats d'un chapeau de magicien ? Nous attendons que le labo ait terminé ses analyses, et ça peut prendre plusieurs jours. »

Elle le considéra, les yeux mi-clos. Regardez-le, assis derrière son bureau, le cheveu blond désertant en masse son crâne, avec son petit cigare, et un ventre mou qui réclame de toute urgence qu'il se remette au squash. Un BCBG vieillissant qui se prend pour un dur. Elle avait déjà entendu parler de ce LeVecque, quand il était un journaliste ébloui par l'uniforme bleu marine, toujours prêt à encenser et soutenir les flics, même dans les bavures les plus criantes. Le bruit courait qu'il parcourait la ville avec dans sa Volvo un scanner de la police et un gyrophare portatif. Le genre de mec de la classe moyenne dont les parents avaient contrarié le désir ardent d'entrer dans la flicaille.

Elle devait faire preuve de stratégie, le prendre à revers. « Pense comme un boxeur, lui avait conseillé une fois Bill Ryan. Sers-toi de ce que tu as. Même si c'est ton corps à la place des gants. Esquive, feinte et frappe. Et ne t'inquiète pas si c'est au-dessous de la ceinture. Manipule ceux qui manipulent. Ceux pour qui tu écris n'hésiteraient pas une seconde à en faire autant. »

« J'ai entendu dire qu'une faible charge d'explosif aurait fait sauter le réservoir d'essence du véhicule, répliqua-t-elle en inclinant le buste en avant.

— C'est possible », déclara LeVecque en plongeant une seconde son regard dans l'échancrure béante du chemisier.

Brian Wallace, l'un des sergents qui prenaient les appels dans le bureau voisin, entra sans frapper pour déposer un dossier sur le bureau de LeVecque. Grand balèze avec une moustache de phoque, le nœud de cravate défait, il ne jeta pas un regard à LeVecque, mais en coula un long et appuyé à Judy, qui accepta l'hommage comme son dû.

Pendant quelques secondes, elle ressentit une certaine compassion pour le commissaire assistant. Quitter le journalisme pour entrer dans la police en avait fait un homme sans racines. Il avait perdu la confiance des gens de la presse, sans pour autant gagner la considération des flics. Pour ces derniers, il ne serait jamais de la maison.

« Vous avez des suspects ? » demanda-t-elle après le départ du sergent.

LeVecque posa ses mocassins sur le coin du bureau, dans une tentative de reprendre le contrôle. « Comment pourrait-il y avoir des suspects, alors qu'on n'a pas encore conclu à une bombe ?

— Quoi ! Vous n'auriez personne dans le collimateur ?

— Nous ne pouvons le dire à ce stade de l'enquête. »

Selon toute probabilité, pensa-t-elle, ils ne soupçonnaient encore personne, mais elle devait néanmoins essayer d'en savoir plus. Quand elle avait approché l'inspecteur Noonan, sur les lieux de l'explosion, le bonhomme l'avait regardée sans la voir et s'était contenté de lui donner le téléphone de LeVecque.

« Et quand le saurez-vous ? répliqua-t-elle.

— Quand saurons-nous quoi ? dit-il, feignant de s'intéresser à la rangée de téléviseurs allumés qui flanquaient l'un des murs.

— Si c'était une bombe ou pas et s'il y aura une enquête criminelle ?

— Oh... »

Il était le seul à pouvoir lui fournir les informations qu'elle cherchait. Il avait derrière lui le poids d'une énorme institution, et elle n'avait pour elle qu'un corps imparfait et un calepin. Elle avait l'impression d'être au pied d'un mur de brique, qu'il lui fallait franchir d'une façon ou d'une autre – en l'escaladant ou en le démolissant. Parce que, si elle retournait les mains vides devant Nazi, il la renverrait aux chiens écrasés. Elle devait séduire ce LeVecque.

« Écoutez, lui déclara-t-il en se redressant dans son fauteuil. Pourquoi ne pas revenir me voir... mettons, dans deux jours ?

— Vous voulez dire... pendant le week-end ?

— Pourquoi pas ? » répliqua-t-il, la voix traînante.

À sa droite, l'image du bus en flammes apparaissait par intervalles sur les écrans, comme une phrase musicale sur un disque rayé.

« Dites-moi seulement si vous êtes sur la piste d'un groupe terroriste.

— Nous sommes sur toutes les pistes, répondit-il. Laissez-nous un peu de temps, et c'est à vous-même que nous nous intéresserons. Les journalistes sont derrière chaque chose. »

L'idée plus que la plaisanterie la fit sourire. « Cela signifie-t-il que vous me donnerez la primeur, avant le *Post* ou le *News* ?

— Tout le monde l'apprendra en même temps. Nous ne faisons jamais de favoritisme. »

Un enfant n'en aurait rien cru. Il y avait toujours eu des journalistes pour glaner des scoops en récompense de services rendus au corps policier. La propre carrière de LeVecque en était une vivante illustration.

« Dans ce cas, n'égarez pas mon numéro de téléphone, lança-t-elle en se levant.

— Oh ! cela ne risque pas d'arriver. Et à propos de... votre tampon, si je peux vous être...

— Je ne pense pas en avoir encore besoin. » Elle s'immobilisa sur le seuil, tandis que s'élevait derrière elle le brouhaha de la salle. « À propos, comment se fait-il que Fitzgerald ait retenu ses élèves juste avant que le bus explose ?

— Comment le saurais-je ? riposta-t-il en mettant un semblant d'ordre parmi les papiers qui encombraient son bureau. C'est ce qu'on appelle un coup de chance, non ?

— Vraiment ? »

17

« Est-ce que je peux vous offrir du café, messieurs ? proposa Elizabeth Hamdy.

— Il est 4 heures et demie, mais pourquoi pas ? répondit l'inspecteur Noonan. On a encore beaucoup de travail devant nous, alors autant rester éveillé.

— C'est du café turc, il est très sucré, précisa Elizabeth en gagnant la cuisine. Nous mettons de la cardamome dedans. J'espère que vous aimerez. Mon père et moi, nous discutons toujours de la meilleure façon de le faire : s'il vaut mieux le laisser monter une seule ou plusieurs fois. »

Noonan jeta un regard à son nouveau collègue, Tom Kelly. Ils venaient d'arriver chez les Hamdy, Avenue Z. Un intérieur modeste, nota l'inspecteur. Il y avait dans le salon, où la jeune fille les avait installés, un canapé convertible de couleur beige, une commode chinoise, et les photographies des grands-parents encadrées sur le mur. Dans un coin, deux fillettes jouaient à la Nintendo devant un grand écran de télé. Seul un plateau de cuivre gravé de motifs arabes, qui surmontait la porte de la cuisine, et la photo d'une mosquée au-dessus du canapé indiquaient l'origine d'une partie de la famille.

Des douze autres inspecteurs qui interrogeaient les élèves et les professeurs du lycée, sans parler des témoins se trouvant ce jour-là dans Surf Avenue, Noonan était celui qui avait le plus avancé dans l'enquête. Mais cela ne durerait pas : bientôt, les fédéraux entreraient dans la danse et l'écarteraient du chemin.

La jeune fille revint avec deux petites tasses de café tintinnabulant dans leurs soucoupes, et les posa sur la table basse, à côté d'un épais cahier relié d'un tissu à motif cachemire. Elle était ravissante, pensa Noonan, et pas seulement à cause de son sourire éclatant et de ses longs cheveux brillants : il se dégageait d'elle un charme indicible. Elle lui rappelait sa propre fille, âgée de seize ans, qui devait être à cette heure à la maison en train de faire Dieu sait quoi dans sa chambre avec des garçons. Elizabeth Hamdy ne ressemblait pas, du moins à ses yeux, à une Arabe – mais que connaissait-il aux Arabes ?

« Je vous remercie de nous recevoir, commença-t-il. Je sais que vous n'êtes pas venue au lycée mardi ; mais, comme je vous l'ai dit au téléphone, nous interrogeons les élèves de votre classe, pour réunir toutes les informations possibles et nous faire une idée de ce qui s'est passé ce jour-là. D'accord ?

— Je comprends parfaitement, assura-t-elle avec un sourire qui, quoique léger, parut éclairer et agrandir la pièce. Je ferai mon possible pour vous aider. J'aimais bien Sam.

— Bon, dit Noonan. Auriez-vous entendu quelqu'un au lycée tenir des propos inhabituels les jours qui ont précédé l'explosion ? »

Le sourire s'effaça, et son visage s'assombrit sans perdre cependant de sa beauté. « Je ne suis pas sûre de bien comprendre...

— Auriez-vous remarqué un élève en train de s'exprimer avec violence, en proférant des menaces ; au cours d'une dispute pour une histoire d'argent, ou encore d'une bagarre pour une fille, ce genre de choses ? »

Elle jeta un regard à son journal sur la table, puis baissa les yeux vers ses pieds, couverts d'épaisses chaussettes blanches en coton. « Il y a tout le temps des disputes et des bagarres au lycée, mais personne n'a jamais menacé de faire une chose pareille.

— Et... est-ce que quelqu'un n'aurait pas dit quelque chose concernant la visite du gouverneur ? Vous savez, c'est un républicain, mais il a sur l'avortement une position libérale qui met en rage les puritains et les partisans du Droit à la vie.

— Non, je n'ai rien remarqué de tel. Mais je ne me mêle jamais de discussions politiques...

— Ouais, bien sûr ! intervint Kelly. Pourquoi tu lui demandes pas si elle connaît pas quelqu'un dans les milieux terroristes ? C'est une Arabe, non ? »

Et allez donc ! pensa Noonan avec colère. Ce type s'était révélé être une catastrophe depuis le début de l'enquête. Il s'absentait à la moindre occasion pour boire des coups et, vers la fin de la journée, c'est tout juste s'il arrivait à marcher sans tituber. Il était question qu'on le mette à pied d'un jour à l'autre. Noonan hériterait alors d'un nouvel assistant, auquel il faudrait tout apprendre d'une enquête qui promettait d'être longue et difficile.

« Non, fit Elizabeth, ignorant l'agression avec une patience soigneusement mesurée, je ne connais personne de ce genre.

— Je m'en doute, déclara Noonan, tandis que Kelly bâillait bruyamment. Ce que nous aimerions savoir, c'est si vous vous rappelez un détail sortant de l'ordinaire. L'un de vos camarades de classe nous a raconté, par exemple, que votre professeur vous a parlé l'autre jour de son désir d'être un héros.

— Il n'y a rien d'extraordinaire à ça, vous ne trouvez pas ?

— Ma foi... » Il sirota une gorgée de café. « N'aurait-il pas dit aussi qu'il avait toujours eu envie de sauver la vie de quelqu'un ?

— Il nous a parlé du temps où il était surveillant de baignade. Mais ce n'était qu'un exemple pour son cours sur l'héroïsme dans la littérature. » Elle était assise bien droite et très calme, mais Noonan remarqua que ses doigts de pied remuaient sous la table basse comme des petits lapins blancs dans l'herbe. « Pourquoi cette question ? » reprit-elle.

Noonan jeta un regard à Kelly, mais celui-ci avait la bouche ouverte et la tête renversée sur le haut de son fauteuil. Le salaud dormait-il ?

« Oh ! vous savez, c'est le genre de remarque qui pourrait très bien donner des idées à quelqu'un. »

Elle réfléchit un instant aux paroles du policier, puis demanda : « Alors, vous soupçonnez une personne du lycée d'avoir posé une bombe dans le bus ?

— Sincèrement, nous ne sommes sûrs de rien, mais nous n'écartons aucune possibilité.

— Ça alors !

— Vous êtes certaine de ne connaître personne capable d'un tel acte ? Quelqu'un qui aurait flippé pour une raison ou pour une autre ? »

Elle releva la tête, et la lumière saupoudra d'or ses yeux marron. « Non, je ne vois vraiment pas. » Elle eut un sourire timide.

Kelly bâilla de nouveau, étira les bras, et regarda sa montre à son poignet velu. « On va passer la nuit ici ou quoi ? lança-t-il à Noonan. On en a encore sept à interroger. Et la direction a dit : "Fini les heures sup jusqu'à la fin de l'année"... »

Noonan lui décocha un regard venimeux avant de se tourner de nouveau vers Elizabeth Hamdy. « Nous n'abuserons pas plus longtemps de votre temps, affirma-t-il. Mais j'aimerais que vous me disiez pourquoi vous n'êtes pas allée en classe mardi dernier. »

Il remarqua qu'elle regardait des rollers posés par terre près du téléviseur. Sous la table basse, les orteils gigotaient toujours, comme s'ils étaient impatients de les chausser.

« J'avais une migraine terrible, alors je suis restée à la maison.

— Elle a dû boire trop de café arabe, commenta Kelly en se levant et s'étirant de nouveau. Tu lui demandes, au sujet du sac ? » ajouta-t-il.

Noonan secoua sa tête chauve en levant les yeux au plafond. C'était la troisième fois que Kelly découvrait leur jeu par ses questions irréfléchies. Il fallait qu'il se sépare de cet abruti au plus vite !

« Oui, il y a un point que nous aimerions vérifier, dit-il à Elizabeth. Est-ce que M. Fitzgerald a un sac de marque Jansport ?

— Je crois. Presque tout le monde au lycée en a un. Est-ce que la bombe était dans un Jansport ?

— Nous allons vous laisser, maintenant. » Noonan se leva tout en mettant sa carte de visite sur la table. « Appelez-nous, si jamais un détail quelconque vous revient. »

18

L'assaut médiatique avait continué pendant tout le mardi après-midi et jusque dans la soirée.

Il y eut d'abord un appel téléphonique du bureau du maire, priant David de venir le lendemain matin à la mairie pour y être décoré de la médaille du mérite civique par le maire et le gouverneur. Puis l'équipe de Diane Sawyer téléphona et lui demanda s'il voulait bien leur accorder une interview dans l'après-midi. Ensuite, ce furent les gens d'Oprah Winfrey qui espéraient sa présence le vendredi à Chicago pour participer à une émission sur « Les Hommes de courage ». « Grace Live » à Los Angeles, l'attendait le mardi suivant. Un agent dénommé Mark Feinberg, directeur d'un centre international de création, appela afin de savoir si David avait déjà un agent pour négocier les contrats d'un livre et d'un film. Enfin, « Nightline » l'invita pour lundi, pour parler non de l'explosion, mais de l'importance médiatique donnée à l'affaire.

Il arrêta de répondre au téléphone avant 8 heures, pour se rendre au service funèbre de Sam Hall, à l'église de la Rédemption d'Harlem. Le gouverneur, le maire et le chef de la police avaient déjà adressé leurs condoléances à la famille et étaient repartis quand David arriva. Désireux de saluer la mémoire de Sam sans devoir encore jouer les héros du jour, il passa sans ralentir le pas devant deux équipes de cameramen stationnées sur le trottoir.

L'église était modeste, avec ses murs lambrissés de bois de

pin, son plafond taché d'humidité, et son petit orgue électronique à côté du pupitre. Mais, après une journée sous les feux de la rampe, David y vit un sanctuaire, un lieu où s'asseoir en paix, et méditer sur le sens de la mort dans le silence et le recueillement.

Cette journée n'aurait pas dû être celle du héros malgré lui qu'il avait été, mais celle de Sam, la victime. David regrettait de ne pas l'avoir mieux connu. En prenant place sur le dernier banc, il nota que, parmi la cinquantaine de personnes qui composaient l'assistance, plusieurs offraient une ressemblance physique avec le défunt – très forte pour certaines, réduite à une manière de se tenir pour d'autres, mais on aurait dit que l'esprit de Sam revivait en chacun de ces individus.

« Personne ne connaît le jour de sa mort... », disait le pasteur.

Sentant une main lui saisir le bras droit, David tourna la tête.

« Comment allez-vous, ce soir, ami ? » s'enquit l'inspecteur Noonan en gloussant doucement, avant d'échanger une poignée de main avec David.

« Excusez-moi, mais je ne vous ai pas vu quand je me suis assis, murmura-t-il, alors que le banc grinçait sous son poids.

— Ce n'est rien. » Le détective étouffa un petit rire qui, cette fois, semblait un peu forcé. « Mais j'ai vraiment eu l'impression toute la journée que vous me suiviez : chaque fois que j'ai allumé la radio ou que je suis passé devant un écran de télé, vous étiez là. Croyez-moi, en vingt ans de service, je n'ai jamais vu une affaire provoquer un tel ramdam – et je peux vous assurer que j'ai déjà été sur de très gros coups. »

David serra les genoux avec le vague sentiment de se faire gronder. « Je vous comprends, dit-il. Ça prend des proportions insensées, et tout cela n'a rien à voir avec moi ni même avec ce qui s'est réellement passé. Ce n'est rien d'autre qu'une surenchère médiatique.

— En effet. »

David crut percevoir derrière cette approbation un léger ressentiment.

« Quoi qu'il en soit, reprit Noonan, je me demandais si vous auriez le temps de répondre à une ou deux questions. Juste quelques points que j'ai besoin d'éclaircir. »

Quelques têtes au premier rang se retournèrent vers eux d'un air irrité. « Bien sûr, répondit David en baissant la voix. Mais nous ferions mieux d'aller dehors.

— Oui, bonne idée. »

David ressortit de l'église en compagnie du policier, mais il n'avait pas fait trois pas sur le trottoir qu'il fut abordé par une jeune femme brune dont la silhouette lui semblait familière.

« Bonsoir, David, déclara-t-elle. Judy Mandel, du *Tribune*. J'aimerais savoir si...

— Foutez-moi le camp d'ici ! intervint Noonan avec brutalité. Je croyais vous avoir dit de vous adresser à LeVecque. »

Elle releva le menton d'un air de défi. « Ce trottoir appartient à tout le monde, inspecteur...

— Allez vous faire voir ! » Noonan prit David par le coude. « Montons dans ma voiture. »

Tandis qu'il entraînait David de l'autre côté de la rue et déverrouillait les portières, Judy Mandel, restée sur le trottoir à les observer, se mit à écrire sur un calepin.

« C'est une vraie plaie, celle-là ! grogna Noonan en s'installant derrière le volant. Désirez-vous qu'on aille boire un café quelque part ?

— Non, je vous remercie. Voyez-vous, il ne faut pas que je rentre trop tard chez moi si je veux appeler mon fils avant qu'il soit couché. »

Noonan le considéra avec intérêt. « Il n'habite pas avec vous ?

— Non. Sa mère et moi, nous sommes en instance de divorce, lâcha David à contrecœur, comme si ces mots scellaient une réalité qu'il n'avait pas encore réellement acceptée.

— C'est une chose que j'ignorais. » L'inspecteur sortit son bloc-notes, le posa contre le volant et, comme la fois précédente, se mit à griffonner furieusement. « C'est intéressant, remarqua-t-il.

— Pour quelle raison ? demanda David, mal à l'aise.

— Oh ! toute information est bonne à prendre. Cela fait partie du boulot, de mieux connaître les gens à qui on a affaire. »

David s'appuya contre la portière. Il avait mal à la tête et la gorge sèche, d'avoir parlé autant toute la journée. « Alors, que puis-je faire pour vous ? s'enquit-il. J'ai été surpris de vous voir à l'église.

— Ça aussi, ça fait partie du travail, répliqua Noonan en allumant le plafonnier. Toujours se rendre aux obsèques de la victime. Histoire de voir qui est là. Il arrive que l'assassin se trouve dans le cortège.

— Vraiment ?

— Oui, oui. » Noonan se tourna vers David. La grosse veine à sa tempe battant de nouveau. « C'est plus fort qu'eux, comme s'ils devaient s'assurer que leur victime est bien morte.

— Et avez-vous relevé la présence d'un suspect ?

— Non, pas vraiment. »

Dans le silence qui suivit, il sembla à David que l'odeur d'essence dont la voiture était imprégnée se faisait plus forte ; il essaya d'abaisser sa vitre, mais appuya en vain sur le bouton. Le haut-parleur pendait toujours hors de son logement dans la portière.

« En quoi pourrais-je vous être utile, inspecteur ? Je suis sûr qu'on fait pression sur vous de tous côtés.

— Vous ne croyez pas si bien dire. L'enquête suscite des jalousies, et ils sont nombreux à guetter le premier faux pas pour nous retirer l'affaire. » Noonan grimaça un sourire et tourna une page de son bloc. « Je voulais vous demander si mardi dernier, au lycée, vous aviez avec vous un sac noir de marque Jansport ? »

David dut réfléchir. Il avait raconté tant de fois son histoire, durant ces deux derniers jours, qu'il avait commencé à grossir certains détails et à en oublier d'autres. Il en résultait qu'il se souvenait maintenant davantage de son récit que de l'événement en soi.

« Oui, il me semble que j'en avais un, déclara-t-il après quelques secondes. J'en suis même certain : j'avais pris un tas de bouquins à la bibliothèque pour mon fils et j'en avais marre de les trimbaler. » Une fois de plus, il passa sous silence sa gueule de bois de ce matin-là.

« Très bien, répliqua Noonan, mais c'est une chose que vous ne nous aviez pas dite. » Ce n'était pas formulé sur le ton du reproche, plutôt avec une certaine sympathie. « Et vous rappelez-vous avoir posé ce sac dans le bus avant l'explosion ? »

De nouveau, David tenta de se remémorer l'exacte chronologie de ses gestes, mais il était bien trop fatigué et trop d'images se bousculaient dans sa tête... Les interviewers. Cette invite à écrire un livre – il pourrait commencer par faire publier le roman qu'il avait déjà écrit, *Le Pyromane*. Arthur... Il avait besoin d'entendre sa voix pour pouvoir trouver le sommeil cette nuit.

« David ?

— Oui ?

— Vous souvenez-vous d'avoir mis ce sac dans le bus ?

— Euh... oui. Je me rappelle l'avoir fait, maintenant. Je l'ai laissé juste à côté de Sam. Ça ne le dérangeait pas. »

Il regarda par la vitre et aperçut cette fille du *Tribune*, Mandel, toujours plantée sur le trottoir à prendre des notes. Comme si le fait qu'il ait une conversation avec un inspecteur de police présentait un quelconque intérêt journalistique.

« C'est que, voyez-vous, les experts ont découvert les restes d'un sac Jansport, disait Noonan. Pensez-vous que ce soit le vôtre ?

— Euh... pourquoi pas ? puisqu'il était dans le bus... » David lut l'heure à la pendule du tableau de bord. Dans vingt minutes, Arthur serait au lit.

« Évidemment. Mais vous comprendrez que nous voulions tout vérifier. »

David regarda Noonan et, pour quelque obscure raison, il lui vint à l'esprit l'image d'une porte de cellule se refermant sur lui.

« Vous croyez donc avoir déposé votre sac dans le bus avant d'y monter ? reprit l'inspecteur. Est-ce que quelqu'un aurait eu la possibilité de glisser... quelque chose dedans sans que vous le sachiez ?

— Ma foi, je suis allé aux toilettes, mais... attendez !... êtes-vous en train de me dire qu'on aurait mis une bombe dans mon sac ? » Cette idée le révoltait. Cela tenait du viol et de la trahison. Au souvenir de la violente déflagration, il sentit une grande colère monter en lui.

L'inspecteur eut un rire d'asthmatique. « Non, non, non, ce n'est pas ça. Les experts du labo aiment bien analyser et identifier le moindre débris. Cela leur permet de mieux déterminer la nature de l'explosif, sa puissance, l'endroit où il a été placé, et cetera. Nous attendons encore leurs résultats. »

La réponse laissa David songeur. Il se demandait soudain si le monde réel correspondait vraiment à l'image qu'on pouvait s'en faire. « Mais qui a pu commettre cet attentat, si c'en est un ? Êtes-vous sur une piste ?

— L'enquête progresse. » Noonan sourit, et la veine cessa de battre. « Ne vous inquiétez pas. Nous choperons le type.

— S'il y a quelque chose que je puisse faire pour vous... », commença David. Machinalement, il actionna la poignée de la portière, et s'aperçut que l'inspecteur l'avait verrouillée pendant qu'ils parlaient.

« Je vous laisse partir, maintenant. » Noonan eut un rire avant de déclencher l'ouverture automatique des portes. « Mais nous nous reverrons bientôt. Vous me direz quel effet ça fait d'être le héros du jour. »

19

Son père racontait de nouveau une de ses histoires à l'heure du dîner, mais Elizabeth avait du mal à lui prêter une oreille attentive.

« Saviez-vous que j'avais seize ans quand j'ai vu un Juif pour la première fois ? » Il se lissa la moustache. « C'est vrai. Trois soldats sont entrés dans la boutique où je travaillais. Je n'oublierai jamais celui qui avait des yeux bleus. J'en avais déjà vu, des yeux bleus, mais jamais de cette teinte-là. On aurait dit le bleu du ciel ou de la mer, je vous le jure ! Et ils étaient beaux, ces yeux, mais ils me fichaient une frousse du diable. C'est qu'on pensait que les Juifs allaient tous nous tuer... Alors il s'est avancé vers moi, celui avec les yeux bleus, et il a pointé son doigt sur un sac de haricots. Puis il m'a donné une poignée de pièces israéliennes. Je ne parlais pas l'hébreu et je ne savais pas combien ça faisait, tout cet argent. Mais à ce moment-là je lui aurais vendu tous les haricots du monde. »

Il eut un léger rire qui lui fit tressauter le ventre, et Elizabeth lui toucha la main. D'ordinaire, elle adorait entendre ces histoires de ce pays qu'elle ne connaissait pas. Tous les haricots du monde, la traversée du Jourdain, l'enfance qui disparaissait par-dessus l'épaule de son père. De petites touches poétiques venant d'un homme à l'esprit très prosaïque. Mais, ce soir, quelque chose parasitait son plaisir.

Assis en face d'elle, Nasser enrageait de nouveau. Dédaignant la nourriture dans son assiette, il jetait des regards fielleux à son père et à sa belle-mère.

Leslie et Nadia étaient en grande conversation à l'autre bout de la table, se chuchotant à l'oreille une main sur la bouche. Les lutines. La première, douze ans, était maigre et blonde avec des yeux bleu pâle comme sa mère ; la seconde, dix ans, était aussi ronde que son père et avait le teint olivâtre de son grand demi-frère.

« Vous pouvez sortir de table », leur dit Anne, leur mère. Âgée de quarante-quatre ans, elle était aussi froide qu'un matin d'hiver à Dublin. « Mais ne mettez pas trop fort la télé, ajouta-t-elle. Nous n'avons pas fini de manger. »

Les deux fillettes s'empressèrent de quitter la pièce, et un silence pesant tomba dans la salle à manger.

« Et tu les laisses faire ça ? lança Nasser à son père en claquant sa fourchette contre le bord de son assiette.

— Quoi ? » Son père prit une bouchée de *coosa b'leban*, des courgettes farcies de viande d'agneau et de riz qu'accompagnait une sauce à base de yaourt et d'ail. Elizabeth savait qu'il était contrarié que sa femme ait encore oublié de mettre de la menthe hachée en préparant ce plat, mais elle savait aussi qu'il n'oserait pas lui en faire le reproche.

« Pourquoi les laisses-tu regarder MTV dans ta chambre ?

— Il n'y a pas de mal à ça », répondit le père sans conviction. En ce sens, il n'était pas comme les autres Arabes, dont la parole semblait toujours avoir force de loi.

« Tu sais très bien que si, répliqua Nasser. Tu devrais supprimer cette chaîne de ton câble. J'ai un ami qui peut le faire pour toi. »

Elizabeth roula les yeux au plafond, tandis que sa belle-mère posait brutalement un coude osseux sur la table. Nasser, véritable citadelle d'intolérance, les ignora toutes deux.

« Ça commence comme ça, par de petites choses, poursuivit-il. Par la télé. » Il pointa un doigt accusateur en direction de la chambre. « Par la nourriture mal préparée. » Il repoussa son assiette. « Et par la façon de s'habiller. » Il jeta un regard noir à sa sœur.

Elizabeth lui rendit son regard, se demandant pourquoi il s'en prenait à elle. Il lui avait semblé qu'ils se rapprochaient l'un de l'autre, quand ils s'étaient promenés en voiture l'autre jour. Mais, à présent, il était plein d'une rage froide. Elle repensa à ce Youssef assis derrière le volant de la Plymouth rouge, à sa façon de la regarder. Il devait avoir une haleine puant les légumes pourris. Nasser avait passé beaucoup trop de temps en compagnie de cet homme.

À côté d'elle, Anne tambourinait nerveusement des doigts sur la table.

Elle et Nasser ne s'étaient jamais entendus. Nasser avait sept ans et Elizabeth à peine deux lorsque les problèmes avaient commencé. Tous leurs proches parlaient encore des injures en arabe que le garçon avait lancées à Anne le jour même de son mariage avec son père, à la mosquée de Bond Street. Après, il n'avait cessé de se rebeller contre sa belle-mère, la défiant sans cesse, refusant de la regarder ou de lui prendre la main pour traverser une rue, la frappant quand elle essayait de l'emmener à l'école le matin. Si un tel comportement pouvait s'expliquer par le décès récent de sa mère, il n'en était pas moins insupportable pour l'entourage du garçon. Et puis, un jour, Nasser avait échappé à Anne et manqué se faire écraser par une voiture... et tout le monde avait été d'accord pour l'envoyer quelque temps chez des parents en Palestine, avec l'espoir que Bethléem lui réussirait mieux que Brooklyn.

« Si tu n'aimes pas ma cuisine, riposta Anne, tu n'as qu'à te faire à manger toi-même. La cuisine t'est grande ouverte.

— Je peux quitter la table ? demanda Elizabeth en repoussant sa chaise. Je dois travailler mon mémoire pour le collège. »

Elle n'avait pas faim, trop troublée par tout ce qui s'était passé durant les dernières vingt-quatre heures.

« Encore une chose, dit Nasser à son père. Nous en avons déjà parlé... Tu vas laisser ta fille aînée faire des études supérieures ? Tu devrais plutôt lui trouver un bon mari, un homme de notre pays.

— Dis donc, ce n'est pas à toi d'en décider, blanc-bec ! répliqua sa belle-mère avec un regard aussi noir que le canon d'un pistolet.

— Tu vois ? Tu vois ? » Nasser leva la main d'un air offensé, attendant que son père intervienne en sa faveur. « Tu l'autorises à me parler comme ça ? »

Elizabeth jeta sa serviette sur la table. « Oh, pourquoi tu ne la boucles pas une bonne fois pour toutes ! »

Le père porta les mains à ses tempes. « *Inch'Allah*, laissez-moi en paix ! » gémit-il.

Sa fille le regarda avec tristesse. Ces disputes le fatiguaient, depuis qu'il prenait de l'âge et était affligé d'un diabète. Il lui arrivait de bien s'entendre avec Nasser ; après tout, ils partageaient la même religion. Mais, à certains moments, elle aurait juré que Nasser désirait la mort du vieil homme.

Il subsistait un tel ressentiment entre eux ! Nasser n'avait jamais pardonné à son père d'être parti pour l'Amérique toute une année, pendant que sa famille demeurait dans un camp de réfugiés. Certes, c'était le temps qu'il lui avait fallu pour réunir l'argent grâce auquel ils avaient pu se retrouver finalement tous à New York. Mais, si Elizabeth était trop jeune pour se rappeler cette période, Nasser avait eu tout le loisir de s'indigner du choix fait par son père, au cours des dix ans où il était retourné vivre à Bethléem.

« Tu ne comprends pas, disait maintenant le père à son fils. Il faut parfois faire comme l'olivier et se courber un peu.

— Mère ne s'est jamais courbée, elle !

— Oui, c'est vrai, ta mère n'a jamais cédé, admit le père, le visage assombri. Elle n'a jamais voulu oublier, même ceux dont elle n'avait plus vraiment le souvenir. Sais-tu qu'elle avait quatre ans quand elle a quitté son village natal ? *Inch'Allah.* Mais elle se comportait comme si elle se rappelait tout et avait passé sa vie entière là-bas ! C'est ça qui l'a tuée.

— Non ! *Askat !* C'est à cause de toi qu'elle est morte ! *Kha'in ! Kha al-'ahad !* » Nasser sortit la clé rouillée de sous sa chemise, et la posa brutalement sur la table. « Et c'est ça qui l'a tuée ! »

Un lourd silence tomba entre eux. On n'entendit plus dans la pièce que les bruits assourdis des voitures sur le périphérique et le tintement de la fourchette d'Anne, qui s'était remise à manger.

« Des policiers sont venus dans l'après-midi, annonça soudain Elizabeth. Ils m'ont questionnée à propos de l'explosion. »

La nature du silence changea. Anne reposa sa fourchette, et Nasser s'essuya la bouche avec sa serviette en y mettant un soin quelque peu excessif. Son père continuait, lui, de contempler la clé rouillée au milieu de la table.

« Et pourquoi t'ont-ils interrogée ? s'enquit Anne. Tu n'étais pas au lycée, ce jour-là. Comment pourrais-tu savoir quelque chose ? »

Elizabeth haussa les épaules. « Je suppose qu'ils questionnent tous les élèves. »

Son père tapa du poing sur la table. « Je vous le dis, quand ils arrêteront celui qui a posé cette bombe, ils devraient le tuer sur-le-champ, ce salaud !

— *Akhra !* s'écria Nasser d'une voix sifflante. Pourquoi ce serait un salaud ?

— Je les connais, ces fanatiques, rétorqua le père. Mon père en a arrêté quelques-uns quand il était policier, sous le mandat britannique, à Hébron. Ces gens-là sont pires que des bêtes. Tout ce qu'ils cherchent, c'est à faire la guerre contre les Juifs. Ils ne veulent pas qu'il y ait la paix, parce que alors plus personne ne fera attention à eux. »

Nasser jeta un regard furtif à sa sœur, avant de porter longuement les yeux sur les formules du Coran qui étaient gravées sur le plateau accroché au-dessus de l'entrée de la cuisine. « Alors, ils ont dit que c'était une bombe ? » questionna-t-il.

Elizabeth contempla son frère en se demandant qui il était vraiment. Il y avait tant de choses qu'elle ne comprenait pas en lui, mais aussi tant de choses qu'il valait peut-être mieux ne pas savoir ! Il était là en face d'elle, et malgré son visage légèrement détourné il ne manquait pas un seul des gestes qu'elle pouvait faire. Elle se rappela soudain qu'il était arrivé très en retard pour l'emmener faire les magasins, ce mardi-là.

« Non, répondit-elle, ils ne l'ont pas dit.

— Donc, personne ne sait rien, conclut-il en ramassant la clé pour la remettre autour de son cou. Eh bien, je vous laisse. »

Il se leva, et quitta la pièce sans dire au revoir à quiconque.

Elizabeth fixait la table, là où Nasser avait posé la clé de la maison familiale au Monastère des Rameaux. Elle avait toujours cru qu'il s'agissait d'une vieille clé en fer martelée par le forgeron du village. Mais ses yeux ne l'avaient pas trompée : « Yale », le nom de la célèbre marque de serrure, était bien gravé sur l'anneau.

20

Assis au fond de la grande salle de réunion qui se trouvait au huitième étage du QG de la police, l'inspecteur Noonan, venu écouter l'allocution du maire, eut sous les effets conjugués de son pessimisme et de sa fatigue une vision : les lèvres du premier citoyen de la ville se mirent à gonfler au point de ressembler à une paire de fesses, d'où, en bonne logique, il ne pouvait sortir que du vent.

« ... et, bien entendu, nous désirons tous exprimer notre reconnaissance à nos amis d'Albany[1] pour avoir mis à notre disposition autant de moyens. Et aussi au gouverneur pour avoir pris le temps de venir nous voir et nous parler, ce qui est... tout simplement sans précédent... »

Tu parles ! pensa Noonan. Le gouverneur revenait probablement du nord de l'État, où il était allé soutirer à une bande de riches fermiers républicains des fonds pour sa campagne. Et que pouvait-il faire d'autre, après l'explosion d'une bombe devant un lycée qui comptait parmi les étapes de sa visite en ville – dire le bénédicité à un barbecue dans l'Iowa ?

Une « réunion de stratégie » avait donc été programmée pour ce vendredi matin au bénéfice de la centaine de représentants de la loi engagés dans l'enquête concernant ce qu'il était désormais convenu d'appeler « l'attentat de Coney Island ». « Coordination », tel était le mot d'ordre que tout le monde avait à la

1. Capitale de l'État de New York. *(N.d.T.)*

bouche, depuis que la police avait officiellement annoncé qu'il s'agissait bien d'une bombe. Noonan aperçut sur l'estrade Jim Lefferts, le gaillard qui dirigeait le bureau fédéral à New York. Chacun savait que Lefferts avait joué au football dans le Wisconsin ; et, à la vérité, il avait l'air prêt à bondir et plaquer le maire, dont les yeux globuleux semblaient collés sur son visage rougeaud.

À deux chaises de Lefferts, Roy Miller, avocat fédéral, se frottait les yeux. Près de lui, Paul Schecter, le procureur vieillissant de Manhattan, jetait des regards mauvais en direction du maire, qui l'avait battu aux élections deux ans plus tôt. Un vrai nid de vipères, songea Noonan. Les fédés, l'État, les flics du cru, tous voulaient une part de l'enquête, qui, pourtant, ne s'annonçait pas comme du gâteau. Et, avec ses diverses forces réunies et combinant leurs pouvoirs réciproques, ce serait un miracle si quelqu'un arrivait à trouver une savonnette dans une salle de bains.

Ils ne disposaient pour l'instant que d'une seule information : la bombe, mélange de nitrate d'ammonium, de nitroglycérine et d'un peu de pyroxyle ou coton-poudre, n'était pas un chef-d'œuvre de technologie, mais plutôt de la dynamite faite maison reliée à un réveil ordinaire de marque Westclox. N'importe quel crétin parcourant le *Livre de cuisine de l'anarchiste*, ou muni d'une recette ramassée dans les poubelles d'Internet, pouvait l'avoir fabriquée. L'engin avait mal fonctionné en raison d'une certaine humidité des matières ; toutefois, la petite explosion qu'il avait provoquée avait suffi à déclencher celle, beaucoup plus forte, du conduit et du réservoir d'essence qui avait détruit tout l'avant du bus, rendant impossible une détermination précise de l'emplacement dudit engin et détruisant les éventuels indices et pistes. Pour la plupart, les éléments qui composaient l'explosif pouvaient être achetés à la droguerie du coin de la rue ou subtilisés en classe de chimie dans n'importe quel lycée. Quant au numéro de série du réveil, il avait été limé ; par ailleurs, on avait pris la précaution aussi bizarre que sophistiquée de substituer aux vis métalliques du mécanisme des vis en plastique.

Le maire écourta son numéro de lèche généralisée pour annoncer le gouverneur, qui se leva de derrière l'estrade et se hâta en direction du microphone comme si une force magnétique l'y attirait. Noonan le découvrit plus grand qu'il ne le paraissait à la télévision, et avec des sourcils tellement fournis qu'on aurait pu les voir même quand il tournait le dos. Mais son discours sur l'ordre et la loi était bien ficelé, et le bonhomme pouvait compter sur les républicains, en dépit de sa position « laxiste » sur l'avortement. Le dernier sondage le plaçait à dix points du Président, alors qu'il avait encore un an et demi devant lui pour combler son retard.

« Je veux simplement rappeler à chacun combien il est important de résoudre cette affaire le plus rapidement possible, déclara-t-il. Il nous faut impérativement lancer un message clair et fort : jamais nous ne tolérerons le terrorisme politique dans ce pays. »

Qui avait parlé de terrorisme politique ? s'interrogea Noonan. Bien sûr, c'est ce qu'ils avaient tous pensé, mais ils n'avaient pour l'heure reçu aucune revendication digne de foi. Certes, ils avaient eu droit à la noria des timbrés. Des gens qui se prétendaient du mouvement du Droit à la vie, de l'IRA, de l'ETA, du mouvement chiite, des Tupamaros, du Sentier lumineux ; des Serbes enragés, des Kurdes endeuillés ; des Amis d'Unabomber, du cartel de Medellín, des Chinois en exil, des nouveaux Black Panthers, du KKK. Qui encore ? se demandait Noonan. La Ligue des lèche-culs ?

Pour sa part, il en était persuadé, c'était du côté du lycée qu'il fallait chercher. L'affaire avait sûrement un lien avec quelqu'un de l'établissement. Jusqu'ici, une brève recherche du côté de Seniqua Rollins et de son petit copain en taule n'avait rien donné. Il restait donc les autres élèves et... le professeur, David Fitzgerald. Noonan ne pouvait mettre le doigt dessus, mais il y avait chez cet homme quelque chose de pas net. Pourquoi avait-il empêché les enfants de monter dans le bus ? Pourquoi avait-il fait de l'héroïsme le thème de ses cours du trimestre ? Et toutes ces interviews qu'il acceptait ? Désirait-il tant être un héros ? Plus étrange encore : pourquoi avait-il attendu qu'on le questionne à ce sujet pour déclarer avoir déposé son sac dans le bus quelques minutes avant l'explosion ?

Cela rappelait à Noonan l'affaire Herman Solloway, qu'il avait suivie douze ans plus tôt. Solloway, un enseignant lui aussi, prétendait qu'il avait laissé sa femme dans la voiture pendant qu'il allait acheter de l'aspirine dans une pharmacie, et qu'à son retour son épouse avait disparu. Le lendemain, il se répandait sur les chaînes de télévision, le visage en larmes, suppliant les ravisseurs de ne pas faire de mal à sa chère moitié et se disant prêt à payer toute rançon qu'ils exigeraient. Bien entendu, Noonan et ses hommes avaient découvert une semaine plus tard la kidnappée enterrée sous la piscine en plastique des enfants, dans le jardin de derrière. La malheureuse avait été poignardée cinquante-cinq fois par son mari.

Au micro, le gouverneur arrivait à la fin de son discours. « En conclusion, je voudrais faire deux remarques, disait-il. Premièrement, je pense qu'il serait bon de verrouiller les informations divulguées d'ordinaire à la presse au cours d'une enquête, car dans une affaire de cette gravité cela risquerait de nuire au travail des enquêteurs... »

D'accord, alors pourquoi tant de bavardage face à une centaine de bavards en puissance ? se demanda Noonan. Durant ces deux derniers jours, une bonne demi-douzaine de conversations qu'il avait eues avec divers policiers avaient tourné autour de l'argent que pourrait se faire en droits d'auteur littéraires ou cinématographiques celui qui mettrait la main au collet du poseur de bombe. Le but de la présente réunion n'était pas de coordonner les forces, mais bien plutôt de mettre en scène l'ardeur et la détermination du gouverneur. Et c'était cette belle image rassurante qu'on associerait demain dans les médias à celle du bus en flammes – avec en médaillon le visage du professeur-héros, effigie tant de fois répétée sur les écrans de télé qu'elle commençait à donner des boutons à tout le monde.

« Deuxièmement, poursuivit le gouverneur en pliant le papier de son laïus et en le glissant d'un geste coquet dans la poche de son veston, j'exprime le souhait que le coupable, une fois arrêté, subisse le châtiment prévu par la loi dans toute sa sévérité, y compris la peine de mort. Soyons clair : qui prend une vie doit payer de sa vie. »

Ouais, et au cul la Constitution en vigueur dans l'État de New York, où la peine de mort est abolie ! Mais quelle importance ? Comme le directeur aimait à le souligner, on est dans le bus ou dessous.

Ce fut sans enthousiasme que la salle applaudit le gouverneur, et il quitta le micro en fronçant les sourcils. La réunion était terminée. Noonan s'empressait de sortir, impatient de retrouver sa brigade, quand quelqu'un le retint par le bras. C'était LeVecque, le petit blond grassouillet qui dirigeait le service de presse.

« Alors, je vous vois, ce week-end ? La météo nous annonce du beau temps. »

Noonan le regarda, l'air interdit, comme si l'autre venait de lui donner rancart. Puis il se rappela que LeVecque lui avait laissé un message au bureau, les invitant à un barbecue, lui et Kelly, dans sa maison de Long Island, ce samedi.

« Ouais, il y a des chances qu'on passe », répondit-il d'un ton bougon.

La prudence l'empêchait d'opposer un « Non » abrupt à l'invitation. Il avait entendu dire que LeVecque était copain comme cochon avec le directeur en personne et que, par conséquent, il devait être manipulé avec précaution. Et puis Kelly serait enchanté de cette occasion de biberonner gratuit.

« Alors, c'est parfait, dit LeVecque avec un sourire contraint. Vous me tiendrez au courant de... l'enquête.

— Ouais, comptez sur moi pour ça », marmonna Noonan en reprenant son chemin.

21

À 4 heures et demie ce vendredi après-midi, David et son fils contemplaient les armures des chevaliers du Moyen Âge au Metropolitan Museum. David avait décidé de sortir avec Arthur, quoi qu'il arrive. Le drame de mardi n'allait pas altérer le cours de sa vie.

« Tiens, regarde bien celui-ci, Arthur. » David souleva le garçonnet dans ses bras, pour qu'il voie mieux le mannequin armé d'une longue épée et revêtu d'une tunique rouge marquée d'une croix blanche. « C'est un croisé. Un de ceux qui ont combattu aux côtés de Richard Cœur de Lion pour tenter de reprendre Jérusalem aux Maures.

— Super ! s'écria Arthur, emporté par l'enthousiasme de son père. Et ensuite, ils sont revenus pour aider Robin des Bois, hein ?

— Euh... pas vraiment, répondit David d'un ton plus posé. Certains historiens affirment que Robin n'a jamais existé. Mais tout ce qu'on raconte sur Richard est vrai. Il repoussa les forces de Saladin, après que les Maures eurent arraché la croix d'or qui coiffait le dôme du Rocher... »

Oh, écoute-toi jouer les profs avec ton propre fils ! pensa David. Mais c'était plus fort que lui. Il désirait tant léguer son amour des légendes à l'enfant ! Et il aimait tellement l'expression ravie, presque extatique, que prenait le visage d'Arthur en l'écoutant.

« Tu sais, je venais ici tout le temps quand j'avais ton âge. »

David posa le garçon par terre et lui prit la main. « Je forçais ma mère à m'y emmener presque chaque semaine. Je pouvais marcher pendant des heures en me prenant pour l'un des chevaliers de la Table ronde ou pour saint Georges terrassant le dragon.

— J'aimerais bien sortir avec toi aussi souvent », déclara Arthur en tirant son père vers un chevalier allemand et sa monture, tous deux recouverts d'armures finement ciselées.

David pinça les lèvres. « Je sais », dit-il.

Ces petites expéditions avaient été trop espacées depuis la séparation. David craignait à juste titre que le développement d'Arthur ne pâtisse des rapports difficiles et tendus entre ses parents.

« Est-ce que grand-père t'emmenait ici ? » questionna soudain l'enfant.

David le regarda d'un air étonné. Son père était mort trois ans et demi plus tôt, et il se demandait quel souvenir du vieil homme pouvait avoir gardé le petit. « Non, c'est grand-mère qui s'en chargeait.

— Mais pépé était un soldat !

— Oui, il l'était.

— Alors, pourquoi il te montrait pas toutes ces armes ? » Arthur semblait attendre avec impatience que David confirme l'identité d'intérêts existant nécessairement entre son père et son grand-père, héros de la guerre.

David eut un léger sourire. « Je crois qu'il en avait assez vu comme ça, des armes. »

La vérité était que son père ne parlait jamais de ses campagnes. Aux yeux de ses proches, Patrick Fitzgerald n'était qu'un modeste employé à la compagnie du gaz, qui habitait en banlieue et buvait chaque soir jusqu'à s'endormir devant la télé. À part les vieux fusils et les uniformes dans le garage, il ne restait nulle trace visible de celui qui, à dix-huit ans, avait chargé un nid de mitrailleuses et tué une demi-douzaine de Japonais pour certains en âge d'être son père. « Dis-moi comment tu as fait ? avait toujours eu envie de lui demander David. Dis-moi comment tu as pu être aussi courageux alors que tu avais tellement peur ? »

Mais son père ne lui raconta ni ne lui apprit jamais rien. La seule fois où il partagea une impression avec son fils, alors étudiant, eut pour cadre le cinéma où ils étaient allés ensemble voir *Apocalypse Now*. Au milieu de la scène du pont – où les soldats se peignaient le visage, sur fond psychédélique de balles traçantes zébrant la nuit, sans que personne ne sache qui tirait sur qui –, son père lui avait serré le bras et, désignant l'écran, lui avait murmuré : « Voilà, c'est comme ça ! Vraiment. Il ne se passe rien, et puis tout se déchaîne. Et il n'y a rien d'autre à faire qu'à avancer quand même. »

David espérait qu'il offrait davantage à son fils, mais il n'en était pas sûr. La séparation avait tiré un rideau sur certaines parties de la vie de l'enfant.

« Alors, comment tu t'entends avec Anton ? demanda-t-il en suivant Arthur qui voulait voir des guerriers samouraïs.

— C'est une tête de nœud. »

David en fut très estomaqué. « Qui t'a appris cette expression ?

— Anton. » Le garçon pressa son visage contre la vitre, faisant la grimace aux samouraïs.

« Eh bien, je n'aime pas ça. Et écarte ton visage de la vitre, ça laisse des marques. » David prit Arthur par les épaules et le tourna vers lui. « Explique-moi pourquoi tu n'aimes pas Anton ?

— Comme ça.

— Pourquoi ? »

L'enfant échappa à son père, et alla s'asseoir sur un banc. « Il dit que tu n'as pas sauvé le chauffeur du bus. »

Le con ! pensa David, maudissant ce bon à rien qui se prétendait musicien. « Est-ce que maman t'a raconté ce qui s'est passé au lycée ?

— Un peu, mais on en a parlé à l'école. »

S'asseyant lui aussi, David observa Arthur qui balançait ses jambes, le bout de ses tennis effleurant le sol de marbre. Il était un peu maigrichon pour son âge, et cela alimentait le désir de protection que ressentait son père envers lui. D'autant qu'Arthur allait chaque jour au jardin d'enfants le menton fièrement relevé et les épaules en arrière, se prenant pour un bon petit soldat, mais rentrait toujours à la maison en pleurant, parce qu'un plus gros et plus fort que lui avait pris son jouet.

« J'aurais dû t'en raconter plus l'autre soir, à la maison, mais je ne voulais pas que tu t'inquiètes, déclara David. Tu sais maintenant que le bus a explosé et que j'ai aidé une élève à sortir de là...

— Tu lui as sauvé la vie ?

— Euh... oui, répondit David, hésitant, peu enclin à faire valoir son courage, mais en même temps désireux que son fils soit fier de lui. On peut dire ça. »

Le visage d'Arthur s'éclaira de nouveau. « Et est-ce qu'ils ont attrapé le méchant qui a fait ça ?

— Non, mais ils le feront, j'en suis sûr. »

Arthur resta silencieux pendant un instant, digérant ce qu'il venait d'apprendre. Puis il balança de nouveau les pieds, de plus en plus fort, jusqu'à ce que ses talons heurtent le dessous du banc.

L'un des gardiens vint vers eux. Un petit gros avec des épaules massives et une épaisse moustache. David s'attendait qu'il demande à Arthur d'arrêter de mettre des coups de pied dans le banc ; mais, au lieu de cela, il tendit à David un stylo à bille et une brochure du musée.

« Vous pourriez pas me donner un autographe ? demanda-t-il avec un lourd accent du Bronx. Je vous ai vu dans "Today", hier soir.

— Volontiers », dit David, soulagé et déconcerté à la fois – et conscient du regard que fixait sur lui Arthur tandis qu'il signait la brochure : que pensait le petit ?

Le gardien reprit son bien, eut un sourire qui découvrit une rangée de dents en or, et serra la main de David avant de s'en retourner à sa surveillance. Estime-t-il que je suis quelqu'un d'important ? s'interrogea David.

« Papa, je veux vivre avec toi, lança soudain Arthur.

— Pourquoi ? Parce que quelqu'un m'a demandé un autographe ?

— Non, parce que maman arrête pas de faire la folle, répondit Arthur avec cette voix un peu nasillarde de dessin animé qu'il prenait toujours quand quelque chose l'ennuyait et qu'il ne voulait pas le montrer.

— Folle comment ?

— Elle croit que les voisins nous écoutent.

— Ma foi, la voisine de palier, Mme Harris, s'occupe de ce qui ne la regarde pas. » David se souvenait des regards désapprobateurs de cette vieille fouineuse, chaque fois qu'il l'avait croisée dans l'escalier, au moment où il avait fait ses valises et quitté l'appartement.

« Et puis elle s'est brûlée, ajouta Arthur.

— Aïe, aïe, aïe ! dit à mi-voix David, franchement alarmé cette fois. Tu es sûr que ce n'était pas un accident ?

— Non. Elle se dispute tout le temps avec Anton, et après elle s'enferme dans sa chambre et elle pleure, en chantant toujours cette chanson stupide : "Kimono my House".

— Oh, super ! s'exclama David avec un soupir de chambre à air crevée.

— "Super", tu trouves, papa ? demanda Arthur, manifestement étonné.

— Non, c'est seulement une expression stupide pour signifier le contraire. »

Il avait toujours su que ce moment viendrait, ce moment où le voile se déchirerait et où la sordide réalité lui apparaîtrait. « Est-ce qu'elle t'emmène tous les matins à l'école et te prépare à dîner le soir ?

— Des fois, répondit Arthur, gigotant toujours. Mais elle est malade. »

« Malade »... Voilà qui ouvrait une nouvelle perspective. Jusqu'ici, David avait pensé qu'il pourrait partager à l'amiable avec Renee la garde de leur enfant, en attendant qu'ils parviennent à une réconciliation et reprennent la vie commune. Un garçon avait besoin de sa mère comme un plongeur a besoin d'oxygène, lui avait affirmé quelqu'un. Mais les lignes étaient à présent sérieusement emmêlées.

La paix du ménage semblait compromise, et pourtant David refusait de se battre contre Renee. Elle était malade et avait besoin d'aide. Il espérait seulement qu'elle ne tomberait pas dans la came, avec un zigoto comme Anton.

Et que se passerait-il, de toute façon, s'il gagnait et récupérait Arthur ? Élever seul un enfant n'exigeait pas de vous une belle et unique action d'éclat, comme celle de tirer quelqu'un d'un véhicule en flammes. La vie d'Arthur exigeait une attention quotidienne – s'assurer qu'il avait toujours à portée de main son inhalateur ; le préparer pour l'école ; prendre ses rendez-vous avec le pédiatre ; s'occuper de son linge, de ses repas, et de tant d'autres choses encore. En dehors de sa classe, David n'avait jamais manifesté une réelle aptitude à gérer le quotidien domestique, préférant de loin attendre que Quelque Chose de Grand arrive.

« Tu sais, si je dis à maman que tu aimerais vivre avec moi, elle ne sera pas contente du tout », observa-t-il.

Arthur le regarda avec l'air de dire : Alors, tu vas m'abandonner ?

« Et puis il faudrait que je trouve un appartement plus grand. »

Pour le moment, il avait les doubles de presque tous les jouets d'Arthur entassés dans un coin de son logement exigu à 800 dollars par mois de la 112e Rue Ouest, et deux tiroirs de sa commode remplis des affaires du petit. Mais comment pourrait-il changer de crèche ? Il se faisait tout juste 50 000 dollars l'an, et en dépensait la presque totalité à aider Renee et payer les avocats : 10 000 dollars pour le sien, autant pour celui de Renee. Et quels étaient ses espoirs de faire mieux, avec un roman qui avait peu de chances d'être jamais publié et un essai inachevé ? Au lycée de Coney Island, il était un professeur-qui-n'avait-pas-à-se-plaindre, mais de l'autre côté du fleuve il n'était qu'une pauvre cloche.

De plus, l'entrevue prévue le lendemain avec le psychiatre nommé par le juge des divorces s'annonçait comme une bataille difficile : les pères obtenaient rarement la garde de leurs enfants... Mais le regard que levait vers lui Arthur disait à présent : Si tu as sauvé cette fille dans le bus, tu peux me sauver, moi. Aussi, David ajouta :

« Tu sais, j'espère que maman et moi on arrivera à s'entendre. »

Arthur secoua la tête. « Moi, je crois pas, répliqua-t-il en s'efforçant de reproduire la moue dubitative d'une grande personne.

— On verra bien. »

David lui tapa sur l'épaule, et ils s'en allèrent voir d'autres chevaliers, s'arrêtant devant un diorama de nobles d'Italie en cotte de mailles surmontée d'un heaume. Puis-je vraiment déclencher une guerre contre Renee sans que personne ne soit blessé ? se demanda David.

Mais ce genre de questionnement était inutile : l'élan était déjà donné, et il ne pouvait laisser tomber son enfant sans avoir essayé. Arthur le tira par le poignet. « Dis, papa, je voudrais te demander quelque chose...

— Quoi ?

— Est-ce que je peux avoir un autographe, moi aussi ? »

22

Le petit homme en costume sombre sans cravate ne se dressa pas, quand Youssef introduisit Nasser dans le salon, ce vendredi soir. Sirotant son café, il ne leva même pas le regard sur leur jeune visiteur.

« *Keef halik ?* Comment allez-vous ? » Nasser essaya de se présenter, tendit la main, mais l'ami de Youssef continua de faire comme s'il n'existait pas.

« Alors, voilà l'idiot qui pose des bombes sous des bus scolaires ? » se contenta-t-il de dire en arabe à Youssef.

Nasser se révéla incapable de répliquer ; il avait l'impression d'avoir la bouche pleine de terre. C'était donc lui le fameux héros de la guerre en Afghanistan, de l'attaque du car de touristes au Caire et du vol 502 ? Il était plus petit et plus maigre que Nasser ne l'aurait imaginé, avec des yeux d'un noir brillant et un long visage chevalin qu'encadrait une barbe en pointe. D'après Youssef, on devait l'appeler « Dr Ahmed », sans préciser en quelle discipline il était docteur.

Toujours selon Youssef, cet homme était partout et nulle part. Il possédait cinq passeports et autant d'identités différentes. Il avait été égyptien, palestinien, iranien, syrien, et même citoyen du Koweït. Il avait mené les révoltes étudiantes contre le chah dans les années 70, combattu les oppresseurs soviétiques, et, avant de tomber en disgrâce auprès de ses amis terroristes, posé des bombes qui avaient tué des dizaines de Juifs en Israël. Mais il y avait en lui quelque chose d'apprêté. Il répétait ses paroles en les martelant comme s'il était désireux de les graver dans les esprits.

« Tu dis que tu vas poser la *hadduta* dans l'école et ensuite tu la mets sous un bus, lança le Dr Ahmed, enfoncé dans le fauteuil dont Youssef se réservait d'ordinaire jalousement l'usage, tout en s'essuyant férocement le nez avec un grand mouchoir blanc.

— Le lycée était trop surveillé, cheikh, expliqua Nasser en s'asseyant sur le canapé. Il y avait trop de témoins et même des caméras...

— Tu es un idiot, mon ami, rétorqua le docteur, rempochant son mouchoir et reprenant sa tasse de café. Sur ce point, nous sommes tous d'accord. »

En regardant autour de lui, Nasser s'aperçut que Youssef avait caché tout son équipement de culturisme, ses cassettes vidéo et son magnétoscope, pour les remplacer par un grand poster de la mosquée de al-Aksa. Il ne vit pas non plus un seul emballage de McDonald's. « Cheikh, comment peux-tu être un croyant aussi fervent et vivre aussi confortablement dans ce pays sans Dieu ? » avait demandé le jeune homme à Grand Ours ; et celui-ci lui avait répondu en haussant les épaules : « Ce n'est qu'une ruse. Il faut toujours avoir deux visages, un pour tes amis et un pour tes ennemis, mais sans jamais les mélanger. » Apparemment, l'ami de Youssef, le célèbre Dr Ahmed, ne professait pas de telles ambiguïtés.

« Prendre une école pour cible n'est pas une mauvaise idée en soi, poursuivit-il en soufflant sur son café, le regard fixé non sur le visage de Nasser mais un peu plus bas, sur sa gorge. Seulement, l'accomplir aussi mal, en faire une farce, tu peux me dire à quoi ça sert ?

— Dis-lui, cheikh, demanda Nasser en se tournant vers Youssef. Dis-lui pourquoi nous avons choisi le lycée. »

Cependant, au lieu d'expliquer leur intention de saborder la visite prévue du gouverneur, Youssef se contenta de tousser et d'avaler une autre pilule. « Mais c'est toi, mon ami, qui as fait ce choix », rétorqua-t-il d'un ton doucereux.

Nasser le regarda, abasourdi. Alors, c'était ainsi ? Lui, et lui seul, était à blâmer, et Youssef le combattant, le père qu'il n'avait jamais eu, ne daignait même pas l'aider !

Le jeune homme avait la gorge serrée et les yeux lui

piquaient, toutefois il parvint à ravaler sa déception et garda le silence.

« Le résultat, c'est que nous n'avons marqué aucun point. » Le Dr Ahmed croisa et décroisa les jambes tout en les regardant d'un air contrarié, comme s'il les jugeait décidément trop courtes. « Je suivais les informations sur CNN en Égypte, et c'est à peine s'ils en ont parlé. Et il n'y avait pas une ligne dans le *al-Hayat*. Une *hadduta* devrait faire la une de tous les journaux télévisés et de tous les quotidiens. Au lieu de ça, la seule chose que tu as peut-être réussi à faire, c'est à mettre la police à tes trousses.

— Non, ils ne savent rien, grommela Nasser, qui se demandait encore ce que pouvaient attendre le docteur et Youssef d'une bombe pesant même pas deux kilos.

— Toi non plus, tu ne sais rien ! » Le Dr Ahmed balaya l'air de sa main. « Tout ce que tu as fait, c'est tuer un chauffeur de bus. Tu parles d'un exploit !

— Je suis vraiment désolé... », dit Nasser.

Pendant un bref instant, il se demanda si Youssef ne l'avait pas fait venir là pour lui faire payer de sa vie son erreur.

« Où as-tu déniché cet idiot ? lança le Dr Ahmed à Youssef. Regarde-le. Vois comme il est pâle ! Est-ce bien un Arabe ?

— Mes parents sont de Palestine, cheikh. » Nasser, le menton appuyé sur sa main, maudit une fois de plus son incapacité à se faire pousser la barbe.

« Les croisés ont dû engrosser tes ancêtres. » Le docteur fixa d'un œil noir les Timberland de Nasser. « Et c'est quoi, ça ? Des bottes de cow-boy ?

— Un cadeau de mon père. Ce ne sont pour moi que des chaussures de travail.

— L'Amérique, c'est comme une infection. Elle pénètre en toi et t'affaiblit. Si tu n'y prends garde, elle te tue. » Le Dr Ahmed se leva et, sa tasse de café à la main, se mit à marcher autour du canapé en claudiquant légèrement. « Youssef m'a dit que ton père était marié à une femme d'ici. Est-ce que tes sœurs sont élevées comme des Américaines ?

— Non, cheikh. Mes parents ont encore de l'honneur.

— C'est déjà quelque chose. » Le Dr Ahmed soupira. « Il n'y a rien de plus important que l'honneur de la famille.

— *Allah akbar* », dit Nasser.

Il s'étonnait lui-même de son empressement à plaire à cet homme. Certes, le passé glorieux de ce combattant de l'Islam y était pour quelque chose, mais cela tenait aussi au regard que le Dr Ahmed portait sur lui. Un regard qui soit vous réduisait à rien, soit vous fouettait et vous donnait envie de redresser les épaules et le menton pour faire face. Oui, ce regard rappelait à Nasser ceux de ces hommes inflexibles qu'il avait connus en Palestine. Ceux qui ne se laissaient pas gifler par les gardes frontières israéliens.

« Cheikh, je sais que j'ai mal fait, ajouta-t-il, mais je suis prêt à rattraper ma faute.

— J'en doute. » Le Dr Ahmed continuait de tourner autour de lui de plus en plus vite, comme s'il voulait lui donner le vertige. « Sais-tu vraiment ce que signifie le djihad, la guerre sainte ?

— Oui, je le sais. »

L'homme s'arrêta soudain et approcha son visage de celui de Nasser. Il sentait le biscuit rance et les salles d'attente d'aéroport. « Ça veut dire qu'on ne s'arrête jamais. Qu'on tue tous les infidèles et qu'on les terrorise à chaque minute de leur vie.

— C'est ce que j'ai tenté de faire.

— Et tu as échoué. Ce n'est pas le djihad, c'est une humiliation. » Le Dr Ahmed pinça les narines, comme s'il reniflait la puanteur de l'échec, et Nasser se demanda si l'homme n'allait pas lui jeter au visage le contenu de sa tasse.

« Ça ne se reproduira plus.

— Alors, ça va bien, assura le Dr Ahmed avec une expression qui suggérait le contraire. Certains de nos leaders ont aussi commis des fautes, et ils ne savent pas reconnaître les combattants qui se sont sacrifiés pour eux. » Il se tut, la bouche barrée de deux plis amers. « Mais tout a une fin. Alors, veux-tu être de ce combat ?

— Oui, mais...

— Il n'y a de Dieu qu'Allah, l'interrompit le docteur en se remettant à tourner. Cette guerre que nous menons dure depuis mille quatre cents ans et elle durera encore longtemps, jusqu'à l'extermination de tous nos ennemis. Notre prochaine action verra la mort de la multitude, il y aura des cadavres partout, nous en tuerons autant que nous pourrons... Comprends-tu ? Même les femmes et les enfants y passeront. Ils seront étendus dans la rue, leurs jambes et leurs bras arrachés. Comme au marché de Jérusalem.

— Oui, répondit Nasser, en s'efforçant d'ignorer le tremblement qui s'était emparé de ses genoux.

— Des gens diront que ce n'est pas bien, que c'est *haram*, que le Coran interdit de tuer les innocents. Mais ce n'est pas une guerre régulière entre soldats : c'est le djihad. Et, dans la guerre sainte, chacun est un soldat. Pourrait-on tuer leurs mères et baiser leurs sœurs cent mille fois que ce ne serait pas pour eux payer cher ce qu'ils nous ont fait. Comprends-tu ?

— Il n'y a de Dieu qu'Allah, récita Nasser.

— *Inch'Allah.* » Le Dr Ahmed hocha la tête et sirota une gorgée de café.

« Allah akbar », dit Youssef.

Nasser hésita : était-ce à son tour de louer Dieu ? Mais soudain il pensa à l'attaque de cet autocar, en Égypte, par le docteur et son commando. Il eut la vision du petit homme en colère, crachant sur une femme blessée qui le suppliait de l'épargner, puis la laissant ramper un peu dans la poussière avant de presser la détente de sa kalachnikov. Nasser avait peur de s'associer avec quelqu'un d'aussi dangereux, mais il avait encore plus peur de ne pas le faire. Son destin avait été décidé l'autre jour, avec cette fille dans le taxi. Si Dieu avait désiré lui faire prendre une autre voie, Il l'aurait fait.

« Alors, as-tu un cœur d'acier ? » Le Dr Ahmed s'arrêta et regarda dans sa tasse, l'air de se demander si le café était encore assez chaud pour brûler quelqu'un.

« Oui, j'ai un cœur d'acier, affirma Nasser.

— Dieu est le plus grand ! » dit Youssef.

Nasser découvrit à cet instant qu'il ne pouvait plus regarder Grand Ours en face. Il avait le sentiment que son ami l'avait trahi, en ne prenant pas sa défense devant le Dr Ahmed et en le forçant par son attitude à répondre seul, lui le petit, de son échec.

« Es-tu prêt à faire tout ce que je te demanderai ? questionna le docteur. Tu seras un soldat du djihad, et aucun sacrifice ne sera trop grand. Tu feras ce que tu dois et tu n'auras pas peur de tuer. Tu as compris ?

— J'ai compris. » Mais, tandis qu'il prononçait ces mots, Nasser sentait qu'il répugnait toujours à la violence.

Le Dr Ahmed parut deviner le trouble de sa jeune recrue. Il

cessa de déambuler pour poser sa tasse sur une soucoupe blanche au délicat liséré bleu. « Bien sûr, si cela ne te convient pas, tu peux t'en aller, déclara-t-il. Il ne t'arrivera rien. »

Le silence qui se fit dans la pièce évoquait irrésistiblement la mort. Nasser distinguait du coin de l'œil la silhouette du docteur, qui allait et venait de nouveau.

« J'accepte, répondit-il. Si c'est la volonté de Dieu, je ferai ce qu'on me dira. »

23

Le week-end avec Arthur avait été pour David rempli de joie et d'inquiétude à la fois. Partout où il allait avec l'enfant, des gens le reconnaissaient. Deux passagers dans une rame bondée du métro leur offrirent leur place ; une serveuse du *Lucky's*, un petit restaurant dans la 57e Rue, apporta à Arthur une énorme crème glacée couronnée de chantilly et de cerises, des ouvriers de la voirie dans Colombus demandèrent un autographe à David. Et, pendant qu'il signait les bouts de papier qu'ils lui présentaient, Arthur sautait sur place en criant : « C'est mon papa ! Et un jour, je ferai comme lui ! »

David découvrit à leur retour chez lui que le répondeur affichait un record de messages. Il s'assit sur le tapis et mangea des chips avec Arthur, pendant que les gens de Matt Lauer lui demandaient s'il voulait bien faire une partie de golf avec eux la semaine suivante, que Geraldo l'invitait à dîner, et que toute l'équipe de Barbara Walter lui offrait une chambre au Waldorf pendant quelques jours. David était conscient que cette déferlante d'attentions ne durerait pas. Mais il était difficile de ne pas s'y abandonner, alors qu'il se tenait entre ces quatre murs qu'il n'avait même pas fini de repeindre, parmi ces étagères chargées de trop de livres et les rares meubles qu'il avait pu emporter avec lui.

D'un autre côté, il devait s'occuper de Renee. Quand il l'appela, dans la soirée de vendredi, pour lui raconter sa conversation avec Arthur au musée au cours de l'après-midi, elle lui parut tendue et distraite. Et quand il lui fit part du désir qu'avait formulé Arthur de vivre avec lui, elle raccrocha.

Le lendemain samedi, David et elle se retrouvèrent au cabinet du Dr Allan Ferry, dans Upper East Side.

Le Dr Ferry portait une chemise blanche avec des rayures rouges assorties de façon alarmante à la couleur des murs et de la moquette. Sa cravate était imprimée de petits pandas, et son sourire découvrait deux rangées de dents brunies par la nicotine. Il était expert psychiatre aux affaires familiales et, à ce titre, avait pour tâche de s'entretenir avec David et Renee avant d'en référer au juge, qui déciderait à qui attribuer la garde d'Arthur.

« Je dois d'abord vous demander ce qui vous amène ici, aujourd'hui », dit-il à David et Renee.

David se redressa sur son siège. Il désirait faire bonne figure – ou tout du moins cacher le désespoir qui l'étreignait à cet instant.

Renee, assise à la droite de David sur l'autre chaise en cuir, avait ôté ses chaussures et, les jambes allongées devant elle, balançait au bout de sa main une boîte de Coca dont elle se servait comme cendrier. Elle paraissait sur la défensive, et David savait par expérience que, dans de telles dispositions, elle était très difficile à manœuvrer. Le dos de son poignet gauche présentait une marque rouge de brûlure – brûlure qu'elle s'était probablement infligée elle-même, comme Arthur l'avait dit.

« Je ne sais pas, déclara-t-elle d'une voix tendue en se frottant les pieds l'un contre l'autre. Je ne sais pas ce que je fais ici. David m'a appelée hier au soir pour m'accuser de ne pas prendre soin de notre fils ! C'est dingue, vraiment dingue ! » Elle tira nerveusement sur sa cigarette, répandant des cendres sur la moquette. « Il veut me prendre Arthur ! »

Le docteur l'étudia un instant, essayant de relier la voix rauque, presque éraillée, de Renee avec ce beau visage racé aux pommettes hautes et cette silhouette élancée. Elle se détériorait, pensa David. Avait-elle arrêté de prendre ses calmants ? L'idée qu'Arthur puisse rentrer chez elle ce jour-là le mettait profondément mal à l'aise. Le garçonnet jouait paisiblement avec des cubes de construction dans la pièce voisine.

« Je m'inquiète seulement à ton sujet, Renee, dit-il avec calme. Rien de plus.

— Oh, tu t'inquiètes pour moi, David ? Et c'est pour ça que tu veux divorcer ? »

Il se tourna vers elle pour tenter de rencontrer son regard. « Ce n'est pas moi et moi seul qui le veux, rappela-t-il. C'est une décision que nous avons prise ensemble, non ?

— Oui, c'est ça ! Ensemble ! Parlons-en ! »

Le Dr Ferry jugea bon d'intervenir. « Eh bien, si nous commencions par là ? proposa-t-il avec un petit sourire conciliant. Qu'est-ce qui vous a amenés, tous les deux, à envisager de vous séparer ?

— Justement, je n'en sais rien, vous voyez ? répondit Renee en tirant sur sa cigarette. J'étais mariée et heureuse, et puis, soudain, rien n'allait plus. J'ignore ce qui s'est passé. Ça a fondu, comme un flocon de neige. L'amour est un flocon de neige, docteur. Un jour, j'ai regardé autour de moi, et David n'était plus là... Vous êtes sûr que vous n'avez pas un vrai cendrier ? »

Qu'avait-elle, aujourd'hui ? David n'arrivait pas à saisir l'attitude de Renee. Quand ils vivaient ensemble, il pouvait parfois anticiper les sautes d'humeur auxquelles elle était sujette et s'y préparer, un peu comme on fait de la place à un épileptique en crise. Mais, avec la séparation, il avait perdu ce sixième sens et n'avait plus aujourd'hui la moindre idée de ce qu'elle allait faire la minute suivante. Il était pris entre la compassion pour elle et la peur qu'elle lui inspirait.

« D'accord ! lança le docteur, s'efforçant de dégager une cohérence. Voyons quel est le problème qui...

— Le problème ? l'interrompit Renee. Le problème, c'est que David se croit capable d'élever David sans l'aide de personne, alors qu'il n'arrive même pas à s'occuper de lui-même ! Vous n'avez pas vu son appartement ? Sa carte Visa ? Il n'a jamais pu achever son doctorat de lettres ! Et vous ne connaissez pas la citation qu'il a accrochée au-dessus de son bureau ? “Dieu me garde de jamais finir ce que j'ai entrepris.” C'est lui tout craché, ça !

— Très bien, restons sur cette définition ! » Le docteur l'arrêta d'un geste de la main. « Je crois que ce serait plus constructif si je continuais cette conversation avec chacun de vous séparément. Renee, voulez-vous...

— Ouais, ouais, ouais. » Elle ramassait déjà ses chaussures

et ses papiers pour s'en aller attendre dans la pièce d'à côté avec Arthur. « Prends tes pilules, Renee. Prends tes pilules ! »

Elle laissa sa cigarette allumée sur la boîte de soda. Leur mariage avait toujours été pareil à un ressort tendu, et Renee en avait été la pire ennemie.

« Eh bien, de quoi discutions-nous ? questionna le Dr Ferry en se renversant dans son fauteuil.

— Du divorce et de ses causes, répondit David.

— Vous savez, je me dis parfois que, pour apprécier le divorce d'un couple, il faut d'abord se demander pourquoi il s'est marié.

— Intéressant, dit David, distrait par la voix de Renee, qu'il entendait parler à Arthur derrière la porte du cabinet.

— Alors, pourquoi vous êtes-vous marié ? s'enquit le docteur.

— Je l'ignore. » David sourit malgré lui au souvenir de jours plus heureux. « J'étais un tout jeune prof dans une classe de fin d'études à Columbia, et elle était mon élève. Je ne pouvais pas détacher d'elle mon regard. Elle bougeait comme une danseuse. On aurait dit que l'air autour d'elle n'avait pas la même densité que pour les autres.

— C'était donc une attirance physique ?

— Non, c'était plus que ça. » David caressa sa barbe. « Nous allions bien ensemble.

— Comment cela ?

— Elle avait ce désir brûlant d'être une artiste, parce que sa mère avait été chanteuse de charme dans un grand orchestre et ne s'était jamais occupée d'elle. Vous vous souvenez de ce tube, "Come-on-a-my-House" ? Moi, bien sûr, je voulais être un écrivain célèbre. Alors, nous nous soutenions l'un l'autre dans nos illusions. Vous savez comment c'est, quand on vit pour la première fois avec quelqu'un ? On a le sentiment d'être deux à conspirer contre le reste du monde.

— Et c'est ce qui s'est passé ? répliqua le Dr Ferry en arquant ses sourcils.

— Je suppose que notre conspiration a échoué. » David se tut et contempla un instant ses mains. « Le monde nous a découverts et n'a pas été impressionné.

— Et comment avez-vous surmonté l'un et l'autre cette déception ?

— Chacun à sa façon. » David haussa les épaules. « C'était peut-être plus facile pour moi, parce que je pouvais compenser avec mes élèves. Il n'en est pas allé de même pour Renee. Je me souviens qu'elle s'est présentée à une audition – chez Madame Cecile, je crois bien, la célèbre étoile de ballet qui tenait une école de danse dans Columbus Avenue –, et elle en est revenue littéralement effondrée. Elle attendait tellement de cet examen, c'était comme si sa mère allait enfin la reconnaître ! Au lieu de ça, Madame Cecile avait filmé l'audition et fait de Renee un objet de risée, lui disant qu'elle était trop âgée et trop lourde pour être danseuse. Ensuite, Renee s'est sentie toujours plus mal. Elle continuait d'essayer ceci ou cela et, comme ça ne marchait pas, elle ne s'en remettait pas. Elle rentrait de plus en plus dans sa coquille. Je ne voudrais pas simplifier à outrance – il y a certainement un tas de problèmes sous-jacents que les circonstances seules ne peuvent expliquer –, mais on peut dire qu'elle voulait tout peindre en noir, comme chante Eric Burdon. »

Une série d'images lui traversa l'esprit. Renee piquant une crise le jour de son trentième anniversaire et brisant un verre dans un restaurant chic. Renee enceinte et en larmes sur le canapé, sous le regard étincelant de Margot Fonteyn. Renee enfermée à clé dans la salle de bains, pendant qu'Arthur, âgé de six mois, ses couches sales, hurlait dans son berceau. David grimaça au souvenir de l'œil au beurre noir qu'il lui avait fait sans le vouloir en enfonçant la porte.

« Le terme technique est "bipolaire", remarqua le docteur en jetant un coup d'œil au dossier de Renee.

— Je l'ignorais, à cette époque, dit David. Je savais seulement qu'elle était malheureuse.

— Comment avez-vous essayé de l'aider ?

— Au début, j'ai fait tout ce que j'ai pu. » David, que cette période de sa vie avec Renee étreignait d'un sentiment de culpabilité, se tourna sur sa chaise. « J'ai tenté de la convaincre de consulter un psy. Je l'écoutais, je répétais avec elle, je lui disais que je l'aimais... Je faisais vraiment le maximum. » Il poussa un soupir. « Mais, au bout d'un moment, j'ai commencé à me lasser, à la fuir. Sitôt que je sentais venir l'une de ses crises de mélancolie, je m'installais dans la cuisine avec mes copies à corriger et une bouteille de bourbon, ou bien j'emmenais Arthur dans sa poussette et faisais une grande balade, n'importe quoi pour l'éviter, elle. » Il regarda ses mains. « Ce n'était pas très héroïque de ma part, n'est-ce pas ?

— La vie est ainsi faite, observa le Dr Ferry. Mille petites décisions dont on fait la somme. On n'a pas tous les jours l'occasion de sauver la vie de quelqu'un. »

David hocha lentement la tête, conscient de la subtile leçon que venait de lui faire le docteur. « C'est ce que ma mère disait à mon père : "À quoi sert d'être un héros un jour par semaine, si on est une cloche les six autres jours ?" »

Le docteur nota la phrase. « C'est un joli aphorisme, commenta-t-il.

— Oui, mais qui n'impressionnait pas mon père, marmonna David. Il continuait de rester sur sa chaise à se soûler la gueule.

— Pour en revenir à votre mariage, vous avez donc conclu au bout d'un certain temps que vous ne pouviez rien pour Renee.

— Je... j'avais des problèmes de mon côté, et j'avais l'impression qu'elle m'enfonçait avec elle.

— En d'autres termes, vous étiez tellement dépassé par vos propres difficultés que vous étiez incapable de sauver votre mariage, c'est bien ça ?

— C'est une manière un peu simpliste de présenter les choses, rétorqua David. Je veux dire par là que j'ai tenu aussi longtemps que j'ai pu... pour Arthur. »

La cigarette de Renee tomba dans la boîte de soda avec un petit sifflement.

« Mais qu'est-ce qui vous fait croire que vous vous en sortirez mieux en élevant seul votre fils ?

— Bonne question ! » s'exclama David en croisant les mains sur son genou. *T'es cloué, mec !* auraient dit ses élèves. Il regarda la reproduction d'un tableau de Francis Bacon sur le mur en face de lui. Un homme enfermé dans une cage de verre.

« Je ne sais pas, commença-t-il, hésitant. Peut-être ma vie pèche-t-elle par un manque de détermination, à moins que ce ne soit une absence de maturité. À vrai dire, je n'ai pas accompli grand-chose, si ce n'est enseigner – et, sans me vanter, enseigner bien. Mais je peux toujours évoluer. » Il prenait de l'assurance à mesure qu'il parlait, faisant face au docteur de nouveau. « J'aime Arthur, et je ferais n'importe quoi pour le rendre heureux. Ce que disait Renee à propos de mon côté velléitaire et de mon indécision n'est pas faux ; mais, concernant Arthur, c'est différent. C'est la seule chose que je désire achever. »

Il se tut pour regarder le docteur, s'efforçant de mesurer l'effet de ses propos. Son cœur battait plus vite. Après l'échec de son couple, il était terrifié à l'idée de perdre Arthur, surtout si Renee décidait de quitter New York avec leur fils.

« Vous savez, c'est une lourde responsabilité que de prendre soin d'un enfant, remarqua le Dr Ferry. Comment s'est passé le week-end avec lui, à propos ?

— Formidable ! lança David en gonflant malgré lui la poitrine. On s'est promenés partout et il a dévoré tout ce qu'on pouvait mettre devant lui, au lieu de chipoter dans son assiette comme ça lui arrive souvent. Je ne l'avais pas vu aussi heureux depuis des mois. »

Le Dr Ferry mâchonna le bout de son crayon d'un air songeur pendant un instant. Il commence à me prendre au sérieux, pensa David. Peut-être que je vais l'obtenir, cette garde.

« Vous savez, David, déclara le docteur, j'ai déjà rencontré Arthur deux ou trois fois, et je peux vous certifier qu'il me paraît beaucoup mieux depuis votre courageuse intervention et cette entrée sous les sunlights.

— Vous croyez ? » fit David d'un ton faussement détaché, tout en attendant nerveusement de voir si la balle était liftée ou pas.

Il entendait Arthur dans la pièce voisine saluer d'un « BOUM ! » sonore la chute d'une chaise, et il se représenta avec acuité le froncement de sourcils de Renee, en train d'allumer une autre cigarette sous la pancarte « Interdiction de fumer ».

« Je l'ai trouvé beaucoup plus sûr de lui, affirma le Dr Ferry. La semaine dernière, ça n'allait pas du tout mais, à présent, il commence à sortir de son trou. Il voit votre portrait dans le journal, entend votre nom à la télévision, apprend que le maire va vous décorer. Son père est un héros, cela le valorise et lui donne de l'assurance. »

David résista à l'envie de sourire. « Alors, quel est le problème ? demanda-t-il.

— Le problème, répondit le Dr Ferry en mâchouillant de nouveau son crayon, c'est ce qui se passera quand toute cette agitation cessera. »

24

Bon Dieu, ce con a les couilles qui sortent de son short, se dit Noonan. Quel porc !

Ils étaient dans le jardin de John LeVecque à Hempstead et Noonan observait son collègue Kelly en train de se rôtir au soleil dans une chaise longue en sifflant bière après bière, tandis que son scrotum rouge vinasse s'échappait de l'entrejambe de son flottant.

Si cela n'avait tenu qu'à lui, Noonan ne serait pas allé à ce barbecue. Le boulot s'entassait, et puis il n'avait jamais été du genre sociable. Mais il n'avait pu faire autrement : il avait eu confirmation par son vieux pote Tommy Vaughn, qui travaillait à la direction, que LeVecque était bel et bien cul et chemise avec le commissaire divisionnaire, et qu'il lui servait même de nègre pour la chronique que M. le divisionnaire signait au *Post*. Il était donc hors de question de bouder cette petite fiesta.

Mais, obligé qu'il était de faire la conversation avec deux douzaines de flics sans rien leur lâcher de substantiel concernant le dynamitage du bus, Noonan marchait sur des œufs. Car, si ceux qui détenaient un authentique tuyau n'allaient pas à la pêche aux infos, il valait bien mieux laisser les autres dans le vague.

Toutefois, Kelly commençait à l'inquiéter sérieusement. Noonan le vit vider sa cinquième Budweiser de l'après-midi, puis attraper la femme de LeVecque par la boucle de sa ceinture et la supplier de lui en apporter une autre. Ce type était décidément une catastrophe, et capable de faire n'importe quoi. Mais l'épouse LeVecque ne semblait pas s'offusquer de ces manières. Mince, le visage dur, le jean et le débardeur moulants, elle aimait manifestement provoquer son mari en flirtant avec les invités.

« Vous avez assez à manger ? » demanda LeVecque en présentant timidement à Noonan un autre hamburger dans une assiette en carton.

L'inspecteur le regarda avec une telle sympathie que son hôte n'insista pas, et reposa sur la table sa viande hachée. « Non, ça va bien, dit Noonan en se tapotant le ventre. Faut que je surveille ma ligne.

— J'ai des hot dogs garantis sans nitrate. » LeVecque sourit, désireux qu'on l'aime. « Il suffit que je les mette sur le gril.

— Non, laissez, je suis devenu un adepte du poisson bouilli depuis que mon précédent coéquipier est mort d'un abus de graisse. »

Noonan se souvenait encore du bouche-à-bouche qu'il avait fait à Frank Rowan, après la crise cardiaque que celui-ci avait eue en pleine partie de volley, sur la plage l'été précédent. Ce pauvre Frank n'avait même pas tenu jusqu'à l'arrivée de l'ambulance. Décidément, tous les collègues avec qui il faisait équipe étaient maudits.

« Eh bien, comment va l'enquête ? » demanda LeVecque avec un enjouement un rien forcé.

Noonan lui adressa un regard morne comme une plaine du Wisconsin. « Débarrassez-nous de ces fouines de la presse, et l'affaire sera plus vite pesée et emballée.

— Vous devez être sous une foutue pression, non ? »

L'inspecteur tordit la bouche, parfaitement conscient que la compassion de LeVecque n'était qu'un faux-semblant destiné à lui tirer les vers du nez. « Des enquêtes à grand spectacle, j'en ai déjà eu. Ça ne mange pas plus de pain que les autres, qu'on les solutionne ou pas. »

Du coin de l'œil, il vit Tom Kelly manquer s'affaler de sa chaise en essayant de pincer les fesses de dame LeVecque. Heureusement, le mari, qui leur tournait le dos, n'assista pas à ce petit intermède. « Vous savez sûrement que le maire et le commissaire divisionnaire se voient pratiquement chaque jour, pour s'assurer que la section antiterroriste du FBI ne nous chipe pas l'enquête, déclara-t-il à Noonan.

— Croyez-moi, c'est beaucoup de bruit pour rien. »

Il y eut un bref éclat de musique, et une volute de fumée grasse derrière la moustiquaire d'une des fenêtres, au premier étage de la maison. L'odeur âcre d'un joint accompagnée d'un rythme de reggae vint troubler celle de la viande grillée. Le fiston de LeVecque saluait à sa manière la présence des flics sur son terrain de jeux. Merde, se dit Noonan, le môme devait détester son père. Il évoqua son propre fils, Larry, lui aussi en pleine rébellion adolescente, qui se perçait d'anneaux et d'épingles de nourrice le moindre bout de peau et n'adressait pratiquement plus la parole à ses géniteurs. Pendant un moment, Noonan fut empli de tristesse au souvenir du temps où son garçon était un doux bambin de cinq ans qui, le gant de base-ball à la main, tirait dehors son papa pour qu'il lui lance la balle.

« En attendant, qu'est-ce que je dois raconter à la presse ? » demanda LeVecque.

Noonan porta son regard sur la gorge du porte-parole de la police. « Dites-leur ce que vous voulez. Nous avons trente bonshommes qui travaillent à plein temps sur l'affaire, sans parler du FBI et sa section antiterroriste, et de Dieu sait qui encore. Nous avons interrogé tous les élèves présents ce jour-là, tous les mécaniciens qui ont changé une Durit sur ce bus, et maintenant nous passons en revue les bacheliers de l'an dernier et les anciens employés du lycée. Ajoutez à ça le labo qui continue de disséquer l'épave, et les artificiers qui ratissent la rue avec les chiens et les spectrographes.

— Et le professeur ?

— Eh bien, quoi, le professeur ? »

Noonan sentit sa veine temporale battre de nouveau.

« Vous ne trouvez pas bizarre qu'il ait empêché les élèves de monter dans le bus trente secondes avant l'explosion ?

— Vous me posez cette question pour votre propre information, ou bien dois-je vous fouiller, au cas où vous auriez un petit magnéto sur vous ? »

Proche ou pas du commissaire divisionnaire, LeVecque venait du journalisme, et c'était une chose que Noonan ne risquait pas d'oublier. Ne jamais faire confiance à un folliculaire. Bill Ryan, ce vieux singe du *Tribune*, l'avait autrefois affranchi : dans la poursuite d'une enquête, tous les moyens étaient bons.

« À la vérité, c'est cette fille du *Tribune*, Judy Mandel, qui m'a questionné là-dessus, expliqua LeVecque d'un air embarrassé. Et je me suis dit qu'il serait bon que j'en sache un peu plus, au cas où le commissaire divisionnaire me demanderait mon avis à ce sujet. »

Noonan fit la grimace. « Eh bien, s'il vous interroge, dites-lui de m'appeler. De toute façon, que voulez-vous que je vous réponde ? Le prof a décidé de les compter avant qu'ils embarquent. C'est peut-être tout simplement un heureux hasard. Peut-être qu'il a senti quelque chose de pas normal sans réussir à mettre le doigt dessus. Ça ne vous est jamais arrivé ? »

LeVecque pouvait courir, s'il pensait récolter des infos avant que lui, Noonan, soit parvenu à une conclusion. Jusque-là, seules quatre personnes avaient été informées de ses soupçons concernant Fitzgerald.

Un petit cri aigu interrompit ses pensées, et il vit Tom Kelly et la femme de LeVecque qui se gondolaient comme des tordus. Puis Kelly prit madame par la taille et l'attira contre lui sans rencontrer de grande résistance. Merde, la salope était soûle, elle aussi !

Cette fois, LeVecque n'avait rien perdu de cette sympathique scène de genre, et ses oreilles en rougirent. Malgré lui, Noonan éprouva un élan de compassion pour le pauvre bougre.

Ravalant son humiliation, LeVecque se tourna vers Noonan pour revenir à ses moutons. « Vous savez que le maire, le gouverneur et le commissaire divisionnaire doivent remettre une récompense au professeur. »

Noonan se pinça le bout du nez pendant une seconde, avant de dire quelque chose qui le hanterait, il en était sûr, pendant les années à venir. Il dit : « Ah ! »

Il n'avait pas le choix, réalisait-il : il devait donner de quoi réfléchir à ces huiles que LeVecque venait de mentionner, leur ouvrir un peu les yeux. Surtout maintenant qu'il avait reçu ce petit tuyau en provenance d'Atlantic Beach. Mais il espérait que LeVecque ne le presserait pas trop.

« Que se passe-t-il ? » Le susnommé ouvrait de grands yeux liquides, et son hamburger faillit s'échapper de son assiette. « Il y aurait un problème avec cette récompense ? »

Un éclat de rires conjugués ponctua la question, et Noonan constata que son équipier entraînait dans la maison l'épouse LeVecque. Le barbecue virait à la partie de cul, et ce passage de la braise à la baise risquait de se terminer fort mal, pensa l'inspecteur.

Mais LeVecque, captivé par la troublante interjection de l'inspecteur, ne remarqua rien. « Dites, y a-t-il au sujet du prof quelque chose de tordu que nous devrions savoir ?

— Non, le bonhomme est OK. » Noonan jeta un coup d'œil en direction de la maison. Kelly ne ressortait pas.

« Écoutez, insista LeVecque, nerveux. Ni vous ni moi ne voulons mettre le maire et le divisionnaire dans une situation embarrassante. Alors, s'il y a un problème avec Fitzgerald, j'ai besoin de le savoir tout de suite. »

Noonan s'accorda le temps de la réflexion. LeVecque était l'homme du divisionnaire. Il ne pouvait lui dire d'aller se faire foutre. Par ailleurs, il connaissait bien les journalistes comme cette Judy Mandel : de vrais rouleaux compresseurs.

« Peut-être pourriez-vous trouver le moyen de retarder la cérémonie d'une semaine ou deux, lâcha-t-il. Juste le temps qu'on vérifie deux ou trois choses.

— Ce qui veut dire que vous l'avez dans le collimateur ? »

Clôturant un débat tout intérieur, Noonan secoua la tête. « On peut le formuler ainsi, marmonna-t-il, presque avec dégoût. Mais personne n'a besoin de le savoir. »

LeVecque avait la bouche béante, et Noonan comprit sur-le-champ qu'il avait fait le mauvais choix : il venait de refiler la formule à l'apprenti sorcier, et le connard ne tarderait pas à enfourcher son balai et à voleter dans tous les coins.

« Ainsi, c'est lui, murmura LeVecque, confirmant si nécessaire les craintes de l'inspecteur.

— Attention, je n'ai rien dit de tel, l'avertit Noonan.

— Putain, c'est incroyable ! Je n'aurais jamais pensé ça de ce type. »

En moins d'une seconde, Noonan était debout, face à LeVecque, le pressant de si près que l'autre en inclina son assiette et se prit le hamburger sur sa chemise. « Écoutez-moi bien, articula l'inspecteur avec une violence contenue. Je me fous de savoir combien de chroniques vous avez rédigées pour le divisionnaire ! Si jamais je découvre dans les journaux un seul mot de ce que je viens de vous dire, j'entrerai chez vous en plein milieu de la nuit et je vous collerai une balle dans la tête. C'est clair ? »

LeVecque baissa les yeux sur sa chemise maculée de jus graisseux avant de les relever sur Noonan, l'air plus pincé que s'il s'était fait coincer entre deux portes de métro. « Je n'en parlerai à personne. »

Noonan soutint le regard de LeVecque pendant une bonne moitié de minute, histoire de lui faire entrevoir à quoi ressemblait la vie quand on était menotté sur une chaise dans une salle d'interrogatoire.

Le claquement de la porte grillagée du porche l'arracha à ses réflexions, et il vit l'épouse LeVecque courir vers eux, le visage rougi et perlé de sueur.

« Inspecteur Noonan ! cria-t-elle. Venez vite ! Votre collègue est dans notre chambre. Il est très mal et a besoin d'aide. Je crois qu'il a eu une attaque ! »

25

Le calme était enfin revenu.

Installé à son bureau, ce lundi après-midi, David s'entretenait avec Kevin Hardison et Elizabeth Hamdy de leurs sujets de dissertation, quand le téléphone sonna.

Il décrocha et, du chuintement électronique de la communication, jaillit la voix claire d'une jeune femme. « Bonjour, c'est à David Fitzgerald que j'ai l'honneur ? » Elle semblait pressée, impatiente de communiquer son message et de raccrocher, comme si c'était elle qui avait été appelée.

« Oui, lui-même », dit-il en s'excusant d'un doigt levé auprès de ses deux élèves.

« Ici Amy Grossman, du secrétariat du maire. Bon sang, je ne sais pas comment ça fonctionne avec votre standard, mais ils en ont mis du temps à me passer votre poste ! Enfin, je voulais juste vous informer que la cérémonie prévue mercredi a été remise.

— Oh ? »

Il y avait dans le ton de la dénommée Grossman quelque chose qui fit à David l'effet d'un glaçon dans le dos.

« Oui, nous avons un petit problème, déclara-t-elle. Le gouverneur est contraint de se rendre à Buffalo et le maire doit aller dans le Queens. »

« Le maire doit aller dans le Queens ? » On aurait dit qu'elle faisait allusion à Dieu sait quelle compulsion irrationnelle ! « Alors, c'est reporté à quand ? demanda David en ouvrant son agenda.

— Nous vous appellerons dès que la nouvelle date sera fixée », répondit-elle avec une fermeté consommée.

David regarda Kevin, qui s'était rapproché d'Elizabeth et lui faisait du gringue.

Que se passait-il ?

En l'espace de quelques heures, il avait été rejeté des sunlights vers l'ombre de l'anonymat. Il avait compris qu'il ne ferait pas la une ce jour-là, parce que le porte-parole de la Maison-Blanche avait abattu sa maîtresse et son pauvre chat la nuit précédente. Mais cela mettait-il un point final à son existence cathodique ? La moitié des talk-shows auxquels il avait été invité lui avaient annoncé par téléphone le report à une date non précisée de ses apparitions ; et l'autre moitié, comme « Nightline », n'avait même pas daigné répondre à ses appels. Tout le monde courait après l'histoire du porte-parole. Geraldo et Barbara Walter n'avaient plus besoin de lui. Il avait disparu de la carte.

« Eh bien, vous voilà informé », disait la voix d'Amy Grossman.

À bon entendeur, salut, traduisit David. « Bon, je vous remercie, répondit-il comme un automate.

— De rien, nous vous rappellerons. » Sur ce, elle raccrocha, le renvoyant à son obscurité originelle.

David considéra un instant la pile de copies non corrigées et les multiples chemises qui encombraient son bureau. Soudain, un sentiment de déception l'envahit comme une mauvaise odeur. Soudain, tout lui parut minable : cette tasse où traînait un reste de café, la vieille photocopieuse, les livres aux pages écornées, les courants d'air qui traversaient la salle, le maître des mesquineries budgétaires dénommé Larry Simonetti.

Quelques jours plus tôt, le président des États-Unis avait fait de David Fitzgerald l'incarnation du courage. Il ressentait maintenant toute la différence entre la vie réelle et celle des feux de la rampe. La première vous usait, la seconde vous galvanisait. L'une était faite de labeur, de frustration, de boutons sur la gueule et de cellulite ; l'autre était orgasmique, insouciante, attirante, sexy. David n'avait pas osé se l'avouer, mais la célébrité, rouler en limousine, côtoyer des stars sur les plateaux, voir des étrangers lui demander un autographe devant son fils, tout cela l'avait fait bander.

Appuyant la tête contre sa main, il songea qu'il était temps de reprendre le cours de sa vie. Il ne ferait pas comme ce pompier qui avait sauvé une petite fille tombée dans un puits, et s'était ensuite suicidé parce que les gens avaient cessé de lui prêter attention. Il avait des responsabilités, des cours à donner, de jeunes esprits à former. Il avait des coups de fil à passer, des factures à payer, un essai à finir, un roman à publier.

Il se retourna vers les deux élèves. Kevin essayait toujours de s'attirer les faveurs d'Elizabeth, mais celle-ci campait sur ses hauteurs inatteignables. Comme il tentait de la prendre par la taille, elle le repoussa fermement du bras.

« Bon, où en étions-nous ? s'enquit David, se forçant à réintégrer la réalité : Tu es un enseignant, et rien d'autre.

— Ben, y a cette dissert, déjà, dit Kevin, reprenant sa place comme un étalon son box.

— Oui, et alors ? répliqua David en tirant sur le lobe de son oreille.

— J'me demandais si j'pouvais pas écrire sur Shawn De Shawn, répondit le garçon en zozotant légèrement. Vu que la dernière fois, en classe, vous avez bien aimé c'que j'ai dit. »

David sourit malgré lui ; la petite combine de Kevin était décidément cousue de fil blanc.

« Non, Kevin, ce serait beaucoup mieux si tu écrivais quelque chose où tu compares Shawn à un autre personnage tiré d'un des romans qu'on a lus.

— Hé ! mec... », s'exclama Kevin, et sa bouche béante révéla deux dents capuchonnées du symbole doré du dollar, à la place des monogrammes. « Ça veut dire que j'vais devoir en lire au moins un tout seul ?

— Pourquoi, ça te paraît extraordinaire de lire un bouquin... tout seul ?

— Dites, j'peux vous donner quelque chose que j'ai écrit dans mon journal ? »

David secoua la tête. Voilà, c'était pour cela qu'il était ici... pour arrêter les conneries à la Kevin.

« J'ai été touché par ce que tu as bien voulu partager en classe l'autre jour, déclara-t-il, mais je ne te laisserai pas t'en servir de nouveau, d'accord ? Parce que, si tu racontes la même histoire de la même façon plusieurs fois de suite, elle finira par perdre tout son sens. Et je te parle d'expérience. »

Kevin baissa les yeux sur ses Nike, plus ennuyé que honteux d'être pris en flagrant délit de facilité. « Bon, j'fais quoi ?

— Je voudrais que tu développes, que tu fasses mieux que les autres, que tu puises ton inspiration ailleurs, chez tes semblables. C'est très bien de cultiver l'estime qu'on doit avoir de soi, mais il n'y a pas que sa petite personne : il faut aller au-delà. Parce que, dis-moi, serais-tu plus fort que Shakespeare ou Tolstoï ?

— Non, répondit Kevin, amusé par cette question.

— Alors, ne te contente pas d'écrire uniquement sur toi-même. Lis des livres et, tu verras, tu en tireras peut-être quelque chose. »

Kevin hocha plusieurs fois la tête. Pas de problème, il pigeait. Elizabeth écoutait avec une grande attention, son petit regard de biais plein de vivacité. David sentait qu'il reprenait des forces. Oui, il était à sa place, ici.

« Reviens me voir demain, proposa-t-il à Kevin. Je te filerai un roman qui te plaira, j'en suis sûr. D'accord ?

— D'acc. » Kevin lui fit un salut un peu mou et s'en fut de sa démarche hip-hop.

« À nous deux. » David se tourna sur sa chaise pour faire face à Elizabeth.

Elle lui sourit d'un air timide avant de baisser les yeux. Il espéra qu'il ne l'avait pas trop impressionnée. Pas de foulard islamique aujourd'hui, mais une luxuriante cascade noire sur ses épaules. Dans sa salopette en denim bleu, presque rien ne la différenciait d'une adolescente américaine. Quiconque la rencontrerait pour la première fois sentirait seulement comme un parfum différent dans les yeux noirs, l'ossature fine et le teint de lait.

« Il faut que je vous parle, dit-elle.

— Je sais, et je suis désolé de ne pas m'être libéré plus tôt. Il y a eu tellement de diversions, dernièrement. »

Oui, exactement. Des « diversions ». Il avait l'impression de s'être fait détourner de lui-même.

Elle s'approcha lentement du bureau. Elle paraissait troublée, et David se demanda si son projet d'entrer au collège en était l'unique cause.

« J'ai choisi mon sujet, annonça-t-elle avec un peu trop d'empressement. Le héros imparfait.

— D'accord, répondit David, décidant d'attendre qu'elle parle d'elle-même de ce qui la tracassait.

— J'ai pensé à une dissertation sur *Tess d'Urberville.*

— Ah oui ? » David se gratta la barbe. « Dans la classe de qui as-tu lu ce roman ?

— De personne. Je l'ai lu toute seule. Pour le plaisir. »

Il aimait cette fille et, d'une étrange manière, il aimait aussi ce lycée. Où ailleurs qu'ici aurait-on trouvé un Kevin, grand ignorant et petit voyou qui croyait avoir ses chances auprès d'une jeune princesse d'Arabie occupant ses loisirs à lire Thomas Hardy ?

« Tess, l'imparfaite héroïne, remarqua-t-il, songeur, en tambourinant des doigts sur sa table. Cela me paraît prometteur, et cela m'intéresse beaucoup de savoir ce que tu en feras. Il te faudra établir de solides comparaisons avec des héros plus traditionnels.

— Oui, c'est vrai. » Elle fronça les sourcils d'un air contrarié. « J'aurais dû y penser avant. »

Elle se tut et, baissant la tête, sembla se perdre dans la contemplation de ses tennis noires. Il la considéra, quelque peu perplexe. Il la connaissait plus combative.

« Y a-t-il autre chose dont tu voudrais me parler ? »

La salle derrière lui se mit à bruire d'activité, car l'heure allait bientôt sonner, et les autres professeurs rangeaient leurs affaires.

« Oui, il y a autre chose, répondit-elle en serrant son cartable contre sa poitrine et en jetant un regard aux élèves qui passaient dans le couloir. Mais... euh... je ne sais pas par où commencer. »

Était-elle enceinte ? Elle n'en avait pas l'air. Elle semblait inquiète, angoissée. Il y avait une expression hispanique pour l'angoisse : « se ronger la tête ». Et c'était ça, elle avait l'air de se ronger la tête.

Il résolut de jouer aux devinettes, pour tenter de l'aider. « Est-ce que cela a un rapport avec la visite que m'a faite ton frère l'autre jour ? »

Elle ferma les yeux pendant une seconde ; il était difficile de dire si elle était soulagée ou mortifiée. « Oui. Enfin, d'une certaine manière. »

Donna Vitale passa devant David en lui adressant un clin d'œil.

« Ton frère n'est pas un mauvais bougre, affirma David. Je

l'ai eu dans ma classe il y a quelques années. » Il allongea les jambes sous son bureau, qui était trop bas pour ses genoux. « Ses intentions sont bonnes. »

Elizabeth se balançait légèrement sur ses jambes. Elle regarda plusieurs fois dans le couloir, resserra la courroie de son cartable.

« Ce... ce ne sont pas les miennes, déclara-t-elle enfin.

— Je comprends. Mais que veux-tu que je fasse, quand il vient me dire qu'il est très inquiet pour toi ?

— Je ne sais pas. »

Il avait le sentiment d'être impuissant à l'accoucher de ce qu'elle désirait lui révéler mais retenait malgré elle.

La sonnerie vrilla le silence, donnant le départ de la course dans les couloirs, déclenchant des avalanches dans les escaliers. David regarda la pendule : il était 2 heures et demie ; dans une heure, il devait être à Manhattan, où il avait rendez-vous avec Beth Nussbaum, l'avocate qui s'occupait de son divorce.

« Je suis désolé, Elizabeth, mais je dois partir. Peux-tu venir avec moi jusqu'au métro ? »

Elle ajusta son cartable sur l'épaule et le suivit dans le couloir. Le premier étage était envahi de groupes compacts de gosses qui menaient grand tapage. Grossiers, chahuteurs, ils semblaient être persuadés que personne avant eux n'avait fait tant de boucan. Larry Simonetti allait parmi eux en agitant les bras et en leur beuglant vainement de dégager les lieux.

Tout était redevenu comme avant – David se fit même tapoter le crâne au passage par quelques audacieux. Et pourtant, il éprouvait le sentiment d'être quelque peu séparé de cette exubérante réalité.

Apercevant Noonan et un autre inspecteur qui entraient dans l'une des salles de classe au fond du couloir, il se demanda quand la police allait enfin pouvoir se mettre un suspect sous la dent. Bon Dieu, deux jours s'étaient écoulés depuis qu'ils avaient annoncé qu'il s'agissait d'une bombe, et David avait toujours la vague intuition que le coupable se trouvait quelque part dans le lycée.

« Ton frère ne veut pas que tu poursuives tes études, dit-il à Elizabeth en tenant ouverte la porte qui donnait sur le parking.

— Il ne veut pas que je vive, répliqua-t-elle en posant son cartable par terre. Il est toujours à m'espionner. Il insiste pour venir me prendre en voiture à la sortie, comme aujourd'hui. Il n'arrive pas à s'adapter à la vie d'ici. Il est revenu dans ce pays pour gagner de l'argent comme l'a fait mon père, mais il n'accepte pas le mode de vie américain. Tout l'indispose : la façon de s'habiller des gens, leur manière de parler. Il veut que je mette mon foulard parce que les garçons me regardent dans le métro.

— Le frère imparfait.

— Oui. » Elle passa d'un air distrait les mains dans ses cheveux. « Je me souviens de la fois où mon père nous a tous emmenés au cirque. Mon frère rentrait juste de Palestine. Quand il a vu l'un des clowns se mettre à danser la lambada, il a bondi. Il tirait mon père par le bras en lui disant qu'on devait s'en aller tout de suite, que ce n'était pas un spectacle pour une jeune fille. C'était *haram*, interdit. Vous vous imaginez ? Le cirque est *haram* ! Le cinéma est *haram* ! Les garçons sont *haram* !

— Et l'université aussi ?

— Oui, mais... » Elle porta la main à sa gorge. « Mais il y a plus grave que ça, et c'est quelque chose dont je dois absolument vous parler. J'ai essayé de ne pas y penser, mais ça me revient sans cesse à l'esprit.

— Qu'est-ce que c'est ? »

Elle porta son regard en direction de la promenade, au-delà d'Astroland. David avait le sentiment que quelque chose bourgeonnait en elle, prêt à éclore. Il se surprit à espérer qu'elle n'allait pas lui avouer son amour pour lui – oh, avoir de nouveau dix-huit ans ! Lui donner rendez-vous à la nuit tombée... Mais non, il fallait diablement faire gaffe à ne pas franchir la frontière séparant l'élève du maître.

« Dieu, pourquoi est-ce aussi difficile à dire ? » Elle le regarda en tapant du pied de frustration. « Vous avez déjà parlé en classe de ces envies de risquer quelque chose. Eh bien, c'est ce que j'essaie de faire en ce moment.

— Je comprends. » Il lui effleura l'épaule, retirant sa main aussitôt. Règle numéro un : Ne jamais toucher les élèves.

Nasser les épiait depuis l'autre bout du parking. Cela faisait vingt minutes qu'il attendait, assis dans la Lincoln, que sa sœur sorte du lycée.

Il était inquiet depuis qu'elle avait mentionné, l'autre soir à table, la visite de la police. Il voulait savoir quelles questions lui avaient posées les inspecteurs et ce qu'elle leur avait répondu. Leur avait-elle dit que son frère était arrivé en retard à leur rendez-vous ? Ayant vécu lui-même des moments difficiles sous le feu des questions du Dr Ahmed, il se demandait comment sa sœur avait réagi face aux policiers.

Peu désireux de lui donner à penser qu'il l'espionnait, il lui avait apporté un présent. Un nouveau foulard d'un joli rouge, fait dans une étoffe légère et bordé de paillettes. Ça lui avait coûté quinze dollars au *Croissant d'Arabie*, dans Atlantic Avenue, mais cela valait bien le plaisir qu'elle en aurait. Il désirait tant lui prouver qu'il comprenait les besoins et les craintes d'une jeune fille ! Il savait bien qu'elle ne voulait pas du *hijab* traditionnel, tout blanc, parce qu'il la vieillissait et l'enlaidissait. Ce beau rouge serait beaucoup plus à son goût, à la fois élégant et moderne tout en restant décent.

Il se demanda si sa mère l'aurait approuvé. Dans la brume de chaleur qui montait du bitume, il lui sembla la revoir arpentant les ruelles du camp de Deheisha – ce triste lieu dévoreur d'espérances, avec ses fûts d'essence rouillés, ses mauvaises herbes, ces femmes faisant la queue derrière un camion chargé de pastèques pourries, ces vieux Bédouins coiffés du keffieh fumant par petits groupes silencieux, les murs dynamités dont il ne subsistait que quelques tiges de fer, les cyprès poussiéreux, un fauteuil vide de barbier chauffant au soleil, les enfants jouant à la guerre dans les rues avec des fusils faits de bouts de bois et de morceaux de barbelé... et là-bas, au loin, se dressant au-dessus des collines de Judée, le mont Hérode et son amphithéâtre romain.

Nasser se souvenait des soldats israéliens qui avaient surgi dans leur maison en pleine nuit, recherchant le garçon d'un voisin. Silhouettes noires semblables à des monstres de cauchemar, ils avaient réveillé Elizabeth, qui n'était alors qu'un bébé, et tiré hors de son lit sa mère à moitié habillée. Ils avaient ri de lui, parce qu'il s'était fait pipi dessus tellement il avait peur. C'était un lieu où se brisaient les fiertés, un lieu où on allait la tête basse.

Il s'arracha à ses souvenirs et, comme sa vision s'éclaircissait de nouveau, il vit M. Fitzgerald poser sa main sur l'épaule d'Elizabeth.

La rage explosa en lui. Le soleil frappait le capot d'un éclat blanc aveuglant. Nasser démarra, fonçant droit devant lui.

David manqua faire un bond quand une Lincoln s'arrêta dans un crissement de freins à côté d'eux.

Nasser bondit de la voiture, lança quelques mots en arabe à Elizabeth et vint se planter devant David. Il dut lever la tête pour le regarder, jura violemment entre ses dents et, avec une expression d'enfant effaré par sa propre audace, gifla durement son ancien professeur.

David recula, plus sous l'effet de la stupeur que de la force du coup.

Nasser aussi fit un pas en arrière, comme s'il avait été lui-même frappé.

« Mais qu'est-ce qui te prend, Nasser ? s'écria Elizabeth en saisissant son frère par le bras.

— Je l'ai vu te toucher ! hurla-t-il au visage de sa sœur. C'est totalement *haram* ! C'est contre Dieu ! »

Il se détourna d'elle et avança vers David, se hissant sur la pointe de pieds pour s'efforcer d'être à sa hauteur.

David, qui avait encore la joue brûlante, résista à l'envie de cogner cette face haineuse que Nasser levait vers lui. « Allons, allons, dit-il en levant les mains en signe de paix. Qu'est-ce qu'il y a ? J'essaie seulement d'aider ta sœur.

— En la touchant ? C'est ça que vous appelez "aider" ? protesta Nasser d'une voix aiguë. C'est de l'adultère ! » Il pointa un index réprobateur sur la poitrine de David.

« De l'adultère ? » répéta David, étonné que Nasser connaisse ce mot. Il écarta doucement le doigt que l'autre pressait sur lui en réprimant le violent désir qu'il avait de s'en saisir et de le casser en deux.

Un groupe d'élèves s'était arrêté pour contempler la scène. Ils avaient raté la gifle, mais pas la tension manifeste entre M'sieur Fitz et le jeune type à la Lincoln. Richie Won et Obstreperous Q agitaient le poing en beuglant : « Baston ! Baston ! Baston ! »

« Hé ! les mômes ! leur cria David. Allez voir plus loin si j'y suis.

— Je suis désolée, disait Elizabeth en entraînant son frère vers la voiture. Tout ça est ma faute. Je n'aurais pas dû vous parler. »

Quelques élèves attendirent la suite, mais le gros de la troupe commença à se disperser dans la tiédeur de l'après-midi.

« Écoute, Nasser, déclara David, s'efforçant de garder la tête froide. Tu t'y prends très mal. Ce n'est pas de cette façon qu'on règle les problèmes.

— Ne me parlez pas ! répliqua Nasser en se dégageant de sa sœur. Je sais qui vous êtes ! Vous êtes nuisible ! Très nuisible ! Si je vous revois poser la main sur ma sœur, je vous tue ! »

Elizabeth prit son frère par la taille et le poussa dans la voiture. « Je suis désolée, vraiment désolée, répéta-t-elle à l'adresse de David. Je n'aurais pas dû le laisser faire ça. » David avait envie de lui dire de ne pas s'inquiéter, qu'il comprenait maintenant contre quoi et qui elle devait lutter, mais il était trop tard. Les portières claquèrent, et la Lincoln démarra brutalement. David la suivit des yeux jusqu'à ce qu'elle sorte du parking et tourne à droite. Une voiture de louage transportant deux mille ans de tradition.

Il se toucha la joue, sentant encore la brûlure de la gifle et l'endroit où les ongles de Nasser lui avaient un peu égratigné la peau. C'était, pensa-t-il, la première fois qu'il établissait un véritable contact avec le jeune homme.

26

« Tu es malade ! » s'exclama Elizabeth, tandis que la voiture fonçait dans Surf Avenue, manquant de peu heurter un bus scolaire qui tournait dans la 8e Rue Ouest.

Tout en conduisant, Nasser serrait dans sa main le foulard rouge. « Dans certains pays, on lui trancherait les mains, à ce salaud !

— Ce salaud est mon professeur.

— Il ne te regarde pas comme il devrait le faire, s'il est ce que tu dis ! cria Nasser. De toute façon, c'est à la maison que tu devrais être.

— Tu as perdu la tête. »

Il s'essuya les yeux avec le foulard et accéléra. « Tu devrais être en train de prier ou de préparer le dîner.

— Ça suffit. Arrête la voiture. »

Elle ouvrit la portière avant même qu'il lève le pied de l'accélérateur.

« Qu'est-ce que tu fais ? » demanda-t-il, tandis qu'il ralentissait à hauteur de l'aquarium de New York.

Sans attendre que la voiture soit complètement arrêtée, elle sauta sur la chaussée. « Je ne te parlerai plus jamais. J'en ai assez. Je ne veux même plus te voir ! » lui cria-t-elle.

Il paniqua en la voyant s'éloigner en direction de la bouche de métro. Étrangement, une image de sa mère lui revint : elle contemplait le fleuve, accoudée au parapet, et lui avait tellement peur qu'elle ne se jette à l'eau !

« Elizabeth, tu es folle ! » Il mit le frein à main et descendit de voiture pour lui courir après. Il tenait toujours le foulard. « Comment tu rentreras ? lui cria-t-il. Laisse-moi te conduire !

— Fous-moi la paix ! lui lança-t-elle par-dessus l'épaule. Je n'ai pas besoin de toi ! »

La Lincoln immobilisée au milieu de la chaussée commençait à gêner la circulation, et à provoquer un concert de klaxons et d'injures. « Hé ! connard, tu redémarres ? »

Les larmes aux yeux, Nasser appela de toutes ses forces : « Eeeeliiizabettt ! »

« Allez, elle veut plus de ta p'tite queue molle ! lui gueula un *abbed* dans une Datsun orange juste derrière lui. Remonte dans ta caisse, ducon, et trouve-toi une autre morue, c'est pas c'qui manque dans la mer. »

Blessé et encore enragé, Nasser colla un coup de pied dans le pare-chocs de la Datsun, tandis qu'Elizabeth disparaissait de sa vue. Il jeta le foulard par terre, puis s'en voulut de son geste. Mais, comme il se penchait pour le ramasser, un coup de vent venu du front de mer l'emporta quelques mètres plus loin, où il s'abîma dans l'eau sale du caniveau, parmi les détritus.

27

John LeVecque et Judy Mandel, postés au coin de Mott et de Canal dans Chinatown, regardaient passer un cortège funèbre de neuf limousines Cadillac, trois joueurs de trompette, et une voiture portant le portrait du défunt entouré de guirlandes de fleurs.

« Probablement le chef d'une des triades, remarqua LeVecque.

— Non, il dirigeait seulement le commerce local, répliqua Judy. En toute légalité. On a sorti un papier sur lui, ce matin... » Elle lui toucha la manche, et le sentit tressaillir légèrement. « ... Mais, bien sûr, on ne sait jamais. »

Elle le manœuvrait à la perfection. Une claque et une caresse en même temps. C'était la stratégie qu'elle avait adoptée pour le déséquilibrer. Le dominer avec son intelligence, l'autoriser à lorgner ses seins, ne jamais le laisser oublier qu'il avait affaire à une vraie femme. Lui donner l'impression qu'il avait quelque chose à prouver.

Ils venaient juste de déjeuner dans un restaurant appelé *Wong Kee* et ils regagnaient ensemble leurs bureaux respectifs, croisant des hommes en blouson de vinyle et des femmes en habit traditionnel qui paraissaient avoir été brusquement transplantées de lointaines provinces chinoises.

« Oh, qu'est-ce que j'ai mal aux cuisses ! lança Judy, alors qu'ils se frayaient un chemin dans la foule.

— Ah oui ?

— Vous savez ce que c'est, quand on a fait l'amour toute la nuit... oh ! peu importe. »

Le voyant rougir et détourner la tête, elle pensa qu'elle était sur la bonne voie. Il était troublé et perdait de sa vigilance. À déjeuner, il avait lâché que l'inspecteur en chef était à couteaux tirés avec le premier département ; ensuite, il lui avait confié que sa femme n'appréciait pas du tout ses nouveaux horaires, et elle en avait déduit qu'il avait quelques problèmes à la maison, mais elle ne l'avait pas incité à lui en dire plus.

Ils s'arrêtèrent à un feu rouge au coin de la rue et, se tournant vers lui, elle redressa son nœud de cravate.

« Là, c'est beaucoup mieux », dit-elle.

Il se raidit deux secondes, puis eut un sourire timide. Son petit numéro de fille délurée n'avait jamais fonctionné au bureau, mais manifestement ça marchait auprès de LeVecque. Il s'agissait seulement de ne pas aller trop vite trop loin. Quand on jouait avec l'électricité, il fallait faire gaffe au court-circuit. « Alors, où en est cette enquête sur la bombe ? demanda-t-elle en lui frôlant le bras du bout des doigts. Quand allez-vous procéder à une arrestation ?

— Je croyais qu'on ne parlerait pas de ça. »

Elle réalisa qu'elle avait eu tort d'aller sur ce terrain aussi rapidement : il s'éloignait, devinant qu'elle essayait de le manipuler. Il lui fallait changer sans tarder de tactique.

« Dites, je sais que vous avez mal aux jambes, ajouta-t-il, mais on ne pourrait pas marcher un peu plus vite ? » Il jeta un coup d'œil à sa montre. « Le divisionnaire donne une conférence de presse à 2 heures.

— Mes cuisses, rectifia-t-elle.

— Pardon ?

— Ce sont mes cuisses qui me font mal.

— D'accord. »

Elle leva la tête pour voir six poulets plumés et décapités perchés sur le rebord d'une fenêtre, au deuxième étage d'un immeuble, comme d'étranges créatures s'apprêtant à sauter dans le vide.

« Dites-moi, vous avez déjà joué contre le poulet ? lui demanda-t-elle, saisie par une soudaine inspiration.

— De quoi parlez-vous ?

— Du poulet, à la galerie de jeux. Vous savez, celui qui joue au morpion...

— Venez, nous allons être en retard.

— Ne me dites pas que, depuis le temps que vous travaillez dans le coin, vous n'avez jamais fait une partie de morpion avec le poulet ? »

Avant qu'il ait pu protester, elle l'avait pris par la main et entraîné dans une petite galerie à l'entrée de laquelle une enseigne annonçait MUSÉE CHINOIS – JEUX VIDÉO POULET VIVANT. À l'intérieur, des ados maigrichons étaient rivés à des jeux bruyants baptisés « Combat mortel », « Prédateur », « Arme fatale » et autres titres de contes de fées.

« Écoutez, je ne devrais pas traîner dans des endroits pareils », protesta mollement LeVecque.

Pour toute réponse, elle le saisit par l'épaule et le plaça face à « Oiseau-Cerveau » : un gros coq blanc assis dans une cage jaune vitrée. À la droite du volatile, il y avait une grille de morpion électronique. Au-dessus de la vitre, une pancarte défiait les amateurs : « BATTEZ OISEAU-CERVEAU ET REMPORTEZ UN GRAND SAC DE BEIGNETS CHINOIS ! » Au-dessous, en petites lettres, il était mentionné : « Oiseau-Cerveau est passé à l'émission de Joe Spiegel et à "C'est incroyable". » Le poulet avait bonne presse.

« Vous n'êtes pas sérieuse... », dit LeVecque.

Elle avait déjà glissé une pièce dans la machine. La grille s'alluma, et le coq se dressa sur ses pattes en regardant LeVecque d'un air consterné. Puis il fit un petit pas à sa gauche, et un grand O apparut au centre du morpion.

« À vous, annonça Judy.

— Bon Dieu, grommela LeVecque en déboutonnant le col de sa chemise, comme s'il étouffait soudain. Je n'arrive pas à croire que je suis en train de faire ça. »

Il pressa l'un des boutons placés devant la cage, et un X apparut dans le coin supérieur gauche.

« Alors, c'est pour quand l'arrestation ? » demanda-t-elle.

Il n'osait pas quitter des yeux l'oiseau. « Je préfère ne pas en parler. »

Le coq fit un pas en avant, et un O apparut dans le coin inférieur droit, cette fois. LeVecque se gratta la nuque d'un air irrité autant que perplexe.

« Quoi ! Vous voulez me faire croire qu'après tout ce temps la police n'a pas une seule piste ? demanda Judy.

— Je n'ai pas dit ça. »

Il commençait à suer. Il mit un X au milieu de la grille et recula d'un pas. Le volatile se déplaça en haut et sur la droite, pour le bloquer et s'ouvrir deux possibilités de gagner, alors que LeVecque ne pouvait en bloquer qu'une.

« Bon Dieu, marmonna-t-il. Je vais perdre contre un poulet. Qu'est-ce que vous m'avez fait ? » Il plaça un O dans le carré central.

Feinte et esquive. Elle aurait aimé être comme Bill Ryan et aller droit au but. Mais, encore une fois, ce n'était pas elle qui avait peuplé le monde de petits bureaucrates à l'entrejambe en feu et à l'esprit confus.

Dépité, LeVecque détourna les yeux quand Oiseau-Cerveau compléta sa diagonale de O, gagnant la partie.

Judy chantonnait.

« Ma mère adorait ça... chantonner, dit LeVecque sans la regarder.

— Ah oui ?

— Oui, elle fredonnait chaque fois qu'elle allait faire une bêtise, comme laisser tomber une casserole d'eau bouillante ou prendre un sens interdit. » Il se tourna vers elle, l'alcool des trois bières qu'il avait bues lui donnant un regard alourdi et rougi. « On peut y aller, maintenant ?

— Bien sûr. »

Elle l'attrapa par le bras, et l'entraîna sans qu'il proteste dans Moscou Street, qui n'était pas le plus court chemin pour gagner Police Plaza.

« Bon, vous n'êtes pas dans le coup, c'est ça ?

— Comment ? demanda-t-il d'une voix un peu étranglée.

— Je vois bien que ces messieurs les inspecteurs ont décidé de vous cacher ce qui se passe.

— Je sais parfaitement ce qui se passe ! »

Ils traversaient le petit jardin public derrière le palais de justice. LeVecque regarda un ballon de basket-ball abandonné au pied d'un poteau avec l'envie manifeste de le ramasser et de faire un panier, histoire de montrer à cette jeune délurée de quoi il était capable.

« Ça fait un bout de temps que nous avons un ou deux suspects », lança-t-il soudain.

Elle enregistra l'information sans broncher. « Dans ce cas, pourquoi ne pas les appréhender ? répliqua-t-elle en se rapprochant de lui jusqu'à le frôler.

— Croyez-vous qu'on peut arrêter les gens sans avoir réuni les preuves nécessaires ? Il n'est pas question de donner l'alerte avant d'être passé devant un jury de mise en accusation. »

Elle lui fit face. « Serait-ce pour cette raison qu'ils ont ajourné la remise de décoration au professeur ? »

Il tressaillit, comprenant qu'il en avait trop dit. « Je ne sais pas.

— Est-il l'un des suspects ? insista-t-elle sans le quitter des yeux.

— Je ne peux pas vous répondre, dit-il en enfonçant les mains dans ses poches.

— Confidentiellement...

— Non, non, n'insistez pas.

— Allons, je ne vous demande pas une information à publier.

— Non, c'est hors de question.

— C'est bien ce que je pensais, affirma-t-elle en marchant plus vite que lui, pour offrir à son regard ses fesses moulées de cuir. Vous ne savez rien du tout. »

Soudain, il était comme un ado courant après son béguin, le cœur débordant d'un secret.

« D'où tenez-vous que c'est le professeur ? s'enquit-il.

— Tout le monde le sait. »

En vérité, ce n'était qu'une supposition gratuite de sa part. Bill lui avait appris à penser à contre-courant de son intuition. « Si les enfants sont morts, cherche la mère. Si l'épouse est tuée, cherche le mari... » Si un bus explose, cherche le chauffeur. Si le chauffeur est tué, cherche le professeur. Et puis, quelle raison avaient-ils de repousser aux calendes grecques la remise de médaille ?

« Très bien, déclara LeVecque. Mais ce n'est pas moi qui vous l'ai dit.

— Vous vous contentez de le confirmer.

— Exact. » Il jeta un regard inquiet autour de lui, enfouissant de nouveau les mains dans ses poches. « Puisque tout le monde le sait, la nouvelle doit courir les rues.

— Évidemment.

— C'est un cas assez banal, voyez-vous. Il y a des types qui veulent toujours se faire passer pour des héros.

— Mais c'est un héros.

— Il a monté un scénario dans lequel il s'est donné le beau rôle. Vous avez suivi son marathon médiatique ? »

Elle le regarda en souriant.

« David Fitzgerald est donc le suspect numéro un, n'est-ce pas ? »

La joie qu'elle éprouvait à ce moment ne ressemblait pas à l'abandon *post coitum*. C'était un sentiment plus solide, plus réel. Elle avait réussi ; elle avait mené son travail à bien. Ça ferait le gros titre du *Tribune*, demain. Elle sentait déjà la tape sur l'épaule que lui donnerait Bill Ryan, alors que la main de Nazi viserait beaucoup plus bas.

LeVecque parut se racornir quelque peu en mesurant l'erreur qu'il venait de commettre. Oh, quelle tragédie que la vanité masculine ! se dit-elle, réjouie de l'avoir roulé.

« En tout cas, ce n'est pas de moi que vous le tenez, précisa-t-il une fois de plus.

— Disons que je le tiens de... “sources émanant de la police”...

— Oui, vous pouvez le présenter comme ça. »

Il jeta un coup d'œil au bâtiment gris du palais de justice, comme s'il redoutait soudain la présence de *snipers*. Des pigeons se rassemblaient dans l'herbe, et de vieilles Chinoises faisaient les poubelles à la recherche de bouteilles consignées.

« Vous savez, dans un sens, je viens de placer ma vie entre vos mains, ajouta-t-il avec un rire nerveux. Je crois que nous ferions mieux de ne pas arriver ensemble à la conférence de presse. »

Un instant, elle éprouva un sentiment de culpabilité et souhaita qu'il ne soit pas viré pour son indiscrétion. Mais, d'un autre côté, il pouvait bien aller se faire voir : porte-parole d'une des institutions les plus puissantes de la ville, peut-être même du pays, il mentait aux journalistes et couvrait en permanence toutes sortes de scandales. Elle l'avait seulement amené à lui dire les faits, ce pour quoi il était payé.

« Alors, à bientôt, reprit-il en s'inclinant légèrement, ne sachant trop quoi faire de ses mains. C'était un déjeuner agréable et... je dois vous avouer que c'est la première fois que je me fais plumer par un... poulet. »

Elle lui tendit la main. « À ce propos, ne vous inquiétez pas : je ne caquetterai pas un mot de ce que vous m'avez dit. »

28

Le lendemain, David avait de nouveau rendez-vous à son bureau avec Kevin Hardison. Toute la matinée, il s'était demandé comment il devait réagir à l'incident de la veille sur le parking. Il avait déjà eu des problèmes avec certains élèves. Durant ses deux premières années à Coney Island, il avait essuyé des crachats, s'était fait pousser dans les escaliers et avait manqué prendre une chaise sur la tête. Mais, cette fois, c'était différent. Nasser avait quitté le lycée depuis longtemps, et Elizabeth était sa meilleure élève. S'il faisait un rapport sur ce qui s'était passé, on l'interrogerait sur les raisons d'un entretien aussi... particulier avec elle. « Comment cela, vous l'avez touchée ? » Il valait peut-être mieux qu'il signale simplement le fait à Larry et à la sécurité, au cas où Nasser reviendrait.

« J'ai un bouquin pour ta dissert », déclara-t-il à Kevin.

Il sortit de son sac un exemplaire écorné de *Gatsby le Magnifique*, et le posa sur la table devant le garçon.

Kevin se pencha en avant, et regarda l'ouvrage avec une grimace de dégoût, comme s'il avait devant lui un rat crevé.

« Quoi, vous voulez que j'lise encore ce machin ?

— Pourquoi pas ?

— Allez, mec, c'est rien qu'une histoire de merde avec plein de friqués. J'ai rien à voir avec ces keums, moi ! » Il claqua sa langue d'un air écœuré.

« Tu l'as lu ? demanda David en arquant les sourcils.

— Bien sûr, j'l'ai lu. » Kevin releva le menton. « J'vous le dis, c'est pas mon truc. Pourquoi vous me donnez pas un bouquin où j'pourrais me situer, quoi ?

— Écoute, il ne faut pas toujours t'attendre à ce qu'on te mâche le travail. Des fois, on doit s'accrocher un peu pour rentrer dans un livre. Mais, écoute... » David mit sa main sur la couverture du livre, dissimulant le titre et le nom de l'auteur. « ... Suppose que je te donne un autre livre, un qui mettrait en scène un héros auquel tu pourrais t'identifier. »

Kevin se balança sur sa chaise, peu désireux d'entrer dans le jeu de David tout en sachant que c'était inévitable. « Ouais, d'accord. Et c'est quoi, l'histoire ?

— C'est l'histoire d'un gosse qui démarre avec rien dans la vie. Tout ce qu'il veut, c'est gagner un peu d'argent, d'accord, beaucoup d'argent, bref, se faire une place au soleil. »

Kevin, qui portait de nouveau ses dents-dollars en or, manifesta sa curiosité par un reniflement sonore. « Et alors ?

— Alors, ce type se démène pour sortir du ruisseau et il se livre à toutes sortes de commerces dangereux : trafic d'alcool, jeu, femmes et tout le toutim. D'accord ? Il devient un pur gangster à dix-huit carats. »

Kevin était ferré. « Vrai ? C'est ça, le bouquin que vous voulez que je lise ?

— Absolument. » David n'avait toujours pas ôté sa main de *Gatsby*. « Mais quand notre bonhomme entre enfin dans le grand monde, il s'aperçoit que les gens de la haute sont aussi pourris que ceux des bas-fonds. » Il claqua des doigts. « Ça te plairait de lire ce genre d'histoire ?

— Bien sûr. » Kevin hocha la tête.

« Dans ce cas, lis ça. » David retira sa main, et glissa *Gatsby* vers Kevin. « Tout est là-dedans. »

Le téléphone sonna et Kevin regarda le livre avec un petit sourire contraint, conscient de s'être piégé lui-même en prétendant l'avoir déjà lu.

« David ? David Fitzgerald ? » Une voix de femme. Familière, celle-ci.

« C'est moi-même.

— Bonjour. Judy Mandel, du *Trib.* »

Et lui qui pensait que les médias l'avaient oublié...

Kevin se leva, ramassa *Gatsby le Magnifique* et s'éloigna d'un pas traînant. Mais, arrivé au seuil de la porte, il s'arrêta et se retourna. « J'parie que vous m'avez filé c'machin parce que c'est votre oncle ou j'sais pas quoi qui l'a écrit, lança-t-il en montrant le nom de Francis Scott Fitzgerald sur la couverture.

— Fiche-moi le camp d'ici ! répliqua David en riant. Excusez-moi, Julie, ce n'est pas à vous que je parlais.

— Euh... je m'appelle Judy.

— Alors, excusez-moi encore. »

Il y eut une pause à l'autre bout de la ligne, et il l'entendit fredonner. De sa place, il pouvait voir Gene Dorf, le directeur du département d'anglais, assis dans son bureau, le *Wall Street Journal* étalé devant lui, tandis que dans la salle les autres professeurs corrigeaient des copies ou s'entretenaient avec des élèves.

« Que puis-je faire pour vous, Judy ?

— Je suis en train de rédiger un article sur l'explosion pour l'édition de demain, et je me demandais si vous pouviez m'aider, répondit-elle sur fond de bruits de voix et de sonneries de téléphone.

— Oui. Que voulez-vous savoir ? » Il tendit la main vers son gobelet de café depuis longtemps refroidi.

Il l'entendit chantonner de nouveau, et eut la bizarre impression d'un chatouillis de pattes de mouche sur sa peau.

« David... » Elle respira profondément, et balança le reste de la phrase comme une pelletée de mots. « Je tiens de source policière que vous êtes suspecté d'être l'auteur de l'explosion.

— Je vous demande pardon ?

— La police vous soupçonne d'avoir posé la bombe dans le bus, et j'aimerais savoir ce que vous avez à répondre. »

Il lâcha le gobelet, et le café se répandit sur la copie de Nydia Colone. Il avait l'impression d'avoir reçu un coup de couteau.

« De quoi parlez-vous ? »

Il s'aperçut qu'il avait élevé fortement la voix. Henry Rosenthal et Donna le regardaient depuis leurs bureaux. Même Gene Dorf avait levé les yeux de ses cotations boursières.

« Qui vous a dit ça ? » David se tassa dans son fauteuil en baissant le ton.

Elle avait une fois de plus repris ce fredonnement agaçant. « C'est une question à laquelle je ne peux vous répondre, déclara-t-elle, mais si vous avez quelque chose à me dire je vous promets de...

— Excusez-moi, mais je dois m'en aller. »

Il raccrocha, et regarda l'appareil en priant qu'il ne sonne pas de nouveau. Puis il jeta un regard autour de lui. Tous feignaient d'être absorbés dans leur travail, mais tous savaient qu'il était en train de divorcer. Donna Vitale discutait avec une élève d'origine chinoise prénommée Li. L'équipe de plâtriers poursuivait sa réfection du plafond. Henry se levait pour partir. Shirley Farber était au téléphone. Mais David ne les entendait plus ; il ne captait plus aucun son, si ce n'est le tambourinement de son cœur.

Il trouva des serviettes en papier pour nettoyer son bureau, et s'aperçut qu'il avait deux minutes pour aller aux toilettes avant son prochain cours. *« La police vous soupçonne d'avoir posé la bombe dans le bus... »* Était-ce vraiment ce qu'elle avait dit ?

En sortant, il découvrit que les couloirs, toujours pleins de monde et de bruit, étaient vides et silencieux, telles les rues d'une ville fantôme. Seul était audible l'écho affaibli de ses pas. Où étaient-ils tous passés ?

Il se rendit dans les toilettes réservées au personnel, pour essayer de recouvrer ses esprits. Henry se tenait devant l'un des urinoirs, le visage levé vers le carrelage blanc dans une méditation sereine, comme s'il était au pied d'une haute montagne.

« Henry... », commença David.

Mais que pouvait-il dire ? « Sais-tu ce que je viens d'apprendre ? » « Suis-je éveillé ou bien encore dans mon lit, à faire de mauvais rêves ? »

Henry s'aperçut à peine de sa présence, perdu qu'il était dans la plus longue pisse de l'histoire de l'humanité ; et David se concentra à son tour sur le gazouillis de son propre jet dans l'urinoir, le regard fixé sur l'étrange architecture de la plomberie courant le long du mur.

Henry se reboutonna rapidement, et s'en fut après avoir répondu : « David » avec un bref salut de la tête.

David se demanda si son ami savait. Il regarda la porte se refermer, tout en s'approchant du lavabo pour s'examiner dans la glace. Un homme grand avec une courte barbe et des lunettes. Est-ce bien toi ?

Il donna le cours suivant dans un état second ; puis, comme il sortait de sa classe, il tomba sur Larry Simonetti. « Excusez-moi, David, mais ces messieurs voudraient vous parler. »

L'inspecteur Noonan et un inconnu d'origine hispanique attendaient à quelques pas de là.

« Bonjour, monsieur Fitzgerald », dit « Nosferatu ».

Le timbre de voix du policier suffit à donner une crampe d'estomac à David. Il se tourna vers le proviseur.

« Qu'y a-t-il, Larry ? Vous savez très bien que j'ai un cours dans cinq minutes. »

Larry grimaça un sourire faux comme trente-six jetons. « Ne vous inquiétez pas pour ça, David. Gene Dorf vous remplacera. »

Amal Lincoln et Ray-Za passèrent dans leurs pantalons de bagnard tire-bouchonnant sur des baskets grosses comme des ballons. Un simple coup d'œil leur donna l'heure. Ils avaient vu tant de fois des parents ou des copains à eux se faire ramasser dans la rue et dérouiller sans raison par les flics qu'ils n'avaient pas besoin d'une explication de texte pour comprendre ce qui se passait.

« Allons, dit Noonan en s'avançant, nous sommes de vieux amis. Nous avons juste deux ou trois questions à vous poser. »

Larry Simonetti se hâta de regagner son bureau sans même saluer David.

« J'aimerais vous présenter mon nouveau collègue, ajouta Noonan en se tournant vers l'Hispanique, qui portait un chandail au col en V, une barbe de trois jours et une boucle d'oreille en or. Voici l'inspecteur Gomez. Le roi de l'infiltration dans Brooklyn, avant qu'il entre à la brigade. »

Le sourire charmant du dénommé Gomez n'abusa pas David. « Je sais très bien pourquoi vous êtes là, répliqua-t-il en s'efforçant de garder une voix ferme. La fille du *Tribune* m'a appelé.

— Oh ? » Noonan jeta un regard à Gomez. Manifestement, il ne s'attendait pas à ça.

« Vous comptez m'arrêter ?

— Ha-ha-ha ! » Le rire de Gomez était estampillé forcé. « Où est-ce que vous allez chercher ça ? Personne n'a parlé d'arrestation.

— Non, personne », renchérit Noonan, apparemment perplexe.

À l'évidence, la partie ne se présentait pas comme ils l'avaient prévu. S'ils avaient compté sur l'effet de surprise, ils en étaient pour leurs frais.

« Eh bien, pour tout vous dire, messieurs, déclara David, je n'ai pas l'intention de vous parler. »
L'étonnement des deux hommes ne lui échappa point. Lui-même se surprenait, d'avoir ainsi le cran de leur opposer un refus.
« Allons, monsieur Fitzgerald, protesta Noonan. Nous n'avons jamais dit que nous vous suspections de quoi que ce soit. Éclaircissons cette affaire, voulez-vous ? Nous vous demandons seulement de répondre à quelques questions.
— Ouais, renchérit Gomez en se grattant le menton. Vous n'avez rien à nous cacher, n'est-ce pas ?
— Je... » David se tut à la vue de Seniqua Rollins et d'Elizabeth Hamdy, qui traversaient le couloir à pas lents en le regardant. Deux silhouettes fantomatiques dans un cauchemar.
« Venez, proposa Noonan. Entrons dans un de ces petits bureaux. Nous n'allons quand même pas parler ici devant tous ces gosses ? »
David sentit son scrotum se contracter. S'il décidait d'ignorer les deux hommes et de vaquer à ses occupations, il courrait le risque qu'ils lui tombent dessus et le collent face au mur devant tout le monde. Par ailleurs, en réclamant avec insistance un avocat, il ne ferait que renforcer les soupçons, et si Noonan rapportait l'incident à la presse cela risquait de compromettre ses chances d'obtenir la garde d'Arthur. Tout se passait trop vite ; il avait besoin de prendre le temps de réfléchir...
S'efforçant de ne pas montrer sa peur, il leur fit signe de le suivre dans le couloir, emprunta une porte de secours pour gagner l'escalier menant à l'étage, s'exhortant à recouvrer son assurance et à *faire bon usage de sa matière grise*, ainsi qu'il l'aurait conseillé à un élève. « N'accepte pas le scénario qui t'est proposé. Considère tous les autres choix possibles. »
Les gosses qu'il croisait évitaient son regard, sentant qu'il était en galère et ne voulant pas l'embarrasser. Il percevait les battements de son cœur, un rythme de tam-tam qui lui montait à la tête. Il se demanda soudain si Arthur découvrirait l'article de journal le lendemain matin ou bien s'il en entendrait parler à la télé.
Ils trouvèrent un bureau vide près du labo de sciences. Noonan tira une chaise à lui et la retourna pour l'enfourcher, David en prit une autre, mais Gomez préféra rester debout.

« Je ne sais pas plus que vous ce qui se passe, commença Noonan. Nous n'avons rien révélé à la presse. Je hais tous ces salopards de journaleux, et c'est encore moi qui dirige cette enquête. Alors, s'ils écrivent quoi que ce soit derrière mon dos, ça ne peut être que de la merde ! »

David remarqua que les revers du pantalon de l'inspecteur en chef remontaient sur ses tibias, découvrant des chaussettes ainsi qu'une peau blanche et imberbe de catholique irlandais. Les veines sillonnant le dos de ses mains ressemblaient à de gros vers figés dans une herbe jaune, et il lui parut que les deux hommes étaient aussi tendus et nerveux que lui. Cette dernière observation lui fit considérer la situation sous une lumière différente.

Il se souvenait de son arrestation, à l'âge de dix-sept ans. On l'avait jeté dans une cellule grise et puant l'urine, après qu'un flic du comté de Nassau, un certain McNally, eut essayé de lui foutre la trouille en lui promettant toutes sortes de sévices. Garde ton calme. Souviens-toi de qui tu es. C'est ce qu'il avait appris de cette mésaventure. Ne perds pas la tête.

« Si vous me disiez ce qu'il en est ? demanda-t-il d'une voix posée. J'ai toujours essayé de vous aider.

— Je sais, répondit Noonan. Vous vous êtes montré très coopératif.

— Alors, pourquoi me considérez-vous comme un suspect ? Je n'ai rien à voir avec cette explosion. » Il gardait les mains croisées sur ses genoux, s'efforçant d'afficher le plus grand calme.

« Nous le savons, ça, intervint Gomez, qui se tenait le dos au mur, les bras croisés sur sa poitrine.

— Ouais, vous êtes un brave type, affirma Noonan avec ce sourire pâle qui accentuait encore l'expression sinistre de son visage. Nous voulons seulement vous poser quelques questions, afin de pouvoir réduire la liste des suspects.

— Vous me prenez pour un con ? » éclata soudain David, qui n'avait pas oublié la tronche de McNally, avec sa coupe en brosse et sa façon de jouer tantôt les braves tantôt les méchants flics.

« Quoi ? demanda Noonan, tout sourire disparu.

— Rien. J'aimerais appeler un avocat. » Encore quelque chose qu'il avait appris à dix-sept ans.

« Ma foi, avant ça, vous pouvez tout de même nous accorder quelques secondes, non ? » Noonan sortit son calepin, dont il se mit à feuilleter les pages noircies de notes. « À quelle heure vous avez commencé à rassembler vos élèves pour la sortie prévue cet après-midi-là ?

— Je vous l'ai déjà dit... juste après le déjeuner.

— C'est-à-dire ?

— À 1 heure et demie. Mais, je vous le demande encore... dois-je appeler un avocat ?

— À quoi ça vous servirait ? intervint Gomez. On vous a accusé de quelque chose ? »

David regarda la porte, considérant les choix qu'il lui restait et jaugeant les obstacles qui l'empêchaient de prendre congé des deux zèbres. Il était plus grand et probablement plus fort qu'eux. Mais il risquait tout de même de finir avec les menottes aux poignets et de se voir inculper de résistance à agents de la force publique.

« Pourquoi ne pas m'avoir dit que vous aviez laissé votre sac dans le bus, la première fois que nous avons parlé ? questionna Noonan.

— Je ne sais pas. Après tout ce qui s'était passé, ça m'était sorti de l'esprit.

— Ouais. » Noonan se pinça l'oreille.

« Écoutez, j'aimerais m'en aller, maintenant, déclara David, qui sentait les premières gouttes de sueur se former dans son dos.

— Une petite minute, vous voulez bien ? » Noonan tourna une autre page de son carnet. « Comment se fait-il que vous ayez empêché les élèves de monter dans le bus ?

— Je ne sais pas, dit de nouveau David, conscient qu'il devait mesurer ses paroles avec une extrême attention. Disons que c'était un pressentiment.

— Un "pressentiment", répéta Noonan en jetant un regard entendu à Gomez.

— Disons, précisa David, l'impression bizarre que quelque chose n'allait pas, et puis je voulais compter mes élèves. » La sueur coulait à présent le long de ses reins.

« À quelle heure avez-vous pris votre pause ?

— Ma quoi ?

— Votre pause de la mi-journée. Tout le monde assure que

vous avez disparu pendant une vingtaine de minutes, juste avant que votre classe descende pour prendre le bus.

— C'est exact, j'étais aux toilettes. »

La gueule de bois plus l'angoisse du divorce lui avaient retourné l'estomac et les intestins. Son dérangement ce jour-là lui avait laissé une impression si forte qu'il l'éprouvait de nouveau dans son corps à cet instant, et douta soudain de pouvoir se lever et sortir de cette pièce sans avoir l'air coupable.

« Vingt minutes, remarqua Noonan. Tant de temps que ça ?

— Ça prend le temps nécessaire. »

La porte s'ouvrit, et un petit homme à la peau parcheminée et en salopette noire entra dans la pièce avec une grosse perceuse électrique. On aurait dit un personnage sorti d'un film de Buñuel. Sans un mot, il brancha son outil et se mit à percer des trous dans le mur.

« Excusez-moi, lui lança Noonan. Vous faites quoi, là ?

— Le patron m'a dit de faire des trous, alors je...

— Vous voyez pas qu'on est en train de discuter ? l'interrompit Gomez en lui montrant sa plaque. Dehors ! »

Le petit homme haussa les épaules, débrancha sa perceuse et ressortit. Quelques secondes plus tard, le percement reprenait dans la pièce voisine.

« Pourquoi ne pas nous en avoir parlé avant ? demanda Noonan. Je parle de ces vingt minutes.

— Ça ne m'a pas paru être une information fondamentale, si je puis dire », répliqua David.

Il s'efforçait de se maintenir en position d'équilibre, mais les policiers ne cessaient de le bousculer. Il savait la peur tapie quelque part à la périphérie de son cerveau, prête à fondre sur lui. Les objets dans la pièce perdaient insensiblement leur dimension réelle, devenaient plus gros, tel ce globe pendant au plafond, et il commençait à être pris d'un léger vertige.

« Quelqu'un vous a vu aux toilettes ?

— Je ne pense pas.

— Vous en êtes sûr ?

— Comment voulez-vous que je le sache ? Je n'ai pas gardé la porte du cabinet ouverte. » David tentait de se rappeler s'il avait remarqué des graffitis sur le mur, au cas où l'inspecteur lui poserait la question.

« Alors, il y a un problème, constata Noonan en bougeant sa chaise de place.

— Ouais, y a un problème, répéta Gomez en tirant sur sa boucle d'oreille.

— Parce que vous disparaissez pendant une vingtaine de minutes, et les gens vont penser que vous avez eu largement le temps de déclencher le minuteur du détonateur de la bombe et de ranger le tout dans votre sac. » Noonan pencha la tête de côté pour regarder David. « Vous voyez ce que je veux dire ?

— Il n'y a jamais eu de bombe dans mon sac. » David sentait son cœur battre très vite. Il avait le col de sa chemise trempé de sueur et craignait d'être pris de tics faciaux.

« Au fait, David, lança Noonan en se penchant vers lui. Vous ne m'aviez pas dit que vous avez déjà eu des ennuis avec la police.

— De quoi parlez-vous ? » David porta son regard sur un diagramme épinglé au mur.

« Un certain McNally, aujourd'hui à la retraite, m'a passé un coup de fil, après vous avoir vu à la télé.

— Et qu'est-ce que cette histoire vient faire ici ? rétorqua David. C'était une peccadille, et j'étais mineur. J'ai emprunté une voiture dans le club où je travaillais. Au titre de la loi sur la protection des mineurs, il n'y a même pas de trace judiciaire de cette affaire. »

Il redoutait toutefois que cet épisode de son passé ne soit rendu public. Il savait que, quelque part dans les archives, il y avait une photo de lui adolescent aux longs cheveux et au regard incertain des fumeurs d'herbe.

Ayant marqué un point, Noonan mit une main sur l'épaule de David. « Laissez-moi vous poser une autre question, déclara-t-il. Comment se fait-il que vous n'ayez pas dit non plus que votre père était artificier pendant la guerre ? Et qu'il vous avait probablement appris à manier la dynamite ?

— Mais il me semble l'avoir mentionné, et... Qu'est-ce que vous avez dit ? Mon père m'a appris quoi ?

— Allons, David, c'est vous qui avez fait ça, pas vrai ? tenta Noonan avec un sourire complice du genre on-est-deux-petits-gars-d'Irlande-pas-vrai ?

— J'ai fait quoi ?

— Mis la bombe dans votre sac. C'est dans votre sac que la dynamite a explosé.

— Non, certainement pas ! » David avait l'impression d'avoir reçu une gifle.

« C'est vous, David ! insista Noonan en jetant un regard de biais à Gomez. Nous avons des témoins qui vous ont vu manipuler le minuteur. »

Pendant un bref instant, l'absurdité de la situation déstabilisa David au point qu'il eut le sentiment d'être de nouveau cet adolescent terrifié, dans un poste de police d'Atlantic Beach, face à un flic lui hurlant qu'il venait de gâcher toutes ses chances d'avoir un bel avenir.

Ces hommes essayaient d'exercer sur lui la même terreur. Ils voulaient lui faire mal, lui ôter sa liberté, l'éloigner de son fils. Plus de vingt ans avaient passé, mais rien n'avait changé. Il lui fallait tenir le choc.

« Celui qui prétend m'avoir vu faire ça ne peut être qu'un sale menteur, articula-t-il lentement en regardant tour à tour Noonan et Gomez.

— Non, c'est vous qui mentez, parce que c'est vous qui avez posé la bombe ! » La voix de Noonan avait changé. Il avait l'air aussi dégoûté que s'il venait de découvrir une colonie de cafards dans la pièce. Il se leva de sa chaise et fit quelques pas, comme s'il ne tenait plus en place. « Vous n'aviez pas l'intention de tuer quiconque. Vous vouliez seulement jouer les héros.

— Vous faites une erreur grossière. » David trouva une fissure sur l'un des carreaux noirs et blancs qui recouvraient le sol et, y arrimant son regard, en fit son ancre.

« Voyons, poursuivit Noonan, qui s'était arrêté devant une table chargée de livres et de tubes à essai. Ce sera beaucoup plus facile pour vous si vous nous racontez tout, maintenant. Le juge comprendra que vous ne vouliez blesser personne, mais seulement donner une leçon d'héroïsme à vos élèves.

— Ce n'est pas vrai.

— C'est vous le coupable ! » Noonan frappa du poing sur la table. « Dites-le que c'est vous !

— Je ne suis pas d'accord avec la tournure de cet entretien, répliqua David, les yeux toujours fixés sur le carreau fissuré.

— Espèce de connard, vous n'êtes plus sur un plateau de

télévision, ici ! gueula Noonan. C'est nous qui menons la discussion, pas vous. »

David se leva abruptement. « Dans ce cas, je ne répondrai plus à vos questions. »

Il ne pouvait aller plus loin. Il avait atteint la même limite face à McNally – toutes ces années plus tôt, quand il avait dit : « Allez vous faire foutre. Je suis le fils de Pat Fitzgerald. Mon père était un putain de héros et vous pouvez pas me traiter comme ça !

— Asseyez-vous, monsieur Fitzgerald. » La veine de Noonan battait fort sur la tempe gauche.

« Ouais, reposez votre cul sur la chaise, Fitz, renchérit Gomez.

— Je m'en vais, rétorqua David, surpris par la détermination dont était empreinte sa voix. Et si vous avez quoi que ce soit d'autre à me dire, vous le direz en présence d'un avocat. »

Ça allait. Il avait déjà connu cette situation. Il ne se laisserait pas intimider. Il fallait croire que son père lui avait transmis une certaine aptitude à faire front dans les cas extrêmes. Continue, ne te laisse pas démonter. David sentait à présent une colère froide monter en lui, en même temps que la conviction que, d'une manière ou d'une autre, il sortirait de cette pièce.

« Là, c'est vous qui faites une grossière erreur, dit Gomez en se déplaçant pour bloquer la porte.

— Ouais, ce n'est pas fini, assura Noonan en rejoignant son collègue.

— Excusez-moi, messieurs. » David rejeta les épaules en arrière, et les contourna sans qu'ils tentent de le retenir. « Mes élèves m'attendent. »

Quand il regagna sa brigade une demi-heure plus tard, l'inspecteur Noonan fut informé que l'enquête était désormais du ressort du FBI et qu'il devait communiquer toutes ses notes aux agents fédéraux. Il décrocha tranquillement son téléphone et appela John LeVecque.

« Dis donc, mon salaud, lui déclara-t-il, tu m'as peut-être baisé, mais mon collègue a niqué ta femme. »

29

C'était donc ça, le goût du succès.

Judy Mandel remit son article à la rédaction à 6 heures du soir, puis elle resta pendant trois heures à la disposition des rédacteurs, soucieux de se faire préciser ou confirmer tel ou tel point. Le temps que ce soit terminé, Bill Ryan était retourné chez lui auprès de sa femme invalide, et le dernier carré l'invita à aller arroser son scoop en compagnie d'Espoir de Mort et de Robert « Nazi » Cranbury, connu pour son érotomanie et son sentimentalisme sirupeux quand il était soûl.

Elle préféra rentrer chez elle, dans son petit studio à 1 200 dollars par mois de la 50e Rue Est, pour y dîner d'une salade vieille de deux jours arrosée d'un chardonnay médiocre, et regarder un épisode de *Seinfeld* jusqu'à ce qu'elle s'endorme sur son canapé. Mais elle venait à peine de s'assoupir que le téléphone sonnait. Elle décrocha, et reçut dans le tympan la voix brouillée et frénétique à la fois d'un Nazi bourré.

« Ils sont tous après nous, chérie ! Ton papier, c'est de la dynamite !

— Pourquoi, que se passe-t-il ? » Se redressant, Judy jeta un coup d'œil à la pendule. Il était 23 h 30, et la première édition venait à peine d'être distribuée. Elle fut saisie d'une peur soudaine à la pensée que, si elle avait foiré, il était trop tard pour rattraper le coup.

« Ce qui se passe ? gueulait Nazi. Il se passe que tous les

autres chiens ont capté le fumet et se sont lancés sur notre piste. Alors, t'as quoi, maintenant, poupée, pour relancer la course ? »

Son article avait obtenu un fort écho chez tous les confrères. Le *Times* y allait de son papier sur David Fitzgerald. Le *Post* et le *News* aussi, et, bien entendu, les diverses chaînes de télévision. Pour l'instant, Judy était en tête de la meute, la première qui avait levé la trace. Elle était là où elle avait toujours voulu être depuis qu'elle avait démarré dans le métier. Mais sa position était précaire. Par douzaines, les journalistes étaient vissés à leur téléphone, ratissant les rues, tentant de lui piquer sous le nez le moindre bout d'info qui leur donnerait l'avantage. Elle commençait à avoir peur d'être distancée. Et elle n'avait même pas eu le temps de dormir un peu.

30

Il était près de minuit quand on frappa à sa porte.

David ouvrit sans ôter la chaîne. Découpé par l'entrebâillement, un homme d'aspect ordinaire et propret, au crâne ovoïde et chauve, se tenait dans le couloir, flanqué de six jeunes Wisigoths en blousons de vinyle bleu.

« David Fitzgerald ? » Le déplumé présenta d'une main un badge du FBI et, de l'autre, un document portant le sceau fédéral. « Je suis l'agent spécial Donald Sippes. Nous avons un mandat de perquisition. »

David ôta la chaîne et jeta un coup d'œil audit mandat. « Je ne comprends pas qu'on ne m'ait pas laissé le temps d'avertir mon avocat. »

À la vérité, il n'avait encore personne pour l'assister et comptait sur Beth Nussbaum, qui s'occupait de son divorce, pour lui trouver, ainsi qu'elle le lui avait promis, un confrère spécialisé dans les affaires criminelles.

« Monsieur, nous avons un mandat », répéta Sippes, comme s'il s'adressait à un enfant retardé.

Puis il pénétra dans l'appartement, en tenant la porte ouverte pour ses six collègues.

Quelques secondes plus tard, ils fichaient tout sens dessus dessous, mettant la main sur ce que David possédait de plus intime : les lettres que lui avaient adressées ses élèves, les chemises que lui avait offertes Renee au début de leur mariage, de vieilles bandes dessinées qu'il avait mises de côté pour Arthur, des pages de son célèbre roman inachevé, *Le Pyromane*, des photos, les papiers de son divorce, des disquettes, de vieux journaux, un système solaire en papier mâché qu'Arthur avait confectionné à l'école. La vision seule d'un tel viol lui donnait la nausée, mais les agents poursuivirent leur tâche tels des robots nettoyeurs, indifférents à ses protestations.

David avait l'impression qu'un nuage de sauterelles bleues s'était abattu dans son appartement. Ils retournèrent son matelas et confisquèrent les draps, relevèrent les empreintes sur le jeu de cubes d'Arthur et emportèrent son vaisseau pirate. Ils vidèrent les tiroirs, recueillirent des fibres de la moquette, des écailles de peinture sur les murs, embarquèrent le vieux vélo Schwinn de David. Il avait le sentiment d'assister au démembrement pièce par pièce de tout ce qui constituait son identité.

« Écoutez, je ne suis pas d'accord avec ce que vous faites ! lança-t-il, et je me demande si tout cela est légal.

— Monsieur, vous n'êtes pas en état d'arrestation, répondit Donald Sippes. Nous avons un mandat pour fouiller votre appartement. Il y a déjà eu un attentat à la bombe, et nous n'attendrons pas qu'il y en ait un second. »

Pendant ce temps, le répondeur téléphonique de David ne cessait d'enregistrer les appels des journalistes. Apparemment, l'article de Judy Mandel venait de lancer la meute des chiens de presse avides du sang frais de la curée.

David bouillonnait de rage. Comment pouvait-on lui faire une chose pareille ? Il était innocent. Un modeste enseignant du second degré. Des élèves lui avaient raconté comment des flics qui traquaient des dealers avaient envahi leur maison et tout cassé, avant de s'apercevoir qu'ils s'étaient trompés d'adresse ; mais il n'avait jamais imaginé que cela puisse lui arriver.

Décrochant le téléphone, il tenta de rappeler son avocate, mais il tomba sur le répondeur et en conçut un terrible sentiment d'abandon.

Comme il se retournait, il vit un agent avec une moustache et une tête grosse comme une citrouille ouvrir un placard et y prendre sur une étagère le gant de base-ball qui devait être le cadeau d'Arthur pour son prochain anniversaire en novembre.

« Vous n'allez pas emporter ça ! s'écria-t-il avec colère. C'est pour mon fils.

— Pièce à conviction, répliqua l'homme en jetant le gant

dans une poche plastique avec fermeture à rainures. Le juge dit que ce qui est à vous est à nous. Alors, à partir de maintenant, autant vous y habituer. »

31

Le lendemain matin, Elizabeth Hamdy apprenait que le cours de M. Fitzgerald était annulé jusqu'à nouvel ordre. Disposant de trois heures de liberté avant la classe suivante, elle en profita pour rentrer déjeuner chez elle et remettre ses idées en ordre. Les nouvelles de la perquisition du FBI au domicile du professeur lui inspiraient un sentiment de confusion et d'inquiétude. Elle se fit un sandwich au thon dans la cuisine, mais perdit tout appétit sitôt la première bouchée avalée. Elle ne savait pas trop si elle devait se sentir soulagée ou non que M. Fitzgerald soit suspecté. En tout cas, cela innocentait son frère, qu'elle n'avait pu s'empêcher de soupçonner. Mais elle avait du mal à se représenter son professeur en poseur de bombe : rien dans la conduite ou les propos de ce dernier ne lui donnait à penser qu'il puisse commettre une telle folie.

Elle entendit soudain un bruit de pas dans sa chambre, à l'étage. Grimpant en toute hâte l'escalier, elle surprit Nasser en train de lire son journal intime. Les tiroirs de la commode étaient grands ouverts et ses cahiers jonchaient le sol.

« Mais qu'est-ce que tu fais ? » s'écria-t-elle.

Son frère leva les yeux de sa lecture. « Qu'est-ce que ça signifie, ce que tu as écrit, ici ? demanda-t-il. *"Je sens des choses monter en moi. Il faut que j'en parle à M. Fitzgerald."* De quoi parles-tu ? De sexe ?

— Donne-moi ça ! » Elle se jeta sur lui et lui arracha le carnet.

« C'est ce sale type qui te met ces cochonneries dans la tête ! cria-t-il en se levant, furieux. Il veut te séduire. Il faut te ressaisir.

— Me ressaisir, moi ? C'est toi qui me dis ça, toi qui as giflé mon professeur ? Toi qui es dans ma chambre ! » Elle serra son journal contre elle.

« J'essaie de t'aider. Tu as des devoirs.

— Je n'en ai aucun envers toi.

— Oh, que si ! Pour commencer, tu as le devoir de respecter l'honneur de ta famille.

— "L'honneur de ma famille" ? Tu n'as pas le droit d'entrer ici et de me parler de l'honneur de la famille ! riposta-t-elle en se tournant vers lui avec fureur.

— Si, j'en ai le droit ! Parce que je suis le seul dans cette maison qui entretienne la mémoire de notre terre ! » Il sortit de sous sa chemise la clé rouillée et la brandit devant lui comme une arme. « Tu vois ? Tu vois ?

— Quoi ? » Elle baissa les bras d'un air de dégoût et de lassitude. « Tu crois que tu peux régenter ma vie au nom de ce bout de ferraille ?

— Un "bout de ferraille" ? Tu appelles cette clé un bout de ferraille ? » Il avait l'air profondément blessé. « C'est la clé de la maison où est née notre mère. Comment oses-tu en parler ainsi ?

— Dis-moi, Nasser, tu ne l'as jamais examinée de près, cette clé ? rétorqua Elizabeth avec une égale véhémence. Tu n'as jamais remarqué qu'elle avait la marque Yale gravée dessus ?

— Qu'est-ce que tu racontes ?

— Combien de vieilles serrures en Palestine sont fabriquées aux États-Unis ? Tu ne t'es jamais posé la question ? Ce n'est pas la clé de la maison natale ! D'accord ? Probable qu'elle ouvre une porte quelque part dans la 4e Avenue. »

Il la regarda d'un air de stupeur et d'effroi, comme s'il prenait soudain conscience que le sol allait se dérober sous ses pieds. « Ce n'est pas vrai, répliqua-t-il. C'est ce prof qui te met toutes ces idées en tête !

— Vérifie toi-même, si tu ne me crois pas », dit-elle, exaspérée.

Mais, au lieu d'examiner la clé, il la glissa de nouveau sous sa chemise. « Tu mens, affirma-t-il, et c'est ce professeur qui t'apprend à mentir. La salive de cet homme est comme le venin du serpent. Ce qu'il veut, c'est détruire notre famille.

— N'importe quoi ! s'exclama Elizabeth d'une voix tremblante en serrant plus fort le journal contre sa poitrine.

— Oui, il veut faire de toi sa putain ! lança Nasser en s'avançant vers elle. Tu l'as écrit toi-même ! C'est à toi de regarder la vérité en face ! »

Il essaya de lui prendre le journal, mais elle le frappa du poing dans le creux de l'épaule. « Ne me touche pas ! Sors de ma chambre ! »

Il recula, surpris et furieux. « Qu'est-ce qui te prend ? dit-il en la regardant comme s'il ne la reconnaissait pas. Je t'aime. Tu ne vois donc pas ce que tu es en train de nous faire ?

— Sors d'ici. Je te déteste.

— Qu'est-ce que tu as dit ?

— J'ai dit : "Sors d'ici... je te déteste." »

Il se jeta soudain sur elle et, la poussant sur le lit, tenta à nouveau de lui arracher le journal. Elle se défendit à coups de pied, et lui griffa le visage en hurlant : « Va-t'en, espèce de malade ! » Ils luttaient souvent ensemble pour s'amuser quand ils étaient plus jeunes, mais le contact entre leurs corps était à présent d'une nature différente. Les tendons et les muscles n'obéissaient plus aux mêmes injonctions. Ils étaient plus grands, la maison plus petite. Elizabeth eut soudain le sentiment que c'était sa propre âme que son frère s'efforçait de vaincre. Elle s'empara du casque qu'il lui avait offert, et s'en servit pour lui taper dessus.

« Pour l'amour du ciel ! »

Ils tournèrent la tête en même temps, et virent leur belle-mère, Anne, sur le seuil, une corbeille de linge sous le bras.

« Que fais-tu dans la chambre de ta sœur ? » demanda-t-elle avec colère à Nasser.

Elizabeth se dégagea de lui, et il se leva lentement, le souffle court, en rentrant sa chemise dans sa ceinture. L'air semblait chargé d'hostilité.

« Vous ne pouvez pas comprendre, dit-il à cette femme qu'il avait toujours haïe. J'essaie de sauver ma sœur, et ça ne doit pas avoir de sens pour vous. Vous n'êtes pas musulmane. Vous n'êtes même pas de la famille.

— Parfait, répliqua Anne. Dans ce cas, je te prierai de prendre tes affaires et de quitter cette maison.
— Elizabeth, dis-lui que je voulais t'aider. »
Mais la jeune fille s'occupait déjà de réparer le désordre de sa chambre. « Anne a raison, répondit-elle. Il est temps que tu nous laisses en paix. »

32

David Fitzgerald avait eu l'impression d'exploser en mille morceaux et, à présent que ceux-ci retombaient, il ne savait pas comment les recoller.

Larry Simonetti lui avait téléphoné de bon matin pour lui conseiller de ne pas se rendre au lycée. « J'en ai déjà discuté avec le syndicat, lui précisa-t-il. Vous continuerez de toucher votre salaire, mais il est préférable que vous restiez chez vous pendant quelque temps. »

Dans l'intervalle, le FBI avait fait razzia dans la maison de sa mère, à Long Island, confisquant les vieux fusils et les grenades souvenirs de son père, comme s'ils étaient la preuve d'un lien avec quelque milice terroriste d'extrême droite. David avait appelé sa mère, qui séjournait en Floride, pour la calmer et la rassurer, avant de reprendre ses entretiens avec la foule d'avocats impatients de se charger d'une affaire promise à une intense médiatisation.

« Ils n'ont rien épargné, à ce que je vois, disait son dernier visiteur, un baveux dénommé Ralph Marcovicci, en promenant son regard sur le salon dévasté. Imaginez ce que cela aurait été s'ils n'avaient pas eu de sympathie pour vous. Comment votre propriétaire prend-il la chose ?

— Mal, répondit David en lui apportant une tasse de café en poudre, les agents ayant démoli sa cafetière électrique. L'immeuble appartient à l'université Columbia, j'ai négocié la location de cet appart avec un type qui s'occupe de leur patrimoine immobilier. J'ai choisi ce quartier pour être près de mon fils, et je suis censé occuper les lieux jusqu'à ce que j'aie terminé mon doctorat.

— Eh bien, ils ne peuvent pas vous foutre dehors, maintenant que vous devez rester à la disposition du FBI », constata Marcovicci, bonhomme aux joues roses et au torse en bouteille de Perrier, coiffé d'une banane de rocker et pesant au moins cent cinquante kilos.

Il était accompagné d'un confrère nommé Judah Rosenbloom, qui portait ses longs cheveux gris en cadogan et des lunettes à épaisse monture, et était aussi maigre que son compère était gros.

« Je sais que Beth vous a recommandés, dit David, mais il me semble vous avoir déjà vu quelque part.

— J'ai plaidé quelques affaires importantes ces dernières années. » Ralph prit la tasse que lui tendait David et s'assit, faisant disparaître sous lui la seule chaise restée intacte après le raid fédéral. « Vous vous souvenez de la Lolita de Larchmont ? demanda-t-il.

— Euh... oui.

— Et de ce tueur surnommé Boum-Boum, ce strip-teaseur qui a flingué deux clients dans le club où il travaillait ? Il y a eu aussi celui qu'on a appelé le Flic à la Pin-Up. »

David secoua la tête. Il mesurait l'étendue de ses ennuis, mais il n'avait pas besoin d'une vedette de ce calibre. « Ma foi, je... »

Judah Rosenbloom prit le relais de son associé. « David, je veux que vous le sachiez : pendant des années j'ai défendu avec passion les plus déshérités et je n'ai jamais hésité à plaider pour les clients les plus impopulaires. À la vérité, c'est la mission de tout avocat qui se respecte. » Il parlait vite et avec fièvre, comme s'il s'attendait à être jeté hors de la pièce. « Je crois que les gens de bonne volonté ne devraient pas seulement défier l'appareil du gouvernement, mais aussi démanteler ses institutions, quand elles desservent la cause de la justice... »

David se rappelait maintenant avoir vu Rosenbloom à la télévision, à l'occasion de procès de terroristes et de gros bonnets de la drogue où il s'était illustré.

« Écoutez, je ne suis pas sûr d'avoir envie que vous preniez ma défense.

— Pourrais-je savoir si vous avez contacté d'autres avocats ? s'informa Judah.

— J'en ai vu quelques-uns, et mon syndicat doit en approcher d'autres. » David se souvenait non sans malaise de sa conversation de la veille avec le représentant de sa section syndicale.

« Allons, soyez sérieux, intervint Marcovicci. Ce n'est pas un petit avocat de l'Union fédérale des enseignants qui pourra vous être d'un secours quelconque dans une affaire d'homicide.

— Pour autant que je sache, je ne suis accusé d'aucun crime.

— Ne vous méprenez pas, ami : vous êtes sur la sellette. Vous n'avez donc pas jeté un coup d'œil dehors ? »

Marcovicci se leva pesamment de son siège pour s'approcher de la fenêtre. Il écarta le rideau, et pointa un index boudiné sur la soixantaine de journalistes assiégeant l'entrée de l'immeuble puis sur la vingtaine de véhicules de régie garés en double file dans la 112e Rue Ouest.

« Vous êtes déjà dans le box des accusés, au grand tribunal de l'opinion publique. Et les médias sont en train de vous passer à la moulinette thermonucléaire.

— La quoi ?

— La moulinette thermonucléaire, répéta Marcovicci en moulinant de ses mains potelées. Les médias tiennent la manivelle, et ils vont vous moudre jusqu'à vous réduire en poussière. Ils n'ont pas besoin de vous mettre les menottes : votre réputation a déjà eu la tête tranchée. Avez-vous entendu les commentaires des voisins de votre mère et de vos propres élèves ? Ils n'ont tous qu'une hâte... c'est aller cracher sur votre tombe. “Qui l'aurait cru... un homme à l'air gentil comme tout”... »

David, dont les meubles avaient été soit démantelés soit emportés, en fut réduit à s'asseoir sur la moquette, comme au bon vieux temps hippy. « Ce que pensent les imbéciles aurait-il un poids judiciaire ?

— Sans le moindre doute, dit Marcovicci en gloussant. Vous oubliez que tout jury est d'essence populaire. C'est l'homme de la rue qui vous jugera, à défaut de pouvoir vous lyncher.

— Mais je suis innocent ! s'exclama David en serrant les poings de colère.

— Bien sûr que vous l'êtes, affirma Marcovicci avec, cette fois, un sourire entre indulgence et moquerie. Tous mes clients étaient innocents.

— N'insultez pas mon intelligence, je vous prie ! rétorqua David d'une voix blanche. Mon seul crime est d'avoir empêché mes élèves de monter dans le bus, et c'est le fait d'en avoir sauvé un qui me vaut d'être suspecté aujourd'hui. »

L'incroyable paradoxe et l'insoutenable perversité de sa situation l'avaient laissé sans voix durant ces dernières vingt-quatre heures. Par ailleurs, il n'avait pratiquement pas fermé l'œil depuis près de deux jours. Il était à bout de nerfs.

« David, nous pensons qu'il est urgent de riposter sur-le-champ. » Judah Rosenbloom, qui était demeuré debout, ôta ses lunettes pour les essuyer avec un Kleenex. Ses yeux semblaient plus jeunes que le reste de son visage. « Nous devons à présent définir les termes de cette contre-offensive.

— Mais comment m'innocenter ? Comment laver mon nom ? Vous rendez-vous compte que j'ai rendez-vous demain avec le juge chargé de mon divorce ?

— Le problème, c'est que vous n'avez pas été arrêté...

— Pourquoi serait-ce un problème ?

— Parce que, si vous aviez été appréhendé, nous pourrions aller en justice et vous faire relâcher – ou, mieux encore, les contraindre à abandonner les poursuites à votre encontre, expliqua Rosenbloom. Mais, pour le moment, vous faites seulement l'objet de soupçons, et c'est comme si nous tirions des flèches contre des fantômes. »

David éprouva de nouveau ce sentiment que les choses ne seraient plus jamais comme avant. Pendant tout ce temps, il avait pensé tel Hemingway et réagi tel Henry James, mais sa vie prenait maintenant des dimensions kafkaïennes.

« Alors, que dois-je faire ? Rester assis en attendant que le toit s'écroule sur moi ? Et mon poste ? La garde de mon fils ? Êtes-vous en train de me dire que je vais perdre mon emploi et mon enfant parce qu'il n'y a pas assez de preuves pour m'accuser et m'envoyer devant un tribunal, où j'aurai enfin une chance de me disculper ? Cela n'a aucun sens !

— C'est justement pour cette raison que vous devez vous battre sur tous les fronts, répliqua Marcovicci. Judah s'occupera de la bataille judiciaire, pendant que je me chargerai des médias. Je connais tous les producteurs de radio et de télévision de la ville. Je peux vous faire passer demain soir sur "Dateline" , où vous proclamerez votre innocence...

— Non, merci, dit David en tapant du pied sur le sol. Je ne vais pas recommencer ce cirque. C'est probablement la faute aux médias si j'en suis là. » Il se leva. « Écoutez, je vous remercie de votre visite, mais j'aimerais rencontrer d'autres avocats.

— En êtes-vous sûr, David ? demanda Judah Rosenbloom d'un air inquiet. Avec le tandem que nous formons, Ralph et moi, vous avez le meilleur des Deux Mondes. Allez donc consulter les rubriques judiciaires à la bibliothèque. J'ai plaidé seul pendant seize ans, avant de m'associer avec Ralphie, et je défie n'importe quel ténor du barreau d'aligner autant de succès que moi. »

C'était donc un mariage de raison qui unissait ces deux-là. David prit la carte de visite que lui tendait Judah.

« Je suis persuadé de votre valeur, déclara-t-il aux deux hommes, mais je vous le répète : je ne veux pas recommencer ce cirque. »

Quand Marcovicci se redressa, il donna l'impression d'une montagne surgissant de terre. « Le cirque est déjà dans la ville, remarqua-t-il.

— Oui, mais je n'ai aucune envie d'entrer en piste, repartit David.

— Comme vous voudrez. » Marcovicci referma le col de sa chemise et rejeta ses cheveux en arrière. « Vous savez, des fois les gens me disent : "Ralphie, tu es un clown. Tu ne connais pas la loi." Et des fois je m'avoue à moi-même que j'aurais dû étudier davantage à l'école, lire plus de grands livres. Oliver Wendell Holmes [1], Aristote. La vérité et la beauté. Peut-être aurais-je dû acquérir un plus grand savoir, comme vous-même ou Judah. Seulement voilà : on ne vit plus dans une époque de savoir. » Il agita les mains sur sa poitrine, mimant une paire de seins gigotant, et tortilla comiquement son énorme fessier. « C'est l'époque de "Boum-Boum le Tueur" ! L'époque de "la Lolita de Larchmont" ! Et tout le monde en est convaincu. Alors, si vous vous laissez piétiner par la grande parade des écervelés, c'est à vous seul qu'il faudra vous en prendre, camarade ! »

Le téléphone sonna, et David attendit la seconde sonnerie

1. Écrivain et médecin américain (1809-1894). *[N.d.T.]*

avant de décrocher, redoutant de tomber encore sur un journaliste. « Oui. Qui est à l'appareil ?

— David, c'est Renee. » Elle avait une petite voix.

« Qu'est-ce qu'il y a ?

— Il faut que tu viennes. Tout de suite. Ils sont passés ici. Et je ne peux pas le supporter.

— Oh, merde !

— Oui, c'est ce que je pense aussi. » Elle raccrocha.

David se frotta les jointures sur sa barbe. Il ne pouvait plus tergiverser. Il devait arrêter une décision et choisir un avocat. Judah et Ralph se dirigeaient déjà vers la porte, et David eut l'image d'un canot de sauvetage s'éloignant, le laissant échoué sur un morceau d'iceberg qui fondait à vue d'œil.

« Combien d'honoraires me prendriez-vous ? » lança-t-il abruptement.

Les deux hommes se regardèrent et haussèrent les épaules. « Nous sommes prêts à vous défendre au titre de l'assistance judiciaire, c'est-à-dire gratuitement, dit Judah.

— Mais, naturellement, nous prendrons notre pourcentage habituel sur les dommages et intérêts que nous réclamerons à l'État, intervint Ralph. Votre affaire vaut de l'or, à condition que vous soyez innocent. »

Oui... *à condition qu'il soit innocent*. Le petit détail. David n'hésita que deux secondes avant de déclarer aux deux avocats qu'il acceptait. En cela, il n'obéissait pas seulement à l'urgence de la situation. Ils incarnaient des forces supérieures à la sienne. Ralph avait raison : c'était l'époque des manipulations, des apparences et des faux-semblants. Pour se blanchir aux yeux de la foule, David devrait mettre en scène son innocence.

« J'aimerais que vous preniez ma défense, dit-il.

— Vous faites le bon choix, David, affirma Ralph en lui serrant la main. On va bien se marrer. Souvenez-vous : “La vie est une aventure ou alors elle n'est rien.”

— Qui a dit ça ? s'enquit David.

— Helen Keller. »

33

Tout de suite après sa dispute avec sa sœur, Nasser fit sa valise et s'en alla sans avoir en tête de destination particulière.

Il s'arrêta d'abord devant le lycée, avec l'espoir de revoir M. Fitzgerald – l'homme qu'il tenait pour responsable de tous ses malheurs. Il se gara sur le parking et, en même temps qu'il écoutait la radio, surveilla la porte de derrière. Mais, apprenant soudain par un flash d'information les soupçons qui pesaient sur le professeur, il redémarra.

Grande était sa confusion. Tout allait de travers. D'abord, ce type, Fitzgerald, tentait de séduire Elizabeth. Puis lui-même se faisait chasser de son foyer. Et maintenant, on accusait le professeur d'un acte dont lui, Nasser, était l'auteur. Il était difficile de comprendre comment tout cela pouvait être la volonté de Dieu.

Il appela Youssef, mais Grand Ours n'était pas chez lui. Alors, Nasser prit le pont de Brooklyn, direction Manhattan, avec l'intention de demander conseil au Pr Bin-Khaled. Ayant perdu ses repères, il avait l'impression d'être une bille chutant dans un vide infini. Il avait besoin d'un endroit où faire halte. De nouveau, il tenta de joindre au téléphone Youssef et le Dr Ahmed. En vain. Mais c'était tout aussi bien qu'il n'y parvienne pas, car il ne se sentait pas capable de participer à une nouvelle action, déstabilisé comme il l'était. La clé pendait toujours à son cou. Il n'avait pas osé l'examiner depuis sa querelle avec sa sœur.

Il savait que le professeur donnait ce jour-là une conférence dans une annexe de l'université de la ville, dans la 42e Rue

Ouest. À l'intérieur, les couloirs étaient gris et puaient l'ammoniac. Ils lui rappelaient l'université de Bethléem, où il était allé quelquefois pour y rencontrer des amis. Mais l'atmosphère ici était différente. Ici, il y avait dans l'air de l'énergie et de l'enthousiasme, et les gens étaient convaincus d'avoir un avenir.

La salle 106, un amphithéâtre de trois cents places, était bondée. Nasser repéra une chaise libre dans le dernier gradin, et alla s'asseoir avec une sensation de malaise mêlé de nostalgie. Il était de retour en classe. Mais les étudiants présents avaient dix ans de plus que les lycéens de Coney Island. Ils ressemblaient davantage aux gens que vous croisiez sur le chemin de leur travail. Très attentifs, ils prenaient des notes. Le type d'origine hispanique à côté duquel Nasser s'était installé enregistrait le cours sur un petit magnétophone. Avec son veston, sa chemise blanche et sa cravate, il avait l'air d'un employé de banque. La jeune femme noire assise de l'autre côté de Nasser portait un impeccable tailleur beige. Elle avait couvert deux pages de cahier d'une écriture serrée. Ce n'étaient pas là les enfants gâtés de l'Amérique nourris de télévision, frivoles et superficiels. C'étaient des adultes se donnant la peine de comprendre et d'apprendre. Et Nasser éprouvait le sentiment inconfortable d'être un étranger parmi eux.

En bas, sur l'estrade, son vieil ami et compagnon de cellule, Ibrahim Bin-Khaled, donnait son cours. En entrant, Nasser eut du mal à le reconnaître, tant les années avaient blanchi ses cheveux et sa moustache.

Ibrahim ne devait guère avoir plus de quarante-cinq ans, calcula Nasser, mais on lui en aurait donné soixante. Il avait des gestes lents et précautionneux, comme si tout mouvement brusque devait lui être fatal. *Inch'Allah*, l'homme avait tant souffert, enduré la torture et perdu un fils dans la lutte ! Nasser ressentait une honte douloureuse de ne pas être venu plus tôt voir son ami.

« Dans *Route des Indes*, Forster confronte les points de vue des Anglais, des hindous et des musulmans, disait Ibrahim, tout en dessinant une grotte à la craie sur le grand tableau noir. Mais, évitant la polémique, il nous donne à voir ces amitiés impossibles et le désir des gens de se rencontrer par-delà les frontières... »

Nasser n'avait pas envie d'entendre parler d'amitiés impossibles et de désir cosmopolite. Il voulait des mots capables de le remettre dans le droit chemin, sur la voie de la révolte et de la saine colère. Et ces mots, il savait qu'Ibrahim pouvait les lui donner, mais en privé. L'Hispanique à sa droite feuilleta son exemplaire de *Route des Indes* pour y chercher des références, tandis que la femme à sa gauche croisait gracieusement une jambe galbée sur l'autre et penchait son beau profil noir sur sa page de cahier. Elle lui rappelait cette fille sérieuse et studieuse qu'il dévorait des yeux à la cafétéria du lycée, Aïcha Watkins, encore une qu'il n'avait pas eu le cran d'aborder. Mais cette jeune femme à côté de lui était adulte, elle poursuivait une ambition, alors que lui-même se sentait toujours aussi bloqué, perplexe et renfermé.

Inch'Allah. Il ne pouvait rester ici à attendre la fin du cours. Trop de choses bouillonnaient en lui. Il quitta la salle, et descendit dans le bas de la ville pour prier à la mosquée de la Médina dans la 11e Rue. Il se lava les yeux, les oreilles, le nez et les parties génitales, puis ôta ses chaussures pour réciter une *ishkatar*, la prière des pèlerins égarés. La tempête faisait toujours rage dans sa tête, alors qu'il s'agenouillait et se prosternait sur le carrelage blanc en compagnie d'une douzaine d'autres hommes. Il y avait en lui le désir que lui arrive quelque chose de flamboyant et de violent ; et un autre désir, moins avouable celui-ci, qui tournait autour des femmes : sa sœur, Aïcha, la Noire dans l'amphi. Qu'est-ce que Dieu attendait de lui, à présent ? Pourquoi ne se manifestait-Il pas à lui ? Nasser se sentait coupable. Peut-être n'en faisait-il pas assez pour la foi. Quand on était témoin d'une mauvaise action, disait le Prophète, on devait essayer d'en inverser le cours d'abord avec la main, ensuite avec la parole, enfin avec le cœur. Que faisait-il pour changer le cours de sa propre vie ?

Il roula pendant une heure environ, réalisant quelques courses qui lui rapportèrent 25 dollars. Il était 5 heures de l'après-midi quand il se gara le long du trottoir devant un club, le *PussyCat Lounge*, dans le bas de Broadway. Il n'y était jamais rentré, mais il savait que l'immoralité y régnait. S'il avait envie d'y aller maintenant, ce n'était pas parce qu'il n'avait jamais vu de femme nue ; le faire pour cette unique raison était strictement *haram*. Ses raisons étaient vertueuses : il désirait, selon les préceptes du Prophète, arrêter une mauvaise action sans recourir aux bombes, et répandre la bonne parole de Dieu. Peut-être même trouverait-il en ce lieu de perdition une âme à convertir.

Mais à peine fut-il à l'intérieur avec à la main son petit coran écorné qu'il se sentit détourné de sa mission. Le brûlant tempo de la musique lui alla droit au ventre, lui rappelant ces chansons qu'Elizabeth écoutait le soir dans sa chambre, pendant qu'il était dans son lit au sous-sol. Il se pénétrait alors de la musique qui lui parvenait par le plafond, et finissait par s'endormir, le cœur en paix. C'était un secret qu'il partageait avec elle.

Ici, en revanche, il regardait avec terreur les murs tapissés de miroirs et le comptoir chromé du bar. Il voyait les rangées de bouteilles d'alcool sur leurs étagères de verre, et il avait envie de les briser de ses mains nues. Il y avait un billard, ainsi que des présentoirs vitrés remplis de babioles et d'autocollants pour touristes *I Love New York*, dont la seule présence – même Nasser le comprit – visait à contourner la législation de la ville interdisant aux clubs de consacrer tout leur espace au « divertissement pour adultes ».

« Excusez-moi, monsieur, puis-je vous aider ? » lui demanda une voix mâle derrière lui.

Il sursauta et, en se retournant, se trouva face à une baraque au faciès de boxeur, les épaules un peu serrées dans son costard blanc. Le videur, sans doute.

« Euh... oui, je... j'aimerais rencontrer quelqu'un.

— Par ici, monsieur. »

L'homme l'entraîna dans une salle sombre comme une grotte, où les tables étaient presque toutes vides. Il fallut quelques secondes à Nasser pour s'accoutumer à l'éclairage ultraviolet et découvrir la femme qui dansait sur la scène avec un cache-sexe pour tout vêtement. Sur le mur derrière elle, un écran électronique affichait en chiffres et lettres rouges les cours de la Bourse. À la droite de Nasser, un homme en costume sombre vautré dans un fauteuil contemplait, hébété, les fesses qu'ondulait sous son nez une blonde en string blanc.

Nasser était fasciné et horrifié. Le Grand Châtiment commencerait sûrement ici ; en attendant, il se trouvait dans l'incapacité de bouger, hypnotisé par la nudité des filles, par le clignotement rouge des chiffres.

« Désirez-vous que je danse pour vous ? » lui demanda avec

un sourire glacé une brune moulée dans une robe rouge à paillettes. « C'est seulement 10 dollars jusqu'à 6 heures du soir. »

Il se sentit trembler intérieurement. Par Allah ! c'était le diable en personne qui le tentait, le déchirant de l'intérieur. Oui, non, oui, non. Il avait envie qu'on le touche, et se révulsait à l'idée qu'on le fasse.

Il pensa de nouveau à son ami Hamid, dans la prison d'Ashqelon. Hamid, qui était né une semaine avant Nasser et avait grandi à vingt-cinq kilomètres de Deheisha. Les Juifs l'avaient enfermé dans une pièce en compagnie d'une très belle fille de Naplouse, qui lui assura qu'il serait libéré et qu'on lui donnerait une grande maison à Jérusalem, où ils pourraient s'aimer comme des fous, si seulement il voulait collaborer et servir d'indic. Et Hamid, qui avait promis à ses amis de ne jamais céder, avait regagné sa cellule et, à la première occasion, s'était tranché la gorge, afin de ne pas être tenté.

C'était la même chose qui se produisait ici.

« Vous voulez vous asseoir ? » ajouta la fille en tendant la main vers lui.

Nasser s'écarta d'un bond, comme si elle s'apprêtait à l'envelopper dans les flammes. « Non ! Non, merci. Je dois partir. Je ne peux pas rester ici... »

Et, se détournant, il s'enfuit tant qu'il en avait encore la force.

Sur le trottoir, les gens se hâtaient vers les bouches de métro, impatients de rentrer chez eux, de rejoindre les leurs. Nasser, écrasé par le poids de sa solitude, monta dans sa voiture. Il se faisait tard, et il lui fallait trouver un endroit où dormir. Il démarra, prit la direction de la 23e Rue et de l'hôtel meublé où résidait Youssef. C'était son destin et la volonté de Dieu qu'il revienne auprès de Grand Ours et du Dr Ahmed, pour les aider dans leur mission. Il n'avait nul autre lieu où aller.

34

Dès qu'il en eut terminé avec ses avocats, David fonça à son ancien appartement, dans la 98e Rue. Ce fut Arthur qui lui ouvrit la porte, et il comprit qu'il arrivait trop tard.

« M'man est dans la salle de bains et elle veut pas en sortir, lui annonça le garçon avec sa petite voix de dessin animé j'ai-tellement-peur-que-je-veux-pas-le-montrer.

— Je suis désolé, Arthur. Tu vas bien ? » David s'agenouilla pour serrer son fils dans ses bras, et il sentit le garçon se raidir.

« Des hommes sont venus.

— Je sais. Ils sont venus à la maison aussi.

— Ils ont touché à mes jouets ?

— Non, pas trop, mentit David en se promettant de ranger son appartement avant qu'Arthur y retourne. Et ici, ils ont fouillé dans tes affaires ?

— Un peu, mais ils ont fouillé partout dans la chambre de maman, et elle a commencé à crier et elle s'arrêtait plus. »

David soupira et regarda autour de lui. La visite du FBI avait laissé des traces infiniment moins spectaculaires que chez lui. Ils avaient touché à tout, mais pris soin de remettre un tant soit peu les choses en place : le canapé était légèrement écarté du mur, le bord du tapis relevé, le téléviseur et la stéréo débranchés. Seule la pomme verte à moitié mangée continuait de noircir dans son assiette sur la table basse.

À la colère qu'éprouvait David se mêlait un sentiment d'impuissance. Qu'est-ce que ces gens avaient contre sa famille ? Pourquoi voulaient-ils détruire tout ce qu'il aimait ?

« Dis, papa, qu'est-ce qu'ils cherchaient ? »

D'accord, Fitzgerald, garde ton calme et fais bonne figure, si tu ne veux pas voir s'écrouler sous tes yeux le monde de ton petit garçon.

« Ils sont à la recherche d'un méchant, répondit David. Mais ils se sont trompés en venant ici. Quelqu'un a dû leur donner une fausse information. »

Arthur regardait son père avec une volonté manifeste de le croire. « Et quand est-ce qu'ils vont le trouver... le méchant ?

— Bientôt, petit. Bientôt.

— Et maman, elle ne va plus sortir de la salle de bains ?

— Je vais lui parler. » Il ébouriffa les cheveux de l'enfant et tendit l'oreille pour l'écouter respirer, redoutant une crise d'asthme. « Tu tiendras le coup, mon grand ?

— Ouais. » Sur ce, Arthur prit la direction de sa chambre, où l'attendaient ses chevaliers et ses dragons. « Ils devraient arrêter Anton, ajouta-t-il. C'est un trou du cul. »

David le suivit dans le couloir et frappa à la porte de la salle de bains.

« Renee. C'est fini, chérie. Ils sont partis. »

Pour toute réponse, il l'entendit qui chantonnait : « *Come-on-a-my-House...* – Viens dans ma maison... dans ma maison... »

Il appuya son front contre le battant, ressentant brusquement le manque de sommeil. Pourquoi cela se passait-il ainsi ?

« Écoute, bébé, il faut que tu sortes de là-dedans. Arthur a besoin de toi. »

Il entendit le robinet grincer, puis l'eau s'écouler dans le lavabo.

« Renee, qu'est-ce que tu fais ? Tu ne vas pas te faire de mal, n'est-ce pas ?

— David, pourquoi ces hommes sont venus ? » L'eau qui continuait de couler brouillait sa voix. « Qu'est-ce qu'ils me voulaient ?

— Renee, ouvre cette porte, que je puisse te parler. Je suis en train de perdre ma voix. »

Il espérait qu'il n'aurait pas à enfoncer la porte de nouveau – au risque de lui coller sans le vouloir un autre œil au beurre noir. L'eau cessa soudain de couler. Renee entrouvrit la porte de quelques centimètres. Un rai de lumière découpa la pénombre du couloir, et un œil vert veiné de rouge apparut dans l'entrebâillement.

David prit conscience que le fil auquel s'était longtemps accrochée Renee venait de rompre.

« Ils m'ont fait peur », dit-elle en ouvrant prudemment la porte.

Une terrible odeur frappa David. Sa première pensée fut qu'elle avait tapissé les murs de vomi.

« Sors de là, tu veux bien ? demanda-t-il avec douceur. Ils sont partis, maintenant. »

Elle prit la main qu'il lui tendait et glissa un pied nu hors de la salle de bains. Elle avait bu et pleuré. De la cendre se répandit sur ses doigts alors qu'elle portait sa cigarette à ses lèvres.

« Que s'est-il passé ? ajouta-t-il.

— Ils ont débarqué ici. Ils disaient qu'ils avaient un mandat, mais qu'est-ce que je sais des mandats ? je suis une danseuse, répondit-elle d'une voix haletante, précipitée, en s'essuyant le nez avec le dos de la main. Pourquoi montrer un mandat à une danseuse ? à une actrice ? Qu'est-ce que j'ai à voir avec tout ça, moi ?

— Allons, allons... » David l'entraîna dans le salon et la fit s'asseoir sur le canapé, remarquant au passage que le poster de Margot Fonteyn était de guingois.

« Et puis ils ont commencé à fouiller dans mes affaires, dans mon placard. Ils ont ouvert l'étui du saxo d'Anton, et ils m'ont posé toutes sortes de questions intimes.

— Lesquelles ?

— Oh ! ils voulaient savoir qui tu étais vraiment, qui tu avais pour amis, ce que tu racontais quand tu venais ici, si tu étais capable de faire du mal à quelqu'un, si tu t'y connaissais en explosifs... des conneries, quoi !

— Et qu'est-ce que tu leur as répondu ? s'enquit David d'un ton précautionneux.

— Qu'ils se trompaient, pardi ! Que tu n'étais pas comme ça. Que tu étais quelqu'un de bien. Profondément. » Elle se tut pour se palper la lèvre inférieure. « Enfin, je leur ai dit que tu étais plutôt un brave type. »

Il perçut soudain les signes d'une altération de l'humeur... ce plissement des yeux, cette moue de la bouche.

« Mais ils n'arrêtaient pas avec leur interrogatoire, reprit-elle en se rencognant sur le canapé. Ils me parlaient des armes et des uniformes qu'ils avaient trouvés dans le garage, chez ta mère. Ils disaient qu'un de tes élèves avait raconté à la télé que tu avais apporté une hache en classe. Alors, j'ai commencé à être un peu parano. Je pensais : et si c'était vrai ? Si je m'étais trompée sur lui ? On croit connaître quelqu'un, mais on se leurre. Je veux dire qu'on n'est jamais sûr de rien ni de personne. Après tout, j'imaginais qu'on serait mariés pour toujours, mais ce n'est pas le cas ; alors, il y a de quoi avoir des doutes, non ? Il y a des choses dans ma propre tête que je n'ai jamais confiées à personne.

— Écoute-moi, Renee. » David s'assit à côté d'elle et mit son bras autour de ses épaules. « Je n'ai pas fait ce qu'ils disent, d'accord ? Ils ont seulement essayé de te bluffer, de prêcher le faux pour savoir le vrai. Il se passe quelque chose qui n'a rien à voir avec toi, moi, Arthur ou le divorce. »

Il la sentait trembler sous sa main, et il lui en voulait de tant de faiblesse en même temps qu'il se reprochait d'être incapable de la rassurer. Tout cela est dingue, pensait-il. Elle est en train de sombrer dans la dépression, je suis soupçonné du pire, et nous avons rendez-vous demain avec le juge !

Elle se pencha en avant pour écraser sa cigarette dans le cendrier et frissonna. « Bon Dieu, ils m'ont montré les photos du chauffeur ! Ils m'ont raconté comment il était mort, le crâne enfoncé et le cou brisé. C'était horrible ! J'aimerais me coucher et ne plus jamais sortir de mon lit.

— Tu ne peux pas faire ça, Renee, répliqua David fermement, comme s'il tentait de la faire redescendre d'un mauvais trip. Arthur a besoin de toi.

— Je sais, je sais. » Elle se détourna de lui et tira sur sa lèvre. « Mais j'ai cette photo dans la tête et je n'arrive pas à m'en débarrasser. Je n'arrête pas de songer à lui : il est mort tout seul, sans personne autour de lui. Et je leur ai dit : "Comment peut-on être sûr de connaître quelqu'un ? L'existence n'est qu'un voyage solitaire..." Merde, regarde ce qu'ils ont fait à mon tapis ! »

Se penchant en avant, elle se mit à gratter un coin de l'ouvrage, qui ne présentait pas la moindre tache ou détérioration.

« Ne t'en fais pas, bébé, ne t'en fais pas. » David se leva du canapé et lui tapota l'épaule, jusqu'à ce qu'elle se mette debout.

« Ils ont tout bousillé, lança-t-elle, les joues rouges. Tout bousillé.

— Bon, Renee, déclara-t-il, voilà ce que tu fais à partir d'aujourd'hui : tu ne parles plus à personne, ni au FBI ni à la presse. S'ils appellent ou reviennent, tu leur dis de s'adresser à mes avocats. Je vais te laisser leurs numéros de téléphone. » Il se passa une main sur le front. « Tout cela n'est qu'une terrible erreur, mais je suis certain que ce sera terminé dans quelques jours. »

Pensant soudain à l'audition du lendemain chez le juge, il se demanda s'il était possible de la reporter.

« J'essaie d'être forte, David, murmura Renee en posant son front contre la poitrine de David. J'essaie vraiment.

— Je sais, Renee. Je sais. »

Il la prit dans ses bras, et la serra contre lui en se disant qu'il était le responsable de tout cela. C'était comme si elle était une blessée perdant son sang, et lui un médecin sans instrument pour la soigner. « Veux-tu que je reste ? demanda-t-il.

— Non, Anton ne va pas tarder à arriver. Il... il fera quelque chose », répondit-elle avec un haussement d'épaules plein d'incertitude.

Il l'embrassa sur le front, puis alla dire au revoir à son fils. Il le trouva allongé sur le tapis dans sa chambre, les jambes relevées à angle droit, plongé dans la lecture d'une bande dessinée.

« Tout se passera bien, petit. » David s'assit à côté du garçon. « Et, un jour, tu ne te souviendras même plus de ce qui est arrivé. »

Un mensonge. Flagrant. Pathétique. Et, pis encore, un mensonge qu'il se racontait à lui-même plus qu'à son fils. Arthur ne tourna pas la tête vers lui, se contentant de murmurer un « D'accord » sans conviction.

David lui chatouilla les côtes et se releva. « À propos, ils t'ont demandé quelque chose, les hommes qui sont venus ?

— Seulement ce que je voulais faire quand je serai grand. »

David le regarda, le cœur soudain serré. Quelques jours plus tôt, Arthur racontait à qui voulait l'entendre qu'il désirait être comme son père. « Et qu'est-ce que tu leur as répondu ?

— Je leur ai dit que je voulais être policier. »

35

L'imam Abdel Aziz Ayad était un frêle quinquagénaire aux dents cassées et au regard espiègle. Vêtu d'une robe blanche et coiffé du fez rouge, il s'entretenait avec le Dr Ahmed, Youssef et Nasser, venus lui rendre visite dans son appartement d'Atlantic Avenue, situé au-dessus de la salle de prières.

« Certains, qui prétendent être des hommes pieux, affirment qu'il y a d'autres interprétations du Livre saint, mais tout cela est ridicule ! disait l'imam avec un sourire malicieux. Il n'existe qu'une seule voie, une seule lecture, un seul Dieu. Y a-t-il deux manières de sortir un œuf de sa coquille ? Non, il n'y en a qu'une seule : vous devez briser l'œuf. Voilà ce dont il est question, ici. »

Youssef se leva à moitié. « Veux-tu que j'aille te chercher quelque chose à la cuisine, cheikh ?

— Non merci, mon frère. J'ai mangé tout à l'heure une barre de nougat *halal.* » L'imam, assis en tailleur sur un tapis de prière en laine brune, tendit la main vers sa tasse de thé tout en se tournant vers Nasser pour expliquer : « Cette nation dans laquelle nous sommes en exil est une abomination devant Dieu. Cela ne fait aucun doute. Dieu Lui-même a étouffé sous une couverture les cœurs des incroyants et bouché leurs oreilles avec de la cire. C'est ainsi ! Ils ne peuvent plus accéder à la vérité. Ils ne savent plus rien faire d'autre que répandre le mal autour d'eux. Dieu est sans pitié envers ceux qui sont sans pitié, et c'est pourquoi la guerre sainte est une nécessité. »

Le Dr Ahmed, assis par terre, se balançait doucement, les bras passés autour de ses jambes qu'il avait repliées contre sa poitrine. « C'est de ça que j'aimerais qu'on parle, déclara-t-il. Du Grand Châtiment et de la forme qu'il prendra. »

L'imam sourit d'un air distrait, comme s'il n'avait pas entendu le docteur. « Nous devons les frapper jusque dans leurs foyers, leur faire payer leur infidélité à Dieu. Pourquoi soutiennent-ils Israël ? Parce qu'ils adorent l'argent, et que les Juifs soudoient la Maison-Blanche à coups de milliards de dollars. Ils se disent respectueux des droits de l'homme, mais ils permettent aux Juifs d'opprimer et de torturer notre peuple. Ce sont des hypocrites et des lâches. Aussi devons-nous les combattre et faire les sacrifices exigés par notre juste cause. Il n'y a rien de plus vertueux aux yeux de Dieu qu'un martyr. Pas de plus grand héros que celui qui se bat pour Allah.

— *Allah akbar !* s'exclama le docteur.

— Il n'y a de Dieu qu'Allah ! s'écria Youssef en donnant une tape fraternelle sur le genou de Nasser.

— Un homme qui se contente de prier à la maison n'est rien en comparaison du martyr, reprit l'imam en adressant un regard espiègle à Nasser. Cet homme-là ne rentrera pas au paradis aussi facilement que le combattant. Une heure sur le champ de bataille vaut cent heures de prière.

— *Inch'Allah !* » s'écria le Dr Ahmed.

Nasser appréciait d'entendre tout cela, après avoir été chassé de chez lui. C'était bien d'être en compagnie de ces hommes, à parler de tout ce qui avait de la valeur à ses yeux. Cela lui rappelait ce qu'il avait ressenti aux premiers jours de l'Intifada : le poids de la pierre dans la main, la proximité de ses frères dans les ruelles de Bethléem, ce sentiment d'être là où il devait être et de faire ce qu'il devait faire. C'était avant qu'il vienne en Amérique et se perde.

« Mais, bien entendu, nous devons être prudents. » L'imam appuya un long index sur la poitrine de Nasser. « “Aie confiance en Allah, mais entrave ton chameau.” Tu connais ce dicton ?

— Non, répondit Nasser.

— L'un de ses disciples demanda un jour au Prophète s'il devait attacher sa bête ou bien s'en remettre à Dieu, quand ils voyageaient. Et le Prophète lui répondit : “Fais confiance à Dieu, mais entrave ton chameau.” »

Nasser se mordit la lèvre, l'air songeur. Peut-être s'était-il trompé, en confiant à Dieu le soin de déterminer son destin ?

« J'aimerais qu'on parle de notre prochaine cible, intervint le Dr Ahmed en tapotant le sol de ses doigts. Et, plus précisément, du lieu où une *hadduta* ferait à ces chiens le plus de mal possible. »

L'imam secoua la tête d'un air pensif. « Oui, cela doit être étudié, dit-il d'un air étrangement absent.

— L'idéal serait l'une de ces grandes institutions dont ils sont tellement fiers, affirma le Dr Ahmed, le front barré d'un pli profond. Dommage que nos frères aient manqué leur coup au World Trade Center, il y a quelques années. Mais cela ne veut pas dire que nous ne devons pas viser aussi haut nous-mêmes. De grandes pertes humaines serviraient notre objectif. Aussi ai-je pensé au siège des Nations unies. Il est peut-être possible de poser la *hadduta* dans le parking. »

Le sourire de l'imam avait disparu, et l'homme semblait brusquement inquiet. « Oui, cela aussi devrait être étudié, mais je ne vois pas la nécessité d'en discuter en détail maintenant. »

Le Dr Ahmed, qui ne paraissait pas avoir remarqué l'hésitation d'Abdel Aziz, revint avec ardeur sur son projet.

« Il y a aussi les grands ouvrages comme les tunnels Lincoln et Holland. Par Allah, vous vous imaginez une gigantesque explosion dans l'un de ces deux tunnels ? Il y aurait des morts par centaines, et la circulation serait interrompue pendant des semaines !

— Parfois, il est plus sage de s'en tenir à des entreprises moins ambitieuses », répliqua l'imam.

Nasser, qui observait le chef religieux, se demandait pourquoi cette soudaine prudence de la part de cet homme dont les paroles précédentes les avaient tous enflammés. Craignait-il que leur conversation ne soit entendue par une oreille étrangère ? Y avait-il quelqu'un d'autre dans l'appartement ?

Youssef lui avait dit que l'imam était non seulement un saint homme, mais aussi un combattant. Il avait étudié à l'université du Caire et avait même passé quelque temps à l'université du Wisconsin. S'il s'était battu aux côtés de ses frères contre les Juifs en Israël, il avait également fait preuve de pragmatisme en négociant avec la CIA un soutien militaire pour les moudjahidin en lutte contre l'armée russe en Afghanistan, où il avait rencontré Youssef et le docteur. Alors, peut-être était-il davantage que les deux autres conscient des dangers qui les guettaient ?

« Aie confiance en Allah, mais entrave ton chameau », avait-il conseillé.

« Alors, qu'en penses-tu, cheikh ? s'enquit le Dr Ahmed. Quelle cible choisir ?

— Il se fait tard, répondit l'imam en se levant lentement, et je dois descendre préparer la prière du soir, mais nous aurons l'occasion de reparler de tout ça. Souvenez-vous : il est plus honorable d'être respecté de ses ennemis que de ses amis. »

Il souriait de nouveau, à présent qu'il se dirigeait vers la porte. Youssef courut la lui ouvrir avec déférence. « Paix sur toi, mon frère ! Dieu est le plus grand !

— *Salâm alaïkum.* » L'imam salua Nasser et le Dr Ahmed. « Restez aussi longtemps qu'il vous plaira. Ma maison est la vôtre. Ou bien rejoignez-moi pour la prière dans quelques minutes.

— *Allah akbar*, dit le Dr Ahmed. Nous allons descendre.

— *Inch'Allah* », dit Nasser.

La porte se referma, et le Dr Ahmed tapa dans ses mains d'un air réjoui en se tournant vers Youssef.

« Voilà une bonne chose de faite ! affirma-t-il.

— De quoi parles-tu, frère ? questionna Nasser.

— Mais du feu vert que nous a donné l'imam. Tu ne l'as donc pas entendu ?

— Euh... non. »

Nasser avait beau repenser aux paroles d'Abdel Aziz, il n'avait pas le souvenir que l'homme leur ait accordé ce dont parlait le Dr Ahmed.

« Eh bien, qu'est-ce que tu as ? lui demanda ce dernier en ricanant. Il ne pouvait pas être plus clair, tout de même. Faut-il qu'il épelle toutes choses pour qu'on puisse le comprendre ? Il veut que nous frappions fort, le plus fort possible. »

Avant que Nasser ait eu le temps de contester cette affirmation, Youssef s'asseyait à côté de lui et mettait son bras autour de ses épaules.

« Tout va bien, mon ami, dit-il. Tu es jeune. Mais tu dois écouter avec ton cœur, et pas seulement avec tes oreilles. »

36

Le lendemain matin, David, Renee et leurs avocats respectifs étaient réunis dans le bureau du juge Katherine Nemerson, au 110 Centre Street. David avait essayé de repousser d'une semaine la réunion, dans l'espoir d'être officiellement disculpé d'ici là, mais Mme le juge ainsi que le conseil de Renee, un ancien district attorney, avaient maintenu la date de la rencontre, arguant du fait que la situation présente de David nécessitait une décision rapide.

Enfoncé dans un fauteuil, David contemplait les griffes qui ornaient les pieds du bureau Louis XIV derrière lequel était assise Mme Nemerson, imaginant que c'était dans son cœur qu'elles s'enfonçaient.

« Alors, quel est le problème ? interrogea le juge, une New-Yorkaise d'une cinquantaine d'années réputée pour son franc-parler.

— Votre Honneur, j'irai droit au fait, dit Randy Barrett, le cheveu noir ondulé et des joues rebondies comme des pamplemousses. M. Fitzgerald, ici présent, fait l'objet d'une enquête fédérale. Il est accusé d'avoir posé une bombe destinée à tuer vingt-quatre élèves de sa propre classe. Il est placé sous la surveillance de la police... et sous les projecteurs des médias. Aussi, pour le bien de l'enfant, je demande à ce que son droit de visite lui soit enlevé et que ma cliente obtienne la permission d'emmener son fils hors de l'État.

— C'est la guerre, donc ? » constata le juge en remontant ses lunettes sur son nez.

David eut une grimace de douleur ; il avait l'impression d'avoir encaissé un coup de marteau en pleine poitrine. Il attendait une réplique de son avocate, Beth Nussbaum, mais celle-ci n'était pas du genre agressif. Vieille camarade de lycée à Atlantic Beach, c'était une douce et aimable personne au visage en forme de cœur et aux cheveux blonds vaporeux. David avait souvent redouté qu'elle ne manque de combativité dans les âpres et douloureuses affaires conjugales.

« Votre Honneur, sauf votre respect, ce que dit maître Barrett est ridicule et faux, déclara-t-elle en feuilletant machinalement ses papiers. Mon client n'a pas été arrêté et il ne fait pour l'instant l'objet d'aucune inculpation. »

Ce qui était vrai sur le plan strictement légal l'était moins dans la réalité : il n'y avait pas un seul journal, pas une seule chaîne de télévision qui ne dressât chaque jour une image accablante de David.

« Votre Honneur, je ne suis pas idiot, intervint Barrett. Je connais la différence entre arrestation, acte d'accusation et inculpation. Je veux seulement que l'on considère les faits. Toute la question est de savoir comment M. Fitzgerald pourrait s'occuper de son fils, alors qu'il doit se défendre des présomptions de crime majeur qui pèsent sur lui ? Nous savons tous qu'en cas de confirmation de ces soupçons ce monsieur risque la prison à vie. »

La prison. David s'était efforcé de chasser cette image de son esprit. Il avait rendu visite à des élèves incarcérés à Rikers Island, qui lui avaient parlé des fouilles au corps, des doigts dans l'anus, des coups de matraque dans les côtes, de la perte systématique de l'identité et de toute dignité.

« Je n'irai pas en prison, affirma-t-il. Je suis innocent. »

Il sentit le regard de Renee sur lui. Elle avait de grands cernes noirs et une petite coupure à la lèvre inférieure. Bon Dieu, pourquoi n'avaient-ils pas pu trouver eux-mêmes une solution ? Avait-elle réellement perdu le sens du réel ?

« Alors, où en êtes-vous, monsieur Fitzgerald ? s'informa le juge. Continuez-vous de travailler ?

— Je touche mon salaire, répondit David en se redressant sur son siège.

— Vous n'avez pas répondu à ma question, répliqua le juge en durcissant le ton. Je vous ai demandé si vous donniez toujours vos cours. J'en déduis que la réponse est non, et que votre administration vous a momentanément écarté de vos élèves. »

Beth posa sa main sur le poignet de David, avant qu'il ne réponde lui-même. « Votre Honneur, nous avons bon espoir que M. Fitzgerald sera disculpé et reprendra son travail. Il a engagé les services de Mes Ralph Marcovicci et Judah Rosenbloom.

— Formidable, le cirque Laurel et Hardy ! s'exclama Barrett. Voyez, Votre Honneur, c'est exactement mon propos. Ralph Marcovicci est le Monsieur Loyal du cirque médiatique. On peut être assuré que cette affaire ne manquera pas de caméras de télévision durant les mois à venir. Ce pauvre petit Arthur n'aura pas un moment de répit. Il nous incombe de le protéger et de lui faire quitter la ville. »

David serra les dents et regarda Renee. « Ne les laisse pas nous faire une chose pareille, l'exhorta-t-il. Tu sais que ce n'est pas juste !

— Votre Honneur, veuillez lui dire, je vous prie, de ne pas interpeller ma cliente, intervint Barrett en pointant un doigt accusateur sur David. Il essaie de l'influencer.

— Allons, allons, du calme ! » Le juge leva les mains au ciel. « Je n'ai jamais vu autant d'aigreur pour si peu de chose. » Elle ouvrit l'une des chemises étalées sur son bureau. « Mademoiselle Nussbaum, que pensez-vous de la demande de M. Barrett de donner à sa cliente le droit d'emmener son fils hors de cet État ? »

David et Beth échangèrent un regard peiné. Ils étaient convenus de ne mentionner l'état mental de Renee qu'en cas d'absolue nécessité et de le faire le plus délicatement possible. Mais Barrett ne leur laissait pas le choix.

« Votre Honneur, commença Beth, mon client aime toujours sa femme, mais il est très inquiet à son sujet. Sur la base de ce qu'il a constaté lui-même et de ce que lui en a raconté Arthur, il craint que Renee ne souffre d'une grave dépression nerveuse et ne soit pas en état de prendre soin du petit. Aussi, nous nous opposerons fermement au départ d'Arthur. »

Renee frissonna. Barrett la prit par le coude dans l'intention de la rassurer, mais ne réussit qu'à la faire sursauter.

« Votre Honneur, ceci est scandaleux ! s'écria Barrett. Je

n'aurais jamais pensé que M. Fitzgerald s'abaisse jusqu'à mettre en doute l'état mental de ma cliente. Il n'en a pas le droit.

— Je crains qu'il ne l'ait, rétorqua le juge en tapotant de son index le dossier ouvert devant elle. J'ai sous les yeux le rapport du Dr Ferry, qui fait état de son inquiétude concernant la santé mentale de Mme Fitzgerald. » Elle remonta ses lunettes sur son nez. « Nous voilà donc confrontés à un problème. D'une part, M. Fitzgerald est dans la situation que nous connaissons, pris entre la presse et le FBI, ce qui n'est pas sans conséquences traumatiques pour la mère et l'enfant. Et, d'autre part, Mme Fitzgerald ne semble pas capable de s'occuper seule de son garçon. Alors, qu'allons-nous faire ? »

Elle ouvrit les mains en promenant son regard sur les quatre personnes présentes, attendant leurs suggestions ; mais tout le monde regardait par terre. David, les doigts serrés autour des accoudoirs de son fauteuil, remarqua que Renee enfonçait les talons de ses chaussures dans le tapis.

« Voulez-vous que cet enfant soit confié à une famille d'accueil ou à quelque membre de la famille ? demanda Mme Nemerson.

— Non, répondit David.

— Non », fit en écho Renee d'une petite voix.

David la regarda avec reconnaissance, mais elle avait déjà détourné les yeux et tirait sur sa lèvre.

« Parfait, dans ce cas, essayons de trouver une autre solution. » Le juge ôta ses lunettes pour se masser l'arête du nez. « M. Barrett a certainement raison, quand il dit que toute cette pression médiatique et policière risque d'avoir des effets néfastes sur l'enfant. » Elle s'adressa à David. « Monsieur Fitzgerald, vos avocats ont-ils une idée du temps que durera l'enquête dont vous faites l'objet ?

— Elle ne devrait pas être longue, Votre Honneur. Le FBI n'a pas la moindre preuve contre moi, et pour cause. »

Le juge Nemerson pencha la tête de côté d'un air sceptique. « Écoutez, en attendant que votre situation s'éclaircisse, dit-elle à David, je suis obligée de voir les choses du point de vue de M. Barrett. Je ne vais pas vous interdire les visites à votre enfant, mais je vais néanmoins les réduire, car les risques de dommages sur votre fils sont réels. »

David sentit les griffes s'enfoncer plus profondément dans son cœur. Pense à Arthur et à tes élèves, s'exhorta-t-il. C'est la seule façon de t'en tirer.

« Alors, voilà ce que nous allons faire, poursuivit le juge en feuilletant un agenda. Nous prendrons la décision de la garde de l'enfant dans quatre semaines, le 16 du mois prochain, de manière à clore l'affaire une fois pour toutes, monsieur Fitzgerald. » Elle se tourna vers Renee. « Vous, madame Fitzgerald, vous continuerez de consulter votre psychiatre et de suivre scrupuleusement l'ordonnance qu'il vous prescrira. Par ailleurs, j'attendrai de lui qu'il m'informe régulièrement de votre état. Si jamais vous décidiez de quitter la ville avec votre enfant, vous devriez en répondre devant la loi... Quant à vous, monsieur, poursuivit-elle à l'intention de David, je vous conseille d'avoir régularisé votre situation avec la police et la direction du lycée avant la date de l'audition, car je m'appuierai là-dessus pour arrêter ma décision concernant la garde de l'enfant.

— Mais, Votre Honneur, ce n'est pas juste ! s'exclama Beth Nussbaum d'un air peiné. Mon client n'a aucun pouvoir sur sa situation présente. Vous le pénalisez, alors qu'il est soupçonné d'un crime auquel il est complètement étranger !

— Et que faites-vous des dommages subis par ma cliente et son fils, pris au milieu de ce cirque médiatique de tous les instants ? protesta Barrett.

— Dites-moi, déclara doucement le juge aux deux parties. Est-ce que je ressemble à Salomon ? »

37

Le lendemain de leur réunion avec l'imam, Youssef, le Dr Ahmed et Nasser se mirent en devoir de préparer le prochain attentat.

Ils louèrent un garage dans Sunset Park, à Brooklyn, pour y entreposer les explosifs et confectionner la *hadduta*. Puis ils trouvèrent à proximité un misérable logement à 600 dollars le mois, où le docteur et Nasser, lassés de dormir par terre dans le salon de Youssef, pourraient s'installer pendant quelque temps.

Avant l'heure du déjeuner, le Dr Ahmed remit à Nasser la liste de ce dont ils auraient besoin, notamment cent kilos d'engrais au nitrate d'ammonium, cent gallons d'essence et six grands fûts vides pour y mélanger les produits. Après les locations du garage et de l'appartement, il ne subsista presque rien de leur dernier braquage.

« Achète ce que tu peux, dit le Dr Ahmed en tendant quatre coupures froissées de 20 dollars à Nasser. Nous collecterons le reste. Et souviens-toi : prends par petites quantités dans plusieurs magasins, sinon ces incroyants pourraient se demander qu'est-ce que peut faire un jeune Arabe d'une telle quantité d'engrais et de carburant. »

Nasser empocha l'argent et se rendit en voiture chez un marchand d'articles de jardinage dans Borough Park. Sur le trottoir, la vue des Juifs orthodoxes dans leurs robes de soie noires, leurs chapeaux de fourrure et leurs bas noirs lui arracha une grimace de dégoût. Il se gara devant un étal de légumes, avec des tomates d'Israël à 79 cents pièce. Des tomates d'Israël ? Il avait envie d'en prendre une et de l'écraser sur le pavé. C'étaient des tomates palestiniennes, cultivées dans une terre rougie du sang arabe. Par Allah, ces infidèles méritaient leur châtiment !

Il entra dans le magasin encombré de râteaux et de tondeuses à gazon tout en se demandant quelle cible ils choisiraient. Une synagogue ? Un lieu aussi symbolique que les Nations unies ? Il avait envie quelque part en lui de recommencer au lycée, pour se rattraper de son échec précédent, que le Dr Ahmed ne manquait jamais de lui rappeler...

Nasser prit deux sacs d'engrais de vingt-cinq kilos, après avoir vérifié qu'il entrait au moins 34 pour 100 de nitrogène dans sa composition, ainsi que le docteur l'avait spécifié. Oui, le lycée serait une cible parfaite. Il se vengerait de M. Fitzgerald, qui essayait de séduire Elizabeth. Ce souvenir l'emplissait de rage. Il avait honte d'être impuissant à prévenir une telle infamie. Qu'avait dit leur mère au sujet de la perte de l'honneur familial ?

Il déposa les deux sacs sur le comptoir, et le jeune Portoricain tout en muscles qui tenait la caisse ouvrit de grands yeux.

« Ouah, mec, t'as besoin de tout ça ?

— Oui, répondit Nasser en plongeant la main dans sa poche pour sortir son argent.

— Rien qu'avec un sac, insista le garçon en jetant un coup d'œil au mode d'emploi sur le côté du sac, tu couvres cinq mille mètres carrés. T'es sûr de vouloir les deux ?

— J'ai une ferme », dit Nasser.

Oui, pensa-t-il, j'en ai une quelque part, mais les Juifs me l'ont volée.

« 27 dollars chaque, plus les taxes. » Le caissier tapota nonchalamment le sac avant d'enregistrer l'achat sur le clavier de la caisse. « Paraît que ça donne une belle couleur verte aux pelouses, c'machin. Comme la Cité d'Émeraude, hein ?

— Quoi ? » Nasser posa trois coupures de 30 sur le comptoir.

— Tu sais bien : la Cité d'Émeraude, dans *Le Magicien d'Oz* ?

— Ah ! oui. » Il détestait ces petites références que les Américains faisaient à leur propre culture, comme s'ils s'attendaient que tout le monde y réponde avec enthousiasme. Cela le faisait se sentir ignorant et idiot. Ces gens-là ne savaient-ils pas qu'il existait un monde plus ancien, riche de traditions ?

« Et elle est où, ta ferme ? demanda le jeune caissier.

— À Bethléem », répondit sans réfléchir Nasser.

Quel idiot je suis ! se reprocha-t-il, s'en voulant terriblement. Il n'avait pas besoin de regarder autour de lui pour savoir que sa réponse avait attiré l'attention des autres clients. Des Juifs barbus coiffés de la kippa. Des hommes basanés aux gros bras et des garçons au teint olive comme le sien, dont il ne parvenait pas à situer l'origine. Après une réponse aussi bête, il redouta que l'un d'eux ne se souvienne de lui, si jamais la police remontait sa trace jusqu'à ce magasin.

Mais Allah devait veiller sur lui, car le caissier lui répondit en lui rendant la monnaie : « Bethlehem... en Pennsylvanie, hein ?

— Oui, exactement, dit Nasser avec un sourire soulagé. Exactement.

— Je croyais qu'il y avait surtout des aciéries dans le coin.

— Oh ! il y en a, répliqua Nasser en empochant sa monnaie. Mais il y a aussi des fermes, avec des poulets, des vaches et tout ce que Dieu a créé. »

Oui, c'était sûrement un signe de Dieu, pour lui indiquer qu'il était sur le bon chemin. Sinon, son erreur lui aurait été fatale.

« Hé ! t'as pas besoin de ta note ? » lança le jeune Portoricain en agitant le ticket de caisse comme un petit drapeau.

Sur le point de répondre « Non », Nasser se retint. « Aie confiance en Allah, mais entrave ton chameau. » C'était cela que l'imam avait enseigné. Moins il laisserait de traces derrière lui, mieux cela vaudrait. « Oh oui, merci beaucoup. » Il prit le reçu, le fourra dans sa poche et tira les deux sacs vers la sortie.

« Salut, mec, lui dit le caissier. Et suis la route de brique jaune. »

38

« Ce n'est pas moi, dit David.

— Quoi ? »

La Dominicaine à la boutique de vins et spiritueux du coin, une jolie fille qui avait toujours eu pour lui un doux sourire et un mot aimable, évitait maintenant de le regarder.

« Ce n'est pas moi qui ai fait le coup, vous savez. » Le besoin de clamer son innocence le dévorait depuis peu comme une fièvre.

La fille ne lui en rendit pas moins sa monnaie sur le comptoir, au lieu de la lui donner dans la main, comme d'habitude. « Mais je n'ai rien dit », répondit-elle.

Il emporta son pack de douze Rolling Rock dans un grand sac en papier et prit la direction nord dans Broadway. Ces dernières trente-six heures, un sentiment de paranoïa et d'isolement s'était lentement emparé de lui. De vieux amis tels que Henry et Tony Marr, avec qui il faisait de temps à autre du jogging, se montraient distants, quand il leur téléphonait, comme si le David Fitzgerald qu'ils avaient connu était un imposteur. Les gens s'écartaient du comptoir, lorsqu'il s'arrêtait chez *Tom's Diner* pour un petit déjeuner tardif. À la bibliothèque du lycée, il prit sur l'une des étagères *L'Agent secret* de Conrad mais le remit vite en place, parce qu'il comportait le récit d'un attentat à la bombe, et il craignait qu'un tel choix ne fasse l'objet d'une nouvelle rumeur.

Sur le trottoir en bas de son domicile, reporters, cameramen et agents fédéraux maintenaient une faction intimidante. Ils étaient près d'une trentaine en permanence, et il y en avait cinq ou six pour le suivre jusqu'à l'épicerie ou la blanchisserie, où les Coréens derrière le comptoir le regardaient d'un air méfiant.

« Hé ! David, une petite photo, s'il vous plaît ! »

« Comment vous tenez le choc, David ? »

Il devenait l'une de ces horribles créatures ayant accédé à la célébrité pour avoir fait un terrible gâchis de leur vie. Il aurait aimé s'abstraire complètement de cette agitation, mais Ralph et Judah l'avaient chargé de découper tous les articles de journaux dont il faisait l'objet, et d'enregistrer toutes les émissions de radio et de télévision, en vue du procès civil qu'ils projetaient d'intenter.

Et le flot médiatique ne tarissait pas, apportant chaque jour son lot d'humiliations. David alluma son téléviseur en rentrant avec sa bière, et tomba sur Murray Samuels, son entraîneur quand il jouait au base-ball chez les minimes.

« Il était marrant, ce gosse, disait Murray, les cheveux blancs et un bouquet de poils gris dans chaque oreille. Je me souviens que, chaque fois qu'une balle franche venait vers lui à l'extérieur, il fallait qu'il plonge et fasse tout un numéro pour l'attraper et la lever bien haut, pour que tout le monde voie quel cador il était. »

David éteignit le poste d'un air dégoûté, laissant le magnétoscope enregistrer l'émission. Il mit la radio, où sévissait de nouveau cette horrible femme, Patty Samson, psychologue de bazar, qui lui donnait du « David Brian Fitzgerald » (dans toute sa vie, il n'y avait jamais eu que sa mère pour l'appeler ainsi, et seulement lorsqu'elle était en colère). La Samson commença par avancer que David possédait le profil classique du meurtrier solitaire, puis elle enchaîna sur l'obsession qu'il manifestait à l'égard de *L'Attrape-Cœur*. « Le même livre qu'avait sur lui David Chapman, quand il a tué John Lennon », fit-elle observer d'une voix guillerette.

« Nous parlons ici d'une personnalité qui ressent une excitation presque orgasmique à provoquer une catastrophe et à contempler le chaos déclenché. Il ne faut pas avoir une grande imagination pour se figurer quel dysfonctionnement sexuel se cache derrière ce... »

David brancha le magnétophone et sortit de la pièce pour appeler ses avocats.

« Nom de Dieu, je n'en peux plus ! s'exclama-t-il sitôt que Ralph eut décroché. Vous vous rendez compte, si mon fils entend toute cette merde ?

— David, je peux vous faire passer dans six émissions demain, et vous proclamerez votre innocence aux quatre coins du pays, si c'est ça que vous voulez. Mon ami Paul Lindsay meurt d'envie de vous avoir face au public dans une émission en direct.

— Ce n'est pas ce que je veux. N'y a-t-il pas moyen de poursuivre tous ces menteurs ?

— Hé ! David, c'est un pays libre, non ? Liberté de parole, les Pères fondateurs, et tout le baratin. À propos, vous m'avez vu, hier au soir, dans "Live at Five" en train de défendre votre nom ?

— Non, je n'ai pas regardé. » David décapsula une bouteille de Rolling Rock. « Je me suis contenté de l'enregistrer.

— Ma foi, faute de vous voir batailler vous-même sur les ondes et les écrans, c'est le mieux que nous puissions faire pour l'instant. Judah est en train de plancher sur l'approche juridique. »

Le regard de David tomba sur la pile de journaux qu'il avait achetés. La plupart des articles du jour étaient des resucées de la veille, hormis quelque détail aussi sordide qu'imaginaire sur le temps qu'il avait passé ce jour-là aux toilettes, et des commentaires glanés auprès d'élèves et de professeurs laissant entendre qu'ils avaient toujours vu en lui un « bonhomme bizarre ». La seule vraie nouveauté était l'accusation de meurtre que portait à son encontre la sœur de Sam Hall, et son intention de poursuivre en justice le lycée. C'était moche. Quant aux photos de lui qui s'étalaient partout, elles étaient autant de coups bas : il n'y en avait pas une seule où il n'eût l'air idiot, méchant, coléreux, honteux et, surtout, coupable.

David éprouva soudain une sensation d'étouffement, comme si l'air de la pièce se raréfiait. « Ralph ? Je vous rappellerai. Il faut que j'aille faire un tour, respirer. »

Il raccrocha et resta assis pendant quelques minutes, finissant sa bière. Que faire, maintenant ? Il réalisait brutalement l'importance qu'avaient ses tâches routinières d'enseignant dans la trame de son quotidien. Se lever tôt le matin, préparer ses cours, corriger les devoirs, faire sa classe, recevoir les parents, s'entretenir avec les élèves qui le désiraient, écrire des recommandations pour ceux qui postulaient l'entrée dans un collège, discuter avec l'administration. Privé de tout cela, il ne savait plus comment s'occuper.

Il se dit qu'il avait le plus grand besoin de quitter la ville, bien qu'il n'eût pas les moyens de voyager. Il ne devait pas voir Arthur avant quatre jours et il se rappelait être parti, enfant, camper avec son père dans le parc national de Fahnestock. C'était l'un des rares bons souvenirs qu'il gardait du vieil homme. L'odeur du feu de camp et la vision du halo bleu autour des marshmallows qu'il faisait griller au bout d'une brindille lui revinrent... Dommage que, la nuit tombée, son père l'eût effrayé avec des histoires d'ours et de serpents, avant de s'endormir, le laissant tremblant dans son petit sac de couchage.

Judy Mandel caracolait toujours en tête du peloton, tout en redoutant d'être rattrapée, voire dépassée. Elle se voyait mal faire le pied de grue avec les autres devant la porte de David Fitzgerald. Elle avait besoin d'une piste fraîche. « Trouve le fossoyeur, disait souvent Bill Ryan. Quand ils enterrent le Président, parle avec le fossoyeur. C'est ça, l'angle neuf. »

À la place du fossoyeur, elle s'en fut traquer l'épouse. D'autres avant elle avaient essayé. Channel 2 avait posté une équipe dans la 98e Rue Ouest pendant une bonne partie de la nuit, mais ils n'avaient récolté qu'un minable commentaire de son avocat à la tronche porcine, Randy Barrett. Le reste du temps, le portier montait bonne garde et aidait Renee à sortir en douce de l'immeuble. Mais, dans une poussée d'adrénaline, Judy fit un pas de plus dans le cynisme et l'impudeur, et obtint par l'Internet l'adresse de l'école que fréquentait Arthur.

Ce matin-là, elle se pointa devant l'établissement, les cheveux en bataille, affublée d'un fuseau de jogging, de vieilles tennis, et d'une chemise à carreaux trois fois trop grande pour elle. Ainsi, elle ne risquait pas d'attirer l'attention des autres femmes au foyer venues déposer leur rejeton à l'école avant de remonter faire le ménage.

Elle repéra une rousse à l'air inquiet qui ressortait de l'école à 8 heures et demie, et reconnut Renee d'après la photo de permis de conduire qu'elle avait également piratée la veille sur son ordinateur. Assurément, une accro à la caféine, la maman du petit : jetant un regard alarmé par-dessus son épaule, tirant sur sa lèvre et allumant une cigarette, le tout en descendant les six marches du perron. Judy se félicita de s'être arrêtée chez Starbucks et d'avoir acheté deux cafés à emporter, histoire de faire amie-amie avant de tenter une interview. Manifestement, Mme Fitzgerald était en manque...

En manque d'une petite conversation avec une vieille amie ? Judy s'avança en agitant amicalement la main. « Renee ! Comment allez-vous ? »

Les employés de Hertz, au bureau de location de véhicules dans la 76e Rue Ouest, n'en revinrent pas quand David leur présenta son permis de conduire ; ils se réfugièrent dans l'arrière-boutique pour jacasser et lui jeter des regards furtifs. Même les gars du garage paraissaient effarés.

Qu'est-ce que ça peut foutre ? pensa David. J'ai la vieille tente militaire de mon père, une glacière remplie de bières et de viande froide, et une belle journée d'automne devant moi. À midi, il démarra dans une Ford blanche, entraînant dans son sillage un convoi de fédéraux dans trois voitures banalisées, plus la horde motorisée des journalistes. Ils le suivirent dans Henry Hudson, puis Saw Mill, avant d'être rejoints par deux fourgons de la télévision à l'entrée de Taconic Parkway.

Deux heures plus tard, David se garait sur le parking en bordure de la forêt. Il descendit de voiture et s'emplit les poumons d'air pur et frais. Mais le temps semblait se gâter. La température se rafraîchissait rapidement pour une journée d'octobre, et il regretta de ne pas avoir emporté une canadienne.

Il compta une douzaine d'agents et autant de reporters arrêtés à une centaine de mètres de là, telle une bande de loups attentifs. Bien que l'idée lui parût absurde, il était possible qu'ils le soupçonnent de venir déterrer quelque cache d'armes.

David suivit la lisière des sapins, passa devant une mare, grimpa une colline pentue et s'arrêta sur un minuscule plateau rocheux qui dominait une combe envahie de buissons aux feuilles brunies. Une buse volait en cercle au-dessus de lui. Et, tandis que les agents fédéraux et les reporters épiaient de derrière les arbres, cent cinquante mètres plus loin, David eut le sentiment d'être un animal traqué par des chasseurs et des photographes animaliers du *National Geographic.* Décidant de les ignorer, il entreprit de monter sa tente, avec le regret d'avoir perdu la notice de montage.

Comme la température chutait encore et que le ciel laiteux virait au gris puis au bleu marine, les gens de la presse décrochèrent, jugeant qu'il ne se passerait rien d'intéressant. David fit griller quelques saucisses sur son petit Camping-Gaz, et rentra sous la tente sur le coup des 8 heures, pour boire de la bière et lire Emerson à la lumière d'une lampe de poche. Il se sentait bien et avait le sentiment de s'être enfin posé quelque part, un homme dans son élément. Pourquoi n'avait-il pas fait ça plus tôt ?

Et puis il se mit à pleuvoir. Il n'y eut même pas de bruine annonciatrice, pas d'humidité particulière dans l'air. Il semblait qu'un rideau s'était ouvert dans le ciel, libérant une pluie drue qui eut tôt fait de s'infiltrer par les pans mal arrimés de la tente et de tremper David jusqu'aux os. Les merveilles de la nature ! Il tenta de redresser son abri et ne fit que s'exposer davantage à la rincée.

Finalement, il sortit de la tente avec sa torche électrique et s'enfonça dans l'obscurité des bois, incapable de situer dans quelle direction était garée la voiture. La seule lumière qu'il percevait à travers le rideau de pluie provenait d'une grande tente, à une cinquantaine de mètres sur sa droite. Il s'en approcha avec la démarche pataude d'un Frankenstein poursuivi par la vengeance villageoise, tout en s'efforçant de ne pas glisser dans la combe.

Il lui fallut cinq bonnes minutes avant d'atteindre le refuge et, tendant la main, d'en écarter le pan de grosse toile.

« Excusez-moi, dit-il. Est-ce que je peux entrer pour me sécher une minute ?

— Bien sûr. »

Il se glissa à l'intérieur et sentit un air chaud sur son visage. La tente avait été montée dans les règles de l'art, offrant un bel espace, où six agents fédéraux parfaitement au sec écoutaient, assis sur leurs sacs de couchage, la retransmission sur un transistor d'une partie de hockey. Donald Sippes, l'homme qui avait dirigé la perquisition dans son appartement, se leva et offrit à David un gobelet fumant.

« Un chocolat chaud ? »

David accepta avec reconnaissance le breuvage, de même que la couverture proposée par la seule femme de l'équipe.

Sippes s'accroupit à côté de David. « Vous n'êtes pas venu pour nous faire une déposition quelconque, n'est-ce pas ? »

David remonta la couverture sur ses épaules et fit non de la tête.

« Alors, on ferait mieux de le renvoyer sous la pluie », dit un homme, assis dans un coin. David n'était pas prêt de l'oublier, celui-là : c'était le malabar à la tête en forme de citrouille qui avait confisqué le gant de base-ball d'Arthur.

« Chris ! » Sippes regarda son collègue en fronçant les sourcils.

« Quoi ? Qu'est-ce que j'ai dit ? On n'est pas payés pour dorloter les suspects, non ?

— Allons, Chris, déclara Sippes d'un ton de reproche. M. Fitzgerald s'en ira sitôt que le gros de l'averse sera passé, n'est-ce pas ?

— Bien entendu, assura David.

— Et puis, remarqua Sippes, il n'a pas encore été déclaré officiellement suspect. »

Il y eut un rugissement de foule à la radio, tandis que le commentateur babillait avec excitation. Sippes prit son propre gobelet de chocolat et demanda à David : « Vous aimez le hockey ?

— Non, et je n'y connais pas grand-chose, répondit David d'un ton d'excuse.

— C'est pas grave. »

Sippes regagna sa place devant la radio, tandis que David restait accroupi près de l'entrée, à contempler la brume que la pluie faisait sourdre de la terre.

39

« Presse la détente, chérie. »

Quelques minutes avant 11 heures cette nuit-là, Judy Mandel était devant son ordinateur, le doigt posé sur le bouton d'envoi, écoutant Nazi beugler ses ordres dans l'Interphone. Le salopard se tenait dans son bureau, à moins d'une vingtaine de mètres, derrière sa porte de séparation vitrée ; mais cela ne l'en rendait pas moins puissant, omnipotent : il était la caricature de l'éditeur sans scrupule d'un torchon à scandales, qui préférait hurler dans le téléphone plutôt que de venir lui parler.

« Qu'est-ce qui se passe, poupée ? reprit-il avec cet accent new-yorkais qu'il exagérait quand il avait trop bu. La dynamite est en place, en pleine une, et ça fait cinq heures qu'on t'attend pour allumer la mèche.

— Je vais quand même tenter de le joindre une dernière fois, dit-elle. C'est une grosse affaire, Robert. Elle fera plus de mal que toutes les histoires qu'on a sorties jusqu'à ce jour.

— Combien de messages tu lui as déjà laissés ?

— Trois. Je sais qu'il est parti se promener en forêt, mais on ne peut pas imprimer ça sans lui demander son avis, non ? »

Elle s'étonnait elle-même de cette soudaine hésitation. Il est vrai qu'elle avait poussé le bouchon très loin, cette fois. À l'autre bout de la salle, elle vit Robert « Nazi » effectuer un léger saut et une pirouette avec son verre de whisky à la main, comme s'il se revoyait jeune homme frais émoulu de Perth, essayant d'en mettre plein les yeux à une petite pimbêche dans quelque raout de la bonne société londonienne. C'était une scène bizarre par son caractère fantaisiste et intime ; il devait avoir oublié qu'une séparation de verre avait pour nature d'être transparente.

« Allez, ma poule, susurra-t-il. Tu lui as donné ses chances de rappeler et tu as averti ses avocats. Ça va être ton plus gros papier. Si on ne le publie pas, on se fera coiffer au poteau par la concurrence, et on n'aura plus qu'à se suicider. Presse la détente !

— Donne-moi une minute, Robert. »

Oui, elle avait des scrupules, alors qu'elle était persuadée de s'en être débarrassée à jamais, depuis qu'elle avait réussi à s'imposer face à la meute. Grande était sa confusion. Elle tenait un article qui allait lui faire un nom, et n'était-ce pas ce qu'elle avait toujours ambitionné ? À quatorze ans, elle feuilletait les *Vogue* de sa mère et se privait de manger dans l'espoir de devenir un top model. Mais, une fois entrée au collège de Vassar, elle s'était laissé convaincre par le groupe de militantes lesbiennes de ne plus se raser les jambes et de les rejoindre dans le tendre communisme du poil aux pattes. Et, jusqu'à l'explosion de ce bus scolaire, elle s'était désespérément efforcée de paraître à la coule pour impressionner Robert et tous ces hominiens de flics.

Elle chercha du regard Bill Ryan, mais ne le vit nulle part. Mettant Nazi en attente, elle recomposa le numéro de David Fitzgerald. À la quatrième sonnerie, le répondeur se déclencha, elle raccrocha. Dès cette minute, la vie de David Fitzgerald ne serait plus tout à fait la même. Elle reprit Nazi en ligne.

« Satisfaite ? » demanda-t-il sur fond de tintement de glaçons.

Elle le vit porter son verre à ses lèvres, entendit le petit choc mat de la glace contre ses dents. « Je lui ai donné une dernière chance, dit-elle.

— Et comment, ma belle, et comment ! Alors, maintenant, allume-moi cette mèche. »

Judy pressa le bouton d'envoi, et le texte jaillit à l'écran – les mots filant par les électrodes et les fibres optiques des câbles pour s'inscrire sur les écrans de Robert et des autres rédacteurs, qui les feraient suivre jusqu'à l'imprimerie dans le New Jersey, où cinq cent mille exemplaires sortiraient des rotatives pour être distribués dès potron-minet. En quelques heures, l'histoire serait reprise par les stations de radio, les chaînes de télévision et les pourvoyeurs du Net à travers le monde.

Il était effrayant d'imaginer la portée de ce qu'elle venait de déclencher, par une simple pression de son index. Cela pouvait aussi augurer d'un nouveau rôle pour elle. Les plateaux de télé seraient friands de sa présence. Et, si elle faisait bonne impression, elle pénétrerait peut-être dans le cercle des invités réguliers. Qui sait ? Elle finirait par avoir sa propre émission, sa page à elle dans le web. Elle deviendrait l'une de ces personnalités adorées des uns et détestées des autres. Elle s'arracha de sa rêverie avec un sentiment de joie et de honte mêlées. Était-ce vraiment ce qu'elle désirait ?

À l'autre bout de la salle, Robert lisait l'article sur son ordinateur. Il était trop tard pour revenir en arrière, et elle en ressentit une soudaine inquiétude.

Elle se demanda si là-bas, dans les bois trempés par la pluie, David Fitzgerald éprouvait le même sentiment.

40

David rapporta la voiture chez le loueur juste avant 2 heures, le lendemain après-midi, et prit le métro pour retourner chez lui. Il était courbatu et pas vraiment remis de sa nuit. Cette petite excursion forestière était à porter au compte de sa collection croissante de malheurs, mais au moins avait-il échappé à l'acharnement de la presse pendant vingt-quatre heures.

Toutefois, quand il tourna le coin de la 112e Rue, il vit qu'ils l'attendaient. Au lieu de la trentaine de plantons habituels, c'était une véritable foule armée de micros, de perches, d'appareils photo et de caméras qui bloquait l'entrée de son immeuble. D'où venaient-ils et pourquoi avaient-ils l'air en colère ? Jusqu'ici, ils ne lui avaient jamais manifesté de malveillance. À présent, ils étaient comme une meute bavant devant l'imminence de l'hallali. Chez les photographes, les hommes, juchés sur les capots des voitures, lui hurlaient après ; les femmes, qui le regardaient encore la veille avec intérêt, le considéraient avec un mépris glacé. Les équipes de télé, à l'arrière, l'insultaient sans vergogne.

« Espèce de dégénéré ! » beuglait un grand balèze porteur d'une perche.

« On devrait t'enfermer à perpète, crapule ! » lui cria un autre.

David n'en revenait pas. La cohue était telle qu'il dut se frayer un passage à coups de coude. « Mais qu'est-ce que j'ai fait ? demanda-t-il. Que se passe-t-il ? »

Sara Kidreaux poussa un micro vers lui. Elle qui s'était

toujours montrée aimable avec lui levait vers lui un visage exprimant le reproche et l'indignation.

« Qu'avez-vous à dire en réponse à ces nouvelles allégations ?

— Je ne sais pas de quoi vous parlez. J'ai quitté la ville hier après-midi. »

La foule continuait de le presser et tout le monde parlait en même temps, pour questionner ou injurier, dans un brouhaha indescriptible. Un micro le cogna à l'oreille et une caméra manqua l'éborgner. Quelqu'un le tira par le pan de son veston. Il se dégageait de cette masse une telle animosité que l'air en devenait irrespirable. Il devait s'échapper avant qu'ils ne décident de l'étrangler avec les câbles des caméras ou de lui défoncer le crâne à coups d'appareils photo.

Il s'arracha à ces sangsues et, comme il courait vers l'entrée de son immeuble, il manqua heurter Judy Mandel.

« Où étiez-vous ? lui lança-t-elle, comme s'il avait été la cause de toutes ses inquiétudes. Je vous ai appelé plusieurs fois, hier ! »

Il allait lui demander pourquoi, lorsque la meute déboula sur le trottoir derrière lui, renversant au passage une vieille clocharde qui poussait un Caddie rempli de légumes avariés ramassés à la décharge voisine. David planta là Judy Mandel et s'engouffra dans le couloir étroit, poursuivi par un concert de cris.

Il atteignit le deuxième étage, ramassa les journaux accumulés devant sa porte et pénétra chez lui. Mais, même là, il les entendit qui l'appelaient depuis la rue.

« Montre-toi, salopard ! »

« Pervers ! »

Et c'est alors qu'il comprit, en découvrant à la une du *Tribune*, l'article de Judy Mandel.

Il gagna le salon d'un pas incertain, les yeux rivés sur le journal.

L'HOMME QUI COGNAIT LES FEMMES

Dans un entretien exclusif accordé à notre reporter, l'ex-épouse de David Brian Fitzgerald, soupçonné d'être l'auteur de l'attentat à la bombe de Coney Island, nous a décrit son ex-mari comme un être instable, capable de violences physiques – elle en garde une légère cicatrice à l'arcade sourcilière –, et qui se serait rendu coupable d'attouchements sur leur petit garçon.

Se laissant choir sur le canapé, David relut deux fois le passage, avec le sentiment qu'il avait touché le fond.

Il se força à aller jusqu'à la dernière ligne, où les dénégations apportées par ses avocats étaient tellement circonstancielles qu'elles semblaient confirmer ce qui précédait. Son portrait par le *Tribune* lui paraissait à la fois familier et complètement étranger. Renee parlait de l'admiration qu'il avait eue pour le héros de guerre qu'était son père ; de son goût pour la littérature et la mythologie, sa passion pour l'héroïsme, ses crises de mélancolie, ses beuveries occasionnelles, son arrestation à Atlantic Beach, quand il était jeune, son incapacité de communiquer avec elle. Elle mentionnait même son roman non publié, *Le Pyromane*, oubliant de préciser que le titre était une métaphore symbolisant l'inconstance de la mémoire et non une référence à la pyromanie. Assemblés bout à bout, les détails les plus insignifiants donnaient de la réalité une image fausse et accusatrice. Les « attouchements » dont il se serait rendu coupable sur Arthur n'étaient jamais que ces chatouilles innocentes dont le garçon raffolait ; et la cicatrice de Renee à l'arcade n'était que la conséquence d'un accident, quand il avait enfoncé la porte de la salle de bains.

> « Il n'était pas toujours la personne qu'il semblait être, nous a dit Renee Fitzgerald, une jolie rousse, ancienne danseuse de ballet et présentement comédienne. A-t-il été capable de faire ce dont on l'accuse ? Je ne sais pas. Qui peut se targuer de connaître quelqu'un ? Et si jamais tout ce que l'on pensait était faux ? »

Présenté ainsi, tout était vrai et faux à la fois. Toute explication tendant à séparer l'un de l'autre était nécessairement vouée à l'échec. Un article pareil était un arrêt de mort.

David fut pris de vertige en essayant de se lever. Il se rattrapa à l'accoudoir du canapé, mais il était trop tard. Il chutait, chutait intérieurement à travers un vide sans fin, et rien ne pouvait l'arrêter.

Et si tout ce que tu penses toi-même était faux ?

C'était cela, l'abysse. Le pire qui pouvait vous arriver. Total désespoir.

Il tenta de se raccrocher à quelque chose pour stopper sa chute. Ça ne s'était jamais passé de cette façon, n'est-ce pas ? Il n'avait jamais frappé Renee ? Jamais levé la main sur elle ? Sauf la fois où elle s'était enfermée dans la salle de bains, où il avait eu peur pour elle et enfoncé la porte d'un coup d'épaule – elle était juste derrière, mais comment aurait-il pu le deviner ? C'était un accident... Vraiment ? Peut-être que, pendant une fraction de seconde, il avait deviné qu'elle était là, la main sur la poignée, et il avait joué les béliers dans le désir inconscient de lui faire mal. Possible.

Il tombait plus vite, maintenant, s'efforçant toujours de s'agripper à quelque certitude, mais le sol se dérobait sous ses pieds.

Avait-il touché Arthur ? Non. L'avait-il frappé ? Certainement pas. Avait-il élevé la voix ? Bien sûr, tous les parents crient après leurs enfants, quand ils font une bêtise. Avait-il lutté avec le petit au moment du bain ? Des centaines de fois. Lutté encore pour l'habiller ? Tout le temps. Alors, il était possible qu'une claque sur les fesses soit partie, que le petit ait pleuré et que la mère soit arrivée juste à ce moment-là. Mais il n'en avait pas le souvenir. Quant à cette insinuation sur les attouchements... il avait envie de vomir.

Il tenta de joindre ses avocats, mais ils n'étaient pas là. Il se leva, gagna la cuisine, et se versa à boire. Il n'était sûr de rien. Comme cette histoire racontée par son ancien entraîneur, cette grande gueule de Samuels. David fit appel à sa mémoire : il avait dix ans, et le nez dans l'herbe du terrain de base-ball. Avait-il fait tout ce cirque pour montrer qu'il savait attraper une balle ? Possible. Il n'en avait encore jamais saisi une en plein vol dans une vraie partie, alors peut-être avait-il été fier de lui, il n'y avait pas de mal à ça, non ? Tout de même, il ne pouvait s'empêcher de se demander si c'étaient bien les autres qui se trompaient sur son compte. On leur donnait à voir des petits bouts de votre personne qui, additionnés, composaient ce portrait qu'ils se faisaient de vous. C'est ce que lui disait sa mère. Qui s'intéresse à la perception que tu as de toi-même ? La perception n'est qu'un jeu de miroirs dans une galerie de glaces. Hitler se trouvait aimable parce qu'il aimait les animaux.

David vida le quart de Smirnoff qu'il avait gardé dans le

congélateur et attaqua la bouteille de gin, pur et sans glace. Mais la chute ne cessait pas pour autant. Il lui semblait être entouré d'un vide parfaitement noir. On avait fait de lui un monstre. Qu'avait-il à dire pour sa défense ? Devait-il ressortir et parler aux journalistes ? La main en visière pour se protéger de la lumière, il leur crierait : « Je n'ai rien fait de tout ce qu'on me reproche ! » pendant qu'ils le poursuivraient dans la rue ? Qui le croirait ?

Il posa la bouteille un instant, se disant qu'il devrait faire face et se battre. Le juge l'avait averti qu'il avait moins d'un mois pour retrouver son travail et établir son innocence s'il voulait la garde d'Arthur. Allez, tu peux le faire. Tu en as le courage !

David pensait avoir entrevu une certaine force d'âme en lui, au milieu de la fumée et de la chaleur intense qui régnaient dans le bus ; mais cette impression était maintenant enfouie sous un torrent de boue. Il n'était pas le pervers décrit dans le *Tribune*, mais il ne valait pas grand-chose. Et puis, à force de répéter le faux, le vrai finissait par ne plus exister. Arthur se verrait dépossédé du souvenir de son père. Il oublierait le merveilleux week-end où des ouvriers de la voirie et des passagers du métro avaient serré la main de son père, lui avaient demandé un autographe. Au contraire, il n'aurait jamais la moindre occasion de connaître la vérité, et grandirait avec la certitude que ce père lui avait fait du mal. Et même s'il n'accordait aucun crédit à ce que disait sa mère, trop confuse pour être crédible, il lui suffirait de consulter les microfilms, les cédéroms ou les hologrammes dont toutes les bibliothèques seraient équipées dans dix ans pour lire ces mots horribles qui dépeignaient son père et ressentir de nouveau une terrible douleur.

Que pouvait faire David pour les effacer ? À cet instant, c'était sa propre personne, sa vie qu'il avait envie d'effacer. Mais il ne devait pas raisonner ainsi. Avait-il donc complètement oublié ce qu'il avait accompli au lycée ? L'autre jour encore, Elizabeth était venue le voir, mue par un besoin urgent de lui parler. Chaque année, ils étaient quelques-uns à compter sur lui. Il ne se passait pas un mois sans qu'il reçoive une ou deux lettres d'un ancien élève le remerciant de l'avoir aidé. Et Jean Laroche ? Ce jeune Haïtien d'une famille de onze enfants, dont la mère avait deux emplois, et juste une tenue d'hiver et une d'été pour son aîné qui allait au lycée. David l'avait poussé à entrer au collège, et maintenant Jean faisait son école de médecine à Cornell. Est-ce que cela n'avait aucune valeur ? Et puis il y avait Arthur, un beau petit garçon, un gosse intelligent et sensible. Peut-être devait-il se contenter d'avoir été son géniteur ? Peut-être le courage lui commandait-il aujourd'hui de disparaître, avant de laisser à son fils trop de mauvais souvenirs ? Un homme, un vrai, se donnerait la mort, se dit David, l'esprit embrumé par l'alcool.

Il avait assez de somnifères et de gin pour en finir. Il laisserait un mot pour proclamer son innocence, et dire qu'il n'avait pas supporté qu'on ait souillé son nom et son honneur. Qui mettrait en doute la parole d'un homme ayant préféré la mort au mensonge ? Ce serait un geste radical et clair. Son père l'avait fait. Hemingway aussi. Et son héros de *Pour qui sonne le glas*, Robert Jordan, étendu dans la forêt, blessé sur le tapis d'aiguilles de pin, le fusil-mitrailleur bien en main, n'avait-il pas attendu l'arrivée des fascistes en étant tenté de se coller une balle dans la tête avant qu'ils surgissent ?

Non ! se dit brutalement David, laisse-les venir. Laisse-les... Arrête tes conneries ! Tu délires. Tu es soûl. Tu devrais plutôt te remuer le cul, essayer pour une fois de terminer ce que tu as entrepris. Que Dieu me permette d'achever ce que j'ai commencé !

Il alla dans la chambre et trouva l'un des sacs contenant des affaires qui avaient appartenu à sa mère, et que Ralph et Judah avaient récupérées auprès du FBI. Il y avait là une ordonnance de Valium vieille de trois ans, et sous une housse de plastique plusieurs robes sortant de chez le teinturier. Ce serait facile d'avaler les pilules et de finir le gin, puis de mettre la tête dans la housse et de se coucher le cœur battant contre le plancher. Laisse-les venir... Il ouvrit la boîte de Valium, termina le gin, et resta assis sur le lit à contempler la fenêtre, attendant que la nuit tombe et que les équipes de télévision allument leurs projecteurs dans la rue.

Six heures plus tard, il était réveillé par la sonnerie du téléphone. Il trébucha, tomba et se cogna la tête contre la table de nuit en voulant décrocher.

« David, il faut que tu viennes tout de suite à l'hôpital ! » C'était Renee, et elle parlait d'une voix blanche, anesthésiée. « Arthur a besoin de toi. »

41

« Mets la cassette ! Mets la cassette ! » s'écria le Dr Ahmed quand Nasser arriva à l'appartement dans la 23e Rue avec un autre sac d'engrais, juste après la prière de midi, ce vendredi. « Montre-lui ce qu'il a raté ! »

Youssef glissa une cassette dans le magnétoscope. Sur l'écran apparut le sigle de CNN. L'image trembla, se brouilla, puis apparurent les scènes habituelles d'un carnage causé par un attentat à la bombe. Cent quarante-sept personnes venaient d'être tuées ou blessées dans un marché de Jérusalem. Des étals de fruits renversés, des jeunes filles en T-shirt de Spice Girls aux visages ensanglantés, une femme enceinte aux jambes arrachées, un homme sur une civière avec la moitié de la face emportée, des pastèques écrasées sur le sol, des ambulanciers enfournant dans des sacs des restes humains.

« C'est Mehdi ! s'écria le docteur en pointant son index sur l'écran. C'est lui et personne d'autre !

— Qui est Mehdi ? demanda Nasser à Youssef.

— Mehdi est l'ami du docteur, là-bas, au pays, murmura Grand Ours, assis sur le canapé avec un carton de jus d'orange qu'il buvait directement au bec verseur. Ils ont fait de nombreuses opérations ensemble, jusqu'à ce qu'un laboratoire explose, causant la mort du frère de Mehdi. Après ça, plus personne n'a voulu travailler avec le docteur, et Mehdi est devenu le chef.

— Voilà ce qu'on devrait faire ! » Le docteur tapa du plat de la main sur le poste de télé. « Exactement ça ! On devrait voir des cadavres par centaines dans les rues de New York. Ah ! Mehdi doit bien se moquer de moi en ce moment ! »

Ces paroles surprirent Nasser, et il considéra Ahmed sous un nouvel angle. Le docteur paraissait soudain inquiet, et Nasser se découvrit ainsi un point commun avec lui : tous deux avaient quelque chose à prouver.

« C'est la seconde fois en deux semaines qu'ils frappent ce marché ! » Les mains enfoncées dans les poches, le docteur se mit à arpenter la pièce de son pas claudicant. « Et nous, que faisons-nous ? Nous causons, causons et causons. Ce n'est pas le djihad, c'est un talk-show. Ça fait une semaine que je suis ici, et qu'avons-nous accompli ? Rien ! On reste assis devant la télé et on discute. Je travaille avec une bande de femmes ! »

Malgré sa taille et sa force, Youssef semblait craindre la colère du docteur ; il baissait les yeux avec l'air d'un chien battu. Nasser remarqua qu'une différence commençait à se faire jour entre les deux hommes : Youssef devenait mou et apathique, comme s'il avait abusé de cheeseburgers, alors que le Dr Ahmed se ramassait sur lui-même tel un serpent, prêt à se détendre et à frapper. Et sa légitime fureur, loin d'inspirer Youssef, dégageait en fait celui-ci de l'obligation d'afficher l'ardeur et la violence requises par leur mission.

Nasser rangea dans un coin de la pièce le sac d'engrais qu'il venait d'acheter. « Qu'attends-tu de nous, cheikh ? demanda-t-il, sur la défensive. Chaque jour, nous sortons et préparons le matériel. Nous prions et sommes prêts à combattre.

— Peut-être, mais nous devons nous dépêcher de passer à l'action. Je deviens fou, enfermé ici à attendre ! » rétorqua le docteur, le visage animé de tics nerveux.

À l'écran, on pouvait voir un homme baigner dans son sang sous le soleil de Jérusalem, tandis que sa femme agenouillée à côté de lui hurlait au ciel sa douleur.

« Quelle quantité de matériaux avons-nous pour la *hadduta* ? » questionna le Dr Ahmed en claquant des doigts au visage de Youssef.

Ce dernier tressaillit, et s'empressa d'examiner la composition du dernier sac apporté par Nasser. « Celui-ci contient 37 pour 100 de nitrate de potassium. Avec ce que nous avons déjà, il y a de quoi fabriquer une grosse bombe ou trois petites. Mais nous avons encore besoin d'essence et je dois monter les détonateurs.

Il me faudrait aussi des bouteilles d'hydrogène comme charges explosives d'appoint, et nous n'avons pas assez d'argent pour...

— Suffit... Parlons plutôt du choix des cibles, l'interrompit le Dr Ahmed en tirant sur sa barbiche. L'imam a dit de faire simple, alors nous suivrons ses consignes. J'ai réfléchi. Nous frapperons en trois endroits en même temps à la veille du ramadan, c'est-à-dire dans deux semaines – avant que Mehdi n'agisse de nouveau. »

Nasser se figea, se demandant s'il avait quoi que ce soit à faire dans ce laps de temps. Une visite à rendre, des gens à voir... Mais sa gorge se serra à la pensée qu'il n'avait plus de vie personnelle, plus de famille, plus rien. « Alors, que faisons-nous ? s'enquit-il.

— Pendant que tu étais dehors, nous avons envisagé deux possibilités. » Le docteur cessa de tirer sur sa barbe et se dirigea vers le poste de télé comme s'il était attiré par un aimant. « Les fêtes de fin d'année ne sont pas loin, et un grand magasin ferait une très bonne cible. » Il posa la main sur le téléviseur. « Un magasin populaire, tel que Macy ou Bloomingdale. Un que fréquentent les Juifs. »

Youssef opina du bonnet et se mit à jouer avec l'un des minuteurs de cuisine qu'il avait achetés le matin même dans le Connecticut. « L'opération ne serait pas compliquée, dit-il en déclenchant l'appareil, qui commença d'émettre son tic-tac lancinant. Il y a toujours beaucoup trop de monde pour le nombre de vigiles. On dépose la bombe au rez-de-chaussée, près des fenêtres. Les gens se piétineront pour gagner les sorties. Il y aura énormément de morts.

— Mieux encore, on gare une voiture piégée devant l'entrée principale », suggéra le Dr Ahmed.

Nasser s'assit et tenta de se représenter la scène. De sa bombe, celle qu'il avait placée sous le bus, il n'avait jamais vu que les images retransmises aux informations télévisées.

« Et pour la deuxième *hadduta*, poursuivit le Dr Ahmed, nous pourrions choisir une gare, Grand Central ou Penn, à l'heure de pointe. Une bombe à clous, comme celle qu'on fabriquait à Peshawar. » Il prit le minuteur des mains de Youssef. « Les éclats tuent dans un rayon de cent mètres. Les gens seront morts avant d'avoir eu une chance de fuir.

— Et pour la troisième ? » questionna Nasser. Il avait

conscience de la tension soudaine qui s'était emparée de lui, tandis que le minuteur égrenait son bruit d'insecte dans la main du docteur. Son désir de jouer un rôle dans le djihad était aussi grand que la peur qui le tenaillait encore.

« Que penses-tu du métro, cheikh ? demanda Youssef. L'effet de l'explosion serait multiplié, dans un endroit clos, et le trafic serait paralysé pendant longtemps.

— Non, ce serait comme dans les gares, répliqua le docteur en balayant l'air de la main. Il nous faut une cible qui ne ressemble pas aux autres.

— Et un pont ou un tunnel ? avança Youssef. Nous en avons déjà parlé.

— Impossible, fit Ahmed en secouant la tête d'un air de regret. J'ai étudié la chose : il nous faudrait une charge mille fois plus puissante que celle que nous pouvons avoir.

— La Bourse de Wall Street ?

— Trop de gardes, trop de surveillance électronique, et puis ça ferait plaisir à beaucoup trop de gens, dans ce pays, qu'on fasse sauter le temple de l'argent.

— Et si on recommençait au lycée ? » hasarda Nasser, alors que la sonnerie soudaine du minuteur lui vrillait les tympans.

Les deux hommes se tournèrent vers lui en le regardant fixement, et Nasser regretta terriblement d'avoir parlé.

« Encore le lycée ? s'exclama Youssef en riant. Tu en fais une affaire personnelle, ma parole ! C'est pas la guerre de Nasser, c'est le djihad, mon frère ! »

Mais il y avait dans le regard du docteur une lueur qui n'avait rien de moqueur. « Pourquoi proposes-tu le lycée ? demanda-t-il.

— Je ne sais pas », marmonna Nasser en contemplant ses chaussures.

À la vérité, il n'avait cessé d'y penser, depuis l'incident du parking avec le professeur. Il n'avait toujours pas digéré le mépris dont l'avaient accablé le docteur et Grand Ours après le piètre résultat de l'explosion du bus. Aussi voyait-il dans une seconde tentative une occasion de se racheter et de faire payer à ce Fitzgerald sa conduite envers Elizabeth.

« Et comment pénétrerais-tu dans le lycée ? interrogea le Dr Ahmed en venant s'asseoir à côté de lui. Tu n'as pas pu le faire, la dernière fois.

— Je sais. » Nasser se tut au souvenir de son échec, accablé soudain par le sentiment de ne pas valoir grand-chose. S'il n'était pas un combattant de l'Islam, alors qui était-il ? Il était allé trop loin pour revenir en arrière et redevenir cet éternel adolescent jouant au flipper. Il devait grandir, prendre de l'assurance. « Je dirai que je viens pour me réinscrire et passer mon bac, et que je dois parler avec le proviseur. »

Mais Youssef ne semblait pas convaincu. « Et si jamais tu tombes sur ce prof, celui qui te connaît ? insista-t-il avant de lâcher un rot. Tu feras quoi ?

— Fitzgerald ? dit Nasser avec une grimace haineuse. Je poserai la bombe dans ses mains et je me sauverai. Comme ça, il ne risquera pas de rejouer les héros. »

Les deux autres se mirent à rire, et Nasser se sentit rougir jusqu'aux oreilles. « Vous vous moquez de moi, mais je suis sérieux ! protesta-t-il. S'il saute avec la bombe, ils sauront que ce n'était pas lui qui a posé la première, et ça leur fera un sujet d'inquiétude de plus. Ils penseront qu'ils ne sont plus en sécurité nulle part. »

Ahmed et Youssef s'arrêtèrent de rire pour échanger un long regard songeur et, pendant quelques secondes, Nasser fut persuadé qu'il en avait trop dit.

« Tu sais, déclara enfin le Dr Ahmed, ce n'est pas une mauvaise idée de revenir au même endroit, comme Mehdi le fait au pays. Ça leur montrerait, aux Américains, qu'on peut les frapper quand on veut et où on veut, et qu'ils ne seront plus jamais en sécurité.

— Je ne suis pas très chaud, dit Youssef en ramassant le carton de jus d'orange posé à ses pieds. Ça risque de se passer encore mal.

— Non, tout ira bien, cette fois. » Le Dr Ahmed se pencha vers Nasser d'un air de prédateur. « Tu rentres dans le lycée, tu poses la *hadduta* dans le réfectoire ou dans une classe, et puis tu ressors.

— Peut-être que c'était la volonté de Dieu, si on a échoué avec la première, insista Youssef. Il vaudrait mieux consulter l'imam, pour plus de sûreté. »

Mais le tour que prit alors la conversation échappa à Nasser, distrait par les images de la télévision. La caméra s'était arrêtée sur un homme jeune et barbu étendu mort près d'une échoppe de bijoutier. Il avait les jambes et le ventre recouverts d'une bâche orange, mais le haut de son corps ne présentait aucune blessure apparente. Le commentateur disait que c'était lui le poseur de la bombe. Deux jeunes soldats israéliens l'encadraient en pointant leur Uzi sur lui, comme s'ils redoutaient qu'il ne se relève et ne les attaque.

Nasser, fasciné, retenait son souffle. Le jeune terroriste semblait étrangement serein dans la mort. Quel courage il lui avait fallu pour rester là parmi la foule avec la bombe sur lui, attendant le fracas et la mort ! Que devait penser sa famille ? Comprendraient-ils ce qu'il avait fait ? Seraient-ils fiers de leur enfant martyr quand ils le mettraient en terre ?

« Ne te tracasse pas pour l'imam, disait le docteur. Je suis certain qu'il nous accordera sa permission... Et maintenant, allons prier. »

42

La gueule de bois, les yeux rouges et l'équilibre précaire, David réussit toutefois à sauter dans un taxi et à arriver à l'hôpital dans les vingt minutes.

L'infirmière à la réception était une matrone à la peau olivâtre, le visage marqué de taches de vin et la bouche dédaigneuse.

« J'aimerais voir Arthur Fitzgerald », annonça David devant le guichet en verre, sentant son cœur battre fort contre son sternum.

Elle feuilleta quelques papiers, tapa quelques touches sur son clavier. « Vous êtes un parent ? demanda-t-elle.

— Oui, son père.

— Son père est déjà ici. » Elle tendit la main vers le téléphone qui venait de se mettre à sonner. « Seule la famille a un droit de visite. »

Son père est déjà ici ? David regarda la porte vitrée, mais elle ne lui renvoya pas de reflet. Que se passait-il ? Était-ce le stade final de sa dissociation ? Non seulement il ne restait de lui-même qu'une image médiatique erronée, ballottant au gré des rumeurs et des manipulations, mais voilà que maintenant un autre aurait pris sa place et son nom ? Il attendit que l'infirmière raccroche.

« Comment ça, son père est déjà ici ? lança-t-il avec colère. Je suis le seul père qu'il ait jamais eu !

— À quel nom est son assurance ?

— Bon sang, au mien ! » Il refréna son envie de briser la vitre et de la saisir à la gorge.

Elle se retourna pour dire quelque chose à une collègue assise derrière elle, puis actionna le bouton d'ouverture de la porte.

« Il va bien ? demanda David en franchissant le seuil. Est-ce que mon fils va bien ? répéta-t-il.

— C'est au docteur qu'il faut poser la question, répondit-elle en indiquant de la main le couloir de gauche. Chambre A-121. »

David enfila ce couloir au sol recouvert d'un lino éraflé, croisa des malades qu'on transportait sur des civières et de vieux hommes se tenant à des perches de perfusion, et, par les portes ouvertes des chambres, entrevit au passage le triste spectacle des alités. L'âcre odeur de désinfectant lui donnait envie de vomir. D'accord, Seigneur, si on passait un marché ?

Il trouva la chambre A-121 au bout du couloir à gauche. Arthur était assis calmement sur une table d'examen, un masque à nébulisation sur le nez et la bouche.

« Ohé ! papa. » Sa voix était étouffée. « C'est le nuage qui a encore frappé. »

Renee et Anton étaient en train de s'entretenir avec une infirmière au long visage chevalin.

« Que s'est-il passé ? s'enquit David.

— Je me suis battu », répondit Arthur, les yeux rieurs.

David le regarda d'un air de stupeur. Arthur se battant ? C'était là une image qu'il avait peine à concevoir, comme celle d'un intégriste épanoui ou d'un flic aimable.

« Oh, David, je suis tellement désolée ! » Renee venait vers lui, les cernes maculés de traînées de mascara et les joues creusées.

« Est-ce que quelqu'un pourrait me dire ce qui est arrivé à Arthur ? » demanda-t-il sans la regarder, ni prendre la peine de chercher si elle s'excusait de ses tendres confidences au *Tribune* ou bien de la condition de son enfant.

Puis David vit Anton, le manteau jeté sur ses épaules aussi épaisses qu'un cintre en plastique ; Anton et ses longs cheveux d'artiste, Anton et son joli bracelet, Anton à qui il aurait volontiers défoncé le crâne...

« Hé, mec, c'est pas moi le responsable, dit Anton, c'est toi.

— Quoi ? » Instinctivement, David serra les poings.

Anton leva les mains en signe de reddition. « C'est toi qui fais la une. »

Arthur, à qui la scène n'avait pas échappé, se mit à tousser sous son masque.

« D'accord, dehors, vous deux, intervint l'infirmière, le visage tiré par le manque de sommeil. Mettez-la en veilleuse pendant deux minutes, et après vous pourrez vous étriper.

— Dites-moi seulement si mon fils va bien, répliqua David, reportant son attention sur l'enfant.

— Il va bien, et il ira encore mieux si vous sortez d'ici », répliqua-t-elle en les poussant tous les trois vers la porte.

Ils se retrouvèrent dans le couloir. « Alors, qu'est-il arrivé ? demanda de nouveau David.

— Rien de grave, répondit Renee en s'essuyant les yeux. Il s'est un peu battu à l'école. »

Par la porte ouverte, Arthur souriait en faisant des signes à son père. David essaya de lui rendre son sourire, mais il avait l'impression que son visage était paralysé.

« Et c'est une petite bagarre qui l'a envoyé ici ?

— Il a eu une crise d'asthme. » Elle se tenait dressée sur la pointe des pieds et semblait près de pousser un grand cri, sans doute en proie à une forte tension.

« Bon Dieu ! grogna David en portant la main à son front. Et pourquoi s'est-il bagarré ?

— À cause de toi.

— À cause de moi ?

— Un autre gosse a dû entendre parler de cet article dans le journal, lâcha-t-elle d'une voix précipitée, il a dit que tu étais un sale type ou je ne sais quoi, et Arthur l'a frappé. Voilà ! »

David ferma les yeux. « Ça va, j'ai compris. »

Le sentiment de chute qu'il avait éprouvé durant toute la journée cessa soudain. Quelque chose en lui venait de se produire. Son fils s'était battu pour défendre l'honneur de son père. David comprenait enfin qu'il était temps pour lui de réagir.

« Alors, qu'a dit le docteur ? » Renouant avec un souci naturel de sa propre apparence, il remonta son pantalon, rentra sa chemise et se passa la main dans les cheveux. « Est-ce qu'Arthur devra rester toute la nuit ici ?

— Ils lui ont donné de la Ventoline et pensent que je peux le ramener à la maison. » Elle eut un mouvement instinctif vers David, puis, se reprenant, laissa un instant sa main suspendue dans l'air.

« Personne ne demande mon avis, mais..., intervint Anton d'un ton qui se voulait détaché, il vaudrait peut-être mieux que tout le monde se calme et essaie d'alléger un peu l'atmosphère.

— Ça veut dire quoi ? rétorqua David en se tournant vers lui, heureux de trouver une cible à sa colère.

— Eh bien, je crois que tu ferais mieux de rentrer chez toi, répondit Anton en malaxant dans ses mains un béret noir. Renee est stressée, Arthur est stressé, et moi aussi je suis stressé. Ça crée forcément un climat. Alors, peut-être que tu devrais te faire rare pendant un moment. Te tenir peinard. Nous donner un peu d'air, laisser la pâte reposer. Prends deux aspirines et rappelle demain matin.

— Non, mais t'es qui : le roi des poncifs et des lieux communs ? »

Anton fit la moue. « Tu sais, j'vois bien d'où ça vient, maintenant.

— Tu vois quoi venir d'où ?

— Arthur... sa façon d'être...

— Tu as un problème avec mon fils ? répliqua David, menaçant.

— Non, mec, affirma Anton en reculant. Je dis seulement qu'il a besoin de beaucoup d'attention.

— Comme tous les garçons de sept ans.

— D'accord, approuva Anton, mais, à mon avis, des fois on pourrit un gosse en s'occupant trop de lui.

— Et tu en déduis qu'il fait peut-être semblant d'avoir de l'asthme ?

— Non, mec, ça, j'sais pas. » Anton délaissa le béret pour le bracelet navajo. « Je voulais juste... oh, laisse tomber ! »

C'était lui le gosse, pensa David. Un crétin qui ne risquait pas d'aider Renee.

« Anton, j'aimerais dire deux mots en privé à ma femme », déclara-t-il tout en se retenant pour ne pas le frapper.

Anton regarda Renee d'un air inquiet. « Ça ira ? s'enquit-il.

— Oui, laisse-nous, tu veux ? J'appellerai au secours en cas de besoin. »

Chantonnant façon scat : « Badadi-di-dum-dum-badadi-dum-dum... » pour cacher sa trouille, Anton s'éloigna.

Pauvre con, songea David en le suivant des yeux. « Qu'est-ce que tu lui trouves ? demanda-t-il tout bas à Renee.

— Je ne sais pas. » Elle porta la main à la plaie qu'elle avait fini par se faire à la lèvre supérieure, à force de la mordre et de la pincer. « Je pensais qu'il pourrait m'aider à me retrouver.

— Et il a réussi ?

— Pas vraiment. Mais je n'attends pas grand-chose de toi non plus.

— C'est pour cette raison que tu as raconté toutes ces choses sur moi à cette journaliste ? »

Elle ferma les yeux. « J'ignore pourquoi j'ai fait ça, David. Je le regrette tellement ! Elle m'a abordée dans la rue et j'avais besoin de quelqu'un avec qui parler, à cause de toute cette tension avec le juge, et Arthur, le FBI, Anton et... » Elle eut une grimace de douleur. Le remords ? La honte ? « J'ai dit des choses plus méchantes que je ne le voulais, reprit-elle. J'étais consciente de ce que je faisais et, en même temps, je ne l'étais pas. Tu comprends ? Les mots sortaient, elle m'écoutait, elle avait l'air si gentille ! Et moi je... » Elle se toucha la joue. « Bof ! Je suppose que j'ai encore perdu la tête et raconté n'importe quoi, n'est-ce pas ?

— Oui, ça ne fait pas l'ombre d'un doute. » David baissa les yeux sur le jean effrangé qu'elle portait, s'efforçant d'estimer s'il ressentait à son égard plus de colère que de tristesse.

Un bruit de ferraille attira son attention : une civière sur laquelle était allongé un vieil homme au visage pâle sous le masque à oxygène arrivait dans le couloir, poussée par une infirmière jamaïquaine et un médecin philippin en grande discussion.

« Écoute, Renee, nous ne pouvons pas... euh... en tout cas moi, je ne peux pas continuer d'encaisser sans rien faire », reprit David, luttant contre les vapeurs d'alcool qui embrumaient encore son cerveau, contre sa fatigue et les courbatures dues à sa malheureuse virée dans les bois.

« Quoi ? demanda-t-elle en jetant un regard derrière elle, comme si quelqu'un venait de lui taper sur l'épaule.

— Je vais devoir... je vais devoir... » Il marqua une pause, forçant les mots à prendre forme dans son esprit. « Réagir et me battre, d'accord ? Je dois le faire pour Arthur et pour moi-même. Tu comprends ? Si tu es encore là quand je verrai le bout du tunnel, ce sera parfait. Mais si tu n'y es pas, ce sera tout aussi bien.

— Comment ça, si je n'y suis pas ? » Elle avait l'air apeurée.

Mais il ne l'écoutait déjà plus. Il passa devant elle, et entra dans la chambre A-121. Il tentait de retrouver en lui ce noyau de solidité qu'il savait posséder. Celui qu'il avait senti pour la première fois, quand il n'était qu'un adolescent essayant d'habiter ce corps trop grand pour son âge. Physiquement précoce, il avait toujours été trop fort pour les camarades de son âge et n'avait jamais osé frapper personne. Il avait appris très tôt à se dominer, à garder son calme. Il était temps de regagner cette force.

Arthur était encore sur la table d'examen, mais on lui avait ôté son masque. David se sentit revigoré par cette seule vision. Il savait pourquoi il n'avait pas cédé à la tentation du suicide.

« Papa, le nuage a failli m'avoir.

— Le nuage ? » David s'assit à côté du garçon.

« Oui, le méchant nuage. Celui de mes rêves... »

Plutôt un nuage de cauchemar, et qui faisait toujours son apparition après que ses parents s'étaient disputés devant lui.

« Je me bagarrais avec Maxwell, et puis le nuage est entré dans ma poitrine et j'pouvais plus respirer.

— D'accord, d'accord. » David serra son fils contre lui, comme pour le ramener sain et sauf au rivage. « Le nuage a bien failli m'avoir, moi aussi, dit-il.

— Quoi ?

— Ne t'inquiète pas, tout va bien, maintenant. Je suis avec toi. »

43

Après la pluie froide de la nuit, le temps s'était réchauffé de nouveau, un dernier feu de l'été indien. Et, à voir comment le soleil faisait scintiller l'eau et comment le vent charriait la musique des manèges de Coney Island, Elizabeth savait qu'aujourd'hui une belle journée américaine s'ouvrait devant elle.

Il y avait des jours où elle se sentait davantage arabe. Mais en ce samedi matin, tandis qu'en short denim et débardeur noir elle avalait la promenade sur ses rollers, elle était une Américaine.

« Allez, balance un peu ton cul, conseillait Merry, roulant à côté d'elle, vêtue d'un boléro de vinyle bleu roi et d'une culotte serrée assortie. Mets du rythme, ma vieille. »

Elizabeth chaloupa un peu des hanches, espérant que personne de sa famille ne la surprendrait dans de tels débordements. Mais elle en avait eu assez de la folie puritaine de son frère, et qu'il ait eu le front de violer son intimité. Cela lui donnait envie de vomir la tradition, le poids des parents et de l'Histoire, ce rappel constant qu'elle appartenait à un peuple opprimé à qui on avait dérobé sa terre. Cela suffisait. Elle désirait seulement faire du patin.

Elle poussa sur sa jambe droite puis sur la gauche, sentant les tendons et les muscles s'étirer, alors qu'elle passait devant les stands de hot dogs et le vieux parc d'attractions de Dreamland, ses montagnes russes envahies par le lierre et la vigne vierge. Le soleil jouait doucement sur sa peau, baignant ses épaules et ses bras d'une lumière dorée. Elle portait les genouillères que lui avait offertes Nasser, mais pas le casque. Il la serrait trop à la tête, et puis elle aimait sentir la brise marine dans ses cheveux ; elle avait envie de vivre son corps, aujourd'hui.

« Yo, tu as appris, pour Fitz ? demanda Merry.

— Oui. Tu ne sais pas s'ils l'ont arrêté ?

— Non, mais tout le monde parle que de ça. Qui aurait cru qu'il était comme ça, "Fitz la Bombe" et tout ? Mais, tu sais, je fais ma détective, je me rappelle tout ce qu'il disait en classe. Je réexamine, si tu vois ce que je veux dire. J'ai toujours pensé qu'il était un peu barjo. Tu te souviens de ce qu'il a écrit l'autre fois ? "Se connaître soi-même est la pire des horreurs." On comprend pourquoi, maintenant.

— Il a écrit : "Avoir peur de soi-même est la dernière des horreurs", corrigea Elizabeth. Ce n'est pas du tout la même chose. Et il faisait seulement son travail de prof.

— Si c'est toi qui le dis. »

Elizabeth poussa plus fort sur son roller droit. Elle aimait le grondement des patins sur les planches et l'envol des mouettes à leur approche. « Tu sais, je ne crois pas un mot de tout ce qu'on raconte sur lui.

— Tu l'aimais bien, hein ? répliqua Merry en lui souriant.

— Yo ! t'as quoi dans la tête, fille ? » Elizabeth s'essayait parfois à parler comme les autres, mais ça sonnait toujours faux et un rien ridicule dans sa bouche.

« Il te plaît, Fitz. Je l'ai vu rien qu'à ta façon de le regarder.

— Normal, c'est un bon professeur. Pourquoi tout le monde pense que j'ai un faible pour lui ? Il sait écouter les gens, c'est ça que j'aime chez lui. »

Elle traversa des odeurs de fumée de cigarette et de parfum en pensant à M. Fitzgerald. Les accusations dont il était l'objet n'avaient pas de sens pour elle. Il ne lui avait jamais paru bizarre en cours. Les journaux et la télévision disaient n'importe quoi. Il aimait seulement aller au fond des choses, et c'était ça qu'elle appréciait chez lui. Cette façon qu'il avait de faire naître en vous des idées dont vous ne soupçonniez pas l'existence. Il n'était pas comme les autres profs, qui déclamaient les mêmes leçons ennuyeuses et lisaient toujours les mêmes livres d'un ton qui interdisait toute interruption. Quand M. Fitzgerald parlait, les mots tournoyaient autour de votre tête. Bien sûr, il lui avait posé la main sur l'épaule, l'autre fois sur le parking ; mais elle n'y avait pas attaché d'importance.

« Ouais, je sais ce que c'est, disait Merry. C'est le côté homme mûr qui te séduit chez lui.

— Pas du tout.

— Cause toujours. Pour toi, c'est plutôt Fitz la Bombe... sexuelle ! » lança Merry en éclatant de rire.

La musique des manèges se fit plus forte. Elizabeth poussa vers la balustrade comme elles arrivaient vers l'entrée de l'aquarium, où quatre garçons attendaient, fumant et matant les filles qui passaient. L'un d'eux était ce mignon Dominicain, Obstreperous Q, avec le crâne rasé et une grosse boucle d'oreille. Il y avait aussi Ray-Za, à la coupe funky et au style *gangsta* rap, avec lequel Merry sortait parfois.

« À propos de mauvais garçons, dit Merry en accélérant, tu m'excuses une minute. Je dois *communiquer* avec ce *beau* jeune homme. »

Elizabeth ralentit un peu, pour regarder son amie faire une pirouette et accentuer son déhanchement. Elle se demandait ce que l'on pouvait ressentir à être aussi libérée dans son corps. Être aussi naturelle et détendue, consciente de susciter des regards et des désirs chez les hommes. Se comporter comme une Américaine sexy, et non comme une Arabe timide et empruntée... Il lui semblait avoir surpris une ou deux fois M. Fitzgerald en train de la contempler de cette façon. Et pourquoi pas ? Elle avait davantage de points communs avec les filles d'ici qu'avec son dingue de frère : elle avait grandi en Amérique, avait une belle-mère américaine, lisait des livres américains et pensait comme une Américaine. Mais quelque chose l'empêchait de franchir le pas. Une nuit, elle était sortie avec Merry et deux ou trois autres filles, elle avait traîné dans la rue avec elles et bu de la bière comme elles ; mais elle s'était sentie mal à l'aise et tendue et, si elle avait aimé l'idée de ce qu'elle faisait, elle en avait détesté le goût.

Avec les garçons, c'était la même chose. Pendant des semaines, elle n'avait pas quitté des yeux l'un d'eux, imaginant tout le plaisir qu'elle aurait à sortir avec lui. Mais, sitôt qu'il s'approchait d'elle, elle se recroquevillait dans une réserve d'un autre âge.

Qu'avait-elle donc ? À dix-sept ans, elle possédait une belle intelligence, une bonne santé et un physique de rêve. Elle était un « sacré canon », comme disaient ses copines. Alors, qu'est-ce qui la retenait ? Pourquoi ne jouait-elle pas avec ce que la nature lui avait généreusement donné ? Pourquoi ne pouvait-elle pas faire ce dont elle avait envie ? Elle ne se trouvait pas dans quelque village du Moyen-Orient, prête à être mariée par ses parents à un inconnu : elle avait la promenade devant elle, la mer à sa droite, les galeries de jeux, les manèges et le monde entier au-delà. Elle n'était pas contrainte de demeurer cloîtrée à la maison en attendant un mariage arrangé, ainsi que son père et surtout Nasser l'auraient aimé. Elle pouvait rentrer au collège, et même aller à Boston, où Merry vivrait peut-être l'an prochain. Elle pouvait être maîtresse de sa vie, de sa carrière, libre d'épouser l'homme de son choix. Elle avait même le droit de commettre ses propres erreurs.

Elizabeth commença d'accélérer pour se rapprocher de Merry, qui riait avec le garçon devant l'entrée de l'aquarium. Il n'y avait pas de quoi avoir peur, se disait-elle. Elle désirait leur montrer qu'elle était comme eux et, pourquoi pas ? qu'ils pouvaient lui courir après s'ils l'osaient.

Mais, comme elle arrivait à leur hauteur et qu'elle entendait le jeune Dominicain crier : « Ouah, que j'aime ce que je vois ! », elle aperçut une vieille dame, la tête coiffée d'un foulard noir, qui jetait des miettes de pain aux mouettes. Elle ne pouvait pas voir son visage, ne pouvait pas dire si cette femme était arabe ; mais, pour quelque raison obscure, elle pensa que sa mère lui aurait ressemblé. Alors, Elizabeth continua de rouler, jetant des regards derrière elle, en proie à un flot de sentiments contradictoires, oscillant entre désir et refus, entre tentation et résistance.

Pour finir, elle trébucha et s'étala de tout son long.

44

Très bien, voici ce que tu es :

Tu n'es pas un homme qui bat sa femme. Tu n'es pas un homme qui ferait du mal à son enfant. Tu es un père et un professeur – et, de cela, tu es sûr. C'est un début. Et tu ne te donneras pas la mort, en tout cas, pas encore.

C'est ainsi que David Fitzgerald commença de se reconstruire lui-même.

Tu vas continuer de vivre. Tu vas sortir de cet appartement, ignorer les photographes sur le trottoir, ignorer leurs provocations : « Hé ! salopard, regarde un peu par ici ! » et autres : « Alors, tu as encore cogné ton gosse, aujourd'hui ? » Tu oublieras aussi la bête vicieuse qui te ronge le foie et tu prendras le métro, te perdras dans la lecture de *Cœur des ténèbres* pour effectuer le long trajet jusqu'à Coney Island. Tu survivras. Tu n'es pas une victime. Qui que tu sois, tu redeviendras ce que tu es.

Tu te pointeras au lycée pour la première fois depuis une semaine, et tu ne broncheras pas quand Charisse, cette morne barrique de vigile, insistera pour que tu passes au détecteur de métaux de même que n'importe quel élève, alors que tous les autres professeurs en seront dispensés comme d'habitude. Tu te rendras au bureau du proviseur et demanderas à voir Larry ; et tu ne cilleras pas lorsque Michelle, sa salope de secrétaire, te dira qu'il ne peut pas te recevoir avant midi et reprendra sa conversation téléphonique avec son connard de petit ami. Tu accepteras tout cela parce que tu ne peux plus continuer de rester enfermé dans ton appartement à attendre qu'une nouvelle catastrophe te tombe dessus.

Et quand Larry t'accordera enfin quelques minutes, avant l'heure du déjeuner, tu souriras et lui serreras la main avec cette chaleur qui était la tienne lorsque tu n'étais encore qu'un jeune enseignant plein de bonne volonté. Et le regard glacé que Larry daignera poser sur toi ne te découragera pas. Tu lui demanderas de te redonner ton poste.

« Vous devez plaisanter, David, il te répondra. Savez-vous ce que les gens du ministère et l'association des parents d'élèves feraient si jamais ils apprenaient que vous avez remis les pieds au lycée après ce dont vous avez été accusé ? »

Tu lui rappelleras que personne n'a légalement le droit de t'empêcher de travailler. Que tu n'es l'objet d'aucune accusation au sens strict du terme, et que, de ce fait, tu disposes encore de tous tes droits. Tu as aussi des avocats qui se feront un plaisir de poursuivre l'établissement, si jamais on doit en arriver là. Bref, tu rendras Larry très, très malheureux. Et s'il te menace de demander ta radiation pour ne pas avoir mentionné ton arrestation à la suite du vol d'une voiture, tu lui rétorqueras que tu étais mineur à ce moment-là et que, par la loi, cette inculpation n'a jamais été portée sur ton casier judiciaire. Son teint passera du grisâtre au verdâtre, et son front se dégarnira un peu plus. De soudaines aigreurs d'estomac le feront se précipiter sur son bismuth. Mais ce ne sera pas ton problème. Tu as été puni pour un crime que tu n'as pas commis et tu as besoin de reprendre ta place dans le monde. Que tu continues d'être payé ne suffit pas : c'est son travail qui fait l'homme.

Un boxeur boxe, un écrivain écrit, un enseignant enseigne. Il te faut retrouver ta classe, parce que c'est le seul endroit où tu te sentes chez toi. Et puis il est possible que l'un des élèves sache qui a posé cette bombe. Et, s'ils ont quelque chose à dire, c'est bien à toi qu'ils le diront, certainement pas aux flics. Alors, tu dois retourner à ton travail.

Impossible, t'affirmera Larry. Les parents péteraient les plombs. Soyez raisonnable, David. Au mieux, demandez au ministère une autre affectation... Mais ce n'est pas ce que tu cherches ; tu continueras donc de discuter, et tu finiras par obtenir un compromis. Les dossiers d'inscription aux collèges doivent être déposés dans quelques semaines, et il faut bien que quelqu'un soit là pour examiner les mémoires des élèves. Ce sera toi. Ainsi, tu reprendras contact avec les gosses, et d'une manière suffisamment limitée pour satisfaire tout le monde. Cela te paraît un juste arrangement en attendant que tu sois innocenté. En attendant que des forces indépendantes de ta volonté décident si tu dois passer le restant de ta vie en homme libre ou enfermé dans quelque prison, avec le droit de voir ton fils trois fois par an. Mais ne pense pas à ça pour le moment. Reprends les choses en main. Tu n'es pas une victime.

Tu laisseras à Larry le soin de s'arranger avec le conseil d'administration. Ce n'est pas à toi de plaider ta cause auprès de chacun. Tu veux seulement revenir et découvrir qui a fait sauter le bus. Tu serreras des mains et verras des regards se détourner. Tu auras peur de suffoquer, mais tu mettras un pied devant l'autre et vivras jusqu'à ce que tu meures. Tu seras un père pour ton enfant et un professeur pour tes élèves. Tu déjeuneras chez *Nathan's*, au coin de la rue. Deux hot dogs avec assaisonnement, un grand Coca, et ces frites huileuses à souhait. Et, pour la première fois depuis des semaines, tu mangeras avec appétit.

45

Après avoir déterminé leurs cibles, Nasser, Youssef et le Dr Ahmed se retrouvèrent avec l'imam Abdel Aziz Ayad autour d'un petit déjeuner au *Skyview Diner*, dans Bay Ridge.

L'objectif, supposait Nasser, était d'essayer d'obtenir non seulement des fonds pour l'opération, mais encore la bénédiction d'Abdel pour chaque cible choisie, surtout après les réserves qu'avait émises Youssef au sujet du lycée. Nasser savait qu'il ne serait pas facile d'arracher à l'imam sa permission car, parmi tous les chefs religieux de la côte Est, il n'y en avait pratiquement pas un pour approuver des actes de violence contre des innocents.

« J'aimerais mes crêpes sans beurre, dit l'imam en anglais à la serveuse avec son petit sourire contraint. Et, s'il vous plaît, demandez-leur d'essuyer le gril, pour que ma nourriture ne soit pas en contact avec du porc.

— Oui, moi aussi, j'aimerais que mes œufs ne sentent pas le jambon, renchérit Grand Ours, assis à côté d'Abdel en face de Nasser et du Dr Ahmed. Je ne mange que ce qui est *halal.* »

Il s'efforçait de se faire valoir auprès de l'imam et Nasser le remarqua. Leur petit groupe avait changé de configuration depuis quelque temps. Nasser sentait qu'il avait gagné le respect du Dr Ahmed depuis qu'il avait suggéré de prendre pour cible le lycée, alors que Youssef, par son hésitation, avait rétrogradé dans la hiérarchie.

Nasser s'étonnait de ce changement chez Grand Ours. Lui qui, jusque-là, s'était montré entreprenant et sûr de lui n'était plus qu'un soldat soumis à l'autorité du docteur. Peut-être cette faiblesse résultait-elle de ce goût pour les vidéos américaines, les magazines de musculation et les hamburgers ? En dépit de sa force, Youssef était prêt à aller où le vent le pousserait.

Nasser et le docteur commandèrent du pain grillé, et la serveuse, une blonde au visage fatigué et à la poitrine plantureuse, repartit vers les cuisines.

« Alors ? demanda l'imam en arabe, avec ce sourire malicieux qui avait tant plu à Nasser lors de leur précédente rencontre. Que me vaut le plaisir de revoir mes frères ? »

Le Dr Ahmed se pencha en avant avec un air de conspirateur que Nasser jugea quelque peu théâtral. « Nous avons débattu entre nous de trois problèmes, et nous voudrions maintenant ton avis, cheikh.

— Parfait ! »

Nasser jeta un coup d'œil dans la salle pour s'assurer que personne n'écoutait. Depuis qu'il logeait avec le docteur, il avait noté que celui-ci oscillait entre des crises de méfiance infondée et des actes d'une imprudence troublante.

« Ma question se rapporte aux écoles de ce pays. » Le docteur toussa et se racla la gorge. « Que penses-tu de l'éducation qui est dispensée aux jeunes gens, ici ?

— Elle est sans nul doute une offense pour Allah, répondit l'imam en croisant les mains, l'air assuré.

— Bien. Alors, ce ne serait pas une mauvaise action que de s'attaquer à un lycée, n'est-ce pas ? »

Le docteur toussa de nouveau, et Nasser se rappela qu'il avait senti une odeur de cigarette venant de la salle de bains, la nuit précédente. Ahmed fumait-il en cachette ?

L'imam avait soudain perdu de sa sérénité. « Je... je ne dirais pas que...

— Ça va, je comprends, l'interrompit le Dr Ahmed en jetant un regard autour de lui. Les murs ont des oreilles, ici.

— Exactement », répondit l'imam, tandis que la serveuse reparaissait pour leur servir du café.

Nasser se demanda si le chef religieux venait d'approuver une action terroriste dans un lycée ou bien s'il avait éludé la question.

Mais, dès qu'ils furent de nouveau seuls, le Dr Ahmed

continua comme si de rien n'était. « Il y a autre chose que j'aimerais savoir, dit-il en baissant tellement la voix que l'imam dut se pencher en avant pour l'entendre. Quelque chose de plus grave.

— Je t'écoute », répondit l'imam aimablement.

À présent, il va lui poser la question pour les autres cibles, pensa Nasser en soulevant son verre d'eau et en le reposant rapidement, de peur qu'on ne remarque le tremblement de sa main.

Mais le docteur aborda un sujet inattendu. « L'autre jour, à Jérusalem, il y a eu un *shaheen*... un martyr, expliqua-t-il. Il s'est fait sauter avec la bombe qui a tué ce qu'ils appellent des innocents. Nous aimerions savoir si cela est contre la charia, les lois de l'Islam. »

La demande surprit Nasser. Il n'avait jamais été question entre eux d'un suicide à la bombe.

Le sourire de l'imam s'effaça de nouveau. « C'est un sujet très grave, en effet, déclara-t-il avec un haussement de sourcils. Le Livre saint est catégorique sur ce point : de tels actes sont strictement interdits. Le suicide est un crime, et ceux qui tuent des femmes et des enfants sont des criminels.

— Oh ? fit le docteur en jetant un regard interrogateur à Youssef.

— Toutefois, reprit l'imam après une gorgée de café, il existe une longue et honorable tradition de martyrs. Et il faut se rappeler que nous sommes en guerre sainte ; à la guerre, il n'est pas toujours possible de vivre selon les préceptes du Coran. »

Nasser secoua lentement la tête d'un air désespéré. « Mais pourquoi parlez-vous de ça ? demanda-t-il aux autres. Il n'en a jamais été question ! »

Le silence tomba autour de la table, tandis que la serveuse apportait les crêpes nature de l'imam, les œufs brouillés de Youssef, et le pain grillé de Nasser et du Dr Ahmed. « Voilà, messieurs, dit-elle. Sifflez si vous voulez autre chose. »

Sitôt qu'elle fut repartie, Youssef répondit à Nasser d'une voix sourde : « Bien sûr qu'on n'a pas parlé de ça. *Ente maj noun*. Tu es fou ? On veut seulement savoir si on a le droit de faire certaines choses. »

Se suicider, par exemple ? Nasser était complètement perdu, mais il n'osait insister, de peur de passer pour un faible aux yeux de l'imam et de perdre ainsi son nouveau statut. Il avait cru qu'ils étaient venus chercher l'autorisation de poser leurs bombes, et il ne comprenait pas pour quelle raison étaient abordés des sujets comme le sacrifice des martyrs.

« Nous avons une dernière question, dit le Dr Ahmed. Elle concerne l'argent. Nous avons projeté trois opérations et nous n'avons pas les fonds suffisants. Aussi, nous avons pensé et espéré que tu pourrais nous aider. Au nom du djihad.

— De combien avez-vous besoin ? » interrogea l'imam avant d'enfourner une crêpe ruisselante de sirop d'érable.

Le docteur consulta du regard Youssef, avant de répondre à Abdel : « Environ 500 à 600 dollars. »

L'imam posa ses mains sur la table et, pendant un moment, mâcha en silence. « C'est une grosse somme, remarqua-t-il enfin. Êtes-vous sûrs qu'elle servira le bien ? »

La question parut déconcerter le Dr Ahmed, mais, craignant d'essuyer un refus, il s'empressa de répondre : « J'en suis sûr dans mon cœur. »

L'imam se tourna vers Nasser et lui sourit. « Tu as entendu ? Il en est “sûr dans son cœur”. C'est beau, ça, n'est-ce pas ?

— Oui, c'est beau », répondit Nasser tout en songeant que cette réunion était un échec. Ils allaient repartir sans avoir obtenu ni l'argent ni seulement la permission d'agir. L'idée de poursuivre l'action sans l'accord du chef religieux le troublait profondément, de même que la question du martyr. Il revoyait l'image de cet homme gisant dans son sang devant l'échoppe d'un bijoutier. Pourquoi les autres avaient-ils soulevé la question du suicide ?

« Alors, si vos intentions sont bonnes, et que vous suiviez le droit chemin et priiez, Dieu vous aidera, leur dit l'imam. Maintenant, mangeons. »

46

La veille de son retour au lycée pour y entreprendre la difficile tâche de se retrouver lui-même et de laver son honneur, David relut *Gatsby le Magnifique.*

Une fois de plus, il fut frappé par la scène finale : quand le père de Gatsby tombe sur un vieux cahier d'écolier de son fils dans lequel celui-ci a écrit d'une main enfantine ses « bonnes résolutions » pour devenir quelqu'un de bien...

Voilà, pensa David, moi aussi j'ai besoin d'une liste de résolutions :

Avant tout, renouer le contact avec tes élèves. L'un d'eux a peut-être vu ou entendu quelque chose au sujet de la bombe.

Essayer de lier conversation avec des gens du voisinage et leur demander s'ils ont remarqué quelque chose.

Te défendre. Exiger de tes avocats qu'ils répliquent plus fermement qu'ils ne l'ont fait jusqu'ici aux articles mensongers parus dans la presse. Penser aussi à passer à la télévision pour montrer aux gens que tu n'es pas un monstre.

Demander publiquement au FBI d'arrêter de te harceler, ou alors de t'inculper.

Te dire aussi que, quoi que tu fasses, il y a de fortes probabilités que tu échoues.

Mais, dès qu'il arriva devant le lycée le lendemain matin, David réalisa qu'il ne s'était pas suffisamment préparé. Comme il l'avait prévu, un petit groupe de parents débarqua sans tarder avec pancartes et porte-voix, protestant contre le fait qu'on ait autorisé le retour d'un terroriste qui battait sa femme et son enfant. PROTÉGEZ LES DROITS DE NOS ENFANTS ! clamait une banderole en lettres rouges. Bien entendu, la presse était là en force pour enregistrer l'événement. David se fraya un chemin à travers la forêt de micros, non sans remarquer au passage la présence de ce même petit Noir avec son badge de papier.

À l'intérieur du bâtiment, l'accueil ne fut pas plus chaleureux. Larry lui dénicha pour finir un petit bureau au sous-sol près du réfectoire – en réalité, une remise encombrée de matériel vidéo, de bouquins, d'outils et de cartons de papier toilette. Serré au milieu de ce capharnaüm, David avait l'impression d'être un personnage de roman du XIXe siècle, un paria que la société des gens de bien avait banni des regards.

Il passa l'essentiel de la matinée assis à sa petite table, rongeant son frein en attendant la visite de ses élèves. Il serait bien allé les chercher, mais il savait que cela fournirait à Larry une bonne excuse pour le renvoyer. Il ne lui restait donc qu'à s'armer de patience.

Prenant leur temps, ils commencèrent à venir. Kevin Hardison fut le premier. Au lieu de son habituel accoutrement casquette, T-shirt moulant et falzar bouffant, il arborait une chemise blanche à rayures vertes façon Oxford, avec un col fermé par une épingle en argent, et un pantalon à pinces kaki.

« Hé ! comment vous trouvez mon look Gatsby ? dit-il en plaquant sèchement le livre sur le bureau, d'un air de défi.

— Tu l'as lu ?

— J'l'ai lu.

— Et d'où sors-tu ces fringues ? » David ôta ses pieds du grand carton de PQ sur lequel ils reposaient.

« Ne me demandez pas, répondit Kevin. J'me suis dégotté un boulot pour après le bahut. »

Probable qu'il grille des hot dogs chez *Nathan's*, pensa d'abord David, avant de se dire : Et après ? Le gosse n'irait peut-être pas dans un collège huppé, mais il avait apparemment tiré un bénéfice de la lecture du bouquin. Cela lui avait peut-être donné l'idée de se mettre au travail. Et il n'y avait pas beaucoup de lecteurs capables d'en faire autant.

« Tenez, j'ai quelque chose pour vous. » Kevin déposa devant David une carte de visite maculée d'une tache de café.

« C'est quoi ? »

David prit le bristol, où figuraient le nom et le numéro de téléphone d'un avocat à la cour.

« Myron Newman, avocat pénal, dit Kevin en ajustant son épingle à cravate qui, vue de plus près, avait l'air d'une de ces babioles qu'on gagne à la foire au lancer de fléchettes. L'année dernière, il a aidé mon cousin qui s'était fait choper avec un gramme de coke. Il lui a obtenu la conditionnelle. J'ai pensé qu'il pourrait vous filer un coup de main. »

David passa son doigt sur la tranche abîmée de la carte, secrètement touché à la fois par le geste du garçon et par ce look d'étudiant de bonne famille qu'il arborait aujourd'hui, pour montrer qu'il avait plusieurs cordes à son arc.

« Merci, Kevin, répondit-il en serrant la main au garçon et en se gardant de lui apprendre qu'il avait déjà des avocats.

— Alors, faut que j'vous l'écrive quand même, ce papier ? » s'enquit Kevin, et son sourire dévoilait ses deux quenottes en or portant son monogramme. Il espérait manifestement tirer avantage de la situation.

« Bien sûr, répliqua David. Tu es toujours au lycée, non ? Et puis tu dois leur montrer que tu sais écrire, si tu veux entrer à CUNY. »

David sortit une demande d'inscription, et la tendit à Kevin.

« Bon, d'accord. » Kevin prit le papier, acceptant enfin de se soumettre à l'ordre des choses.

« Hé, Kevin, laisse-moi te poser une question. » David jeta un nouveau coup d'œil à la carte de visite de Myron Newman avant de la glisser dans la pochette de sa veste. « Tu as entendu quelque chose ?

— À quel sujet ?

— Tu ne devines pas ? » David coula un regard vers la porte du réduit pour s'assurer que personne n'écoutait. « J'aimerais bien savoir qui a posé cette bombe.

— Pourquoi, c'est pas vous ? répliqua Kevin, manifestement surpris.

— Quoi ? Tu croyais que c'était moi ? s'exclama David, non moins surpris.

— À dire vrai, j'savais pas trop. Mais vous avez déjà été arrêté, j'l'ai lu dans le journal.

— Et tu étais quand même prêt à m'aider ? » David se demandait s'il devait s'en réjouir ou s'en alarmer.

« Hé ! mec, la moitié de ma famille a été en taule. La vie est dure dans le coin. » Kevin examina le dos de sa main, comme pour consulter le code moral en vigueur chez les déshérités. « Et puis vous avez piqué des bagnoles lorsque vous étiez gosse, et ça vous a pas empêché de grandir et de devenir un professeur. Alors, c'est cool, mec. »

David secoua la tête. S'il avait su que ses élèves avaient autant de sympathie pour un voleur de voitures, il aurait fait de son arrestation le premier de ses sujets de cours.

« Rends-moi service, Kevin. Fais-moi signe si jamais tu entends quelque chose. »

Le reste de la journée ne se passa pas aussi bien.

« Je ne sers pas ce type ! »

Rosalyn, la serveuse du réfectoire à la lèvre fournie d'une moustache que lui aurait enviée Clark Gable, fusillait du regard David derrière sa marmite de soupe et son bac de pain de viande, un pain qui ressemblait à une gigantesque limace engluée dans une mare de sauce brunâtre.

« Et pourquoi donc ? demanda David.

— J'ai un petit-fils de sept ans, répondit-elle. Et je ne vous servirai pas. Je me fous de ce qu'ils me feront. Ils peuvent me renvoyer, s'ils le veulent, mais ils peuvent pas me forcer à servir un homme qui a fait des choses pareilles à un gosse ! »

David se pencha par-dessus le comptoir et prit la louche pour se servir lui-même. Ses collègues dans la file devant lui se remirent à avancer en murmurant et en se gardant bien de prendre parti. Avant, quand il n'était que « Fitz la Bombe », les gens lui témoignaient un intérêt mêlé de crainte. À présent, il ne lisait que du dégoût dans leurs regards furtifs.

Ramassant son plateau, David emporta son café couleur de thé et sa soupe de forçat à une table libre dans le fond de la salle aux murs verts, sachant que personne ne viendrait s'asseoir près de lui. Il était le réprouvé et avait l'isolement pour carcan.

« Alors, comment se porte l'Homme du Sous-Sol ? »

Il leva les yeux pour voir Donna Vitale prendre place en face de lui, avec sur son plateau une part supplémentaire de pain de viande.

« Il rumine et complote. C'est Larry qui t'envoie pour s'assurer que je ne suis pas en train de fabriquer une autre bombe ?

— Non, je voulais seulement vérifier que tu avais assez à manger. » Elle glissa l'une des parts de viande vers lui. « Mais dis-moi comment tu vas.

— En pleine forme, comme tu vois. J'ai eu la visite de deux élèves, depuis 8 heures et demie ce matin. Et j'ai surpris l'un d'eux à plagier *L'Archipel du Goulag* dans sa dissertation.

— C'est original, observa-t-elle en riant.

— Pas vraiment, venant de la part de Yuri. Yuri Ehrlich. Il est originaire de Moscou. Dommage, c'est un élève brillant, mais il a malheureusement un tempérament de tricheur.

— Qu'est-ce qu'il t'a répondu, quand tu lui as fait la remarque ? »

David goûta à son café, qui avait refroidi. « Il m'a répliqué : “Oh, qui se soucie de ce que vous pouvez dire ? Vous êtes un terroriste et un violeur d'enfants. Personne ne vous croira.”

— Ma foi, tu t'attendais à autre chose ?

— Je ne sais pas. » David reposa sa tasse, surpris, mais pas vraiment chagriné par la rudesse de Donna. « Je veux seulement renouer le contact avec mes élèves. »

Il n'osa pas ajouter qu'il avait un autre motif de leur parler.

« Il est peut-être trop tôt pour espérer qu'ils viennent me voir en masse.

— “Peut-être” ? Allons, David, un peu de réalisme. Ils pensent que tu bats ta femme et que tu as essayé de les faire sauter à la bombe. Tu ne crois pas qu'ils sont en droit de se poser des questions ? »

David rit. Il avait l'impression de s'être pris un seau d'eau glacé sur la tête, mais il reconnaissait qu'elle avait raison.

« D'accord, mais que faire pour les récupérer ?

— Donner du temps au temps. » Elle sortit de son sac un bâton de rouge à lèvres. « Tiens le coup. Sois toi-même. Tu les as paumés quand tu as laissé les caméras entrer dans ta classe, si tu me permets de te dire ça. C'est à ce moment-là qu'ils ont perdu la confiance qu'ils avaient en toi. Tu dois redescendre sur terre. Ils finiront par penser que tu n'es pas Fitz la Bombe ni le monstre qu'on raconte, et ils viendront te voir et te parleront.

— Tu crois ?

— Oui, à moins qu'on pose des barreaux dans ton bureau

et que tu deviennes une attraction de la promenade de Coney Island. »

Elle attacha en queue-de-cheval ses cheveux blond paille. Elle n'était pas ce qu'on appelle une beauté, mais elle avait un charme auquel David succombait un peu plus chaque fois qu'il la voyait.

Il regarda sa part de pain de viande, hésitant à y goûter. « Je n'ai rien fait, tu sais.

— Quoi ?

— Je n'ai rien fait de tout ce qu'on raconte. Je ne connais rien aux bombes, et je n'ai jamais levé la main sur ma femme ou mon enfant. Je préférerais me couper le bras plutôt que de faire une chose pareille. »

Il jeta un coup d'œil dans la salle, conscient des regards dont ils étaient l'objet.

« Je le sais bien, David. »

Elle dit cela avec naturel tout en refermant son sac. Comme si c'était une évidence.

« Tu le sais ?

— Bien sûr. Pourquoi le demander ? »

Elle lui sourit, et son visage s'embellit soudain. Elle avait l'habitude de sourire. Pas comme Renee. À la vérité, elle était une anti-Renee : quelles que soient les épreuves, elle était de ceux qui se relèvent toujours. David goûta à son pain de viande et ne le trouva pas tout à fait immangeable.

« On dîne ensemble ? demanda-t-elle en se levant.

— Tu m'invites ?

— Je pense qu'un peu de compagnie ne te ferait pas de mal. Alors, c'est oui ? C'est non ? Je ne te bouscule pas trop ?

— Pas du tout, au contraire.

— Demain soir, chez moi ?

— Parfait, mais tu es sûre que tu n'as pas peur d'accueillir un terroriste chez toi ?

— Apporte le vin, je m'occupe du lance-roquettes. »

Il avait envie de lui embrasser la main. Merci, femme merveilleuse, j'étais en train de couler ! Elle repoussa sa chaise.

« Hé, Donna ! »

Elle le regarda, les mains sur les hanches. « On dirait le titre d'une chanson... Oui ?

— Tu n'as rien entendu... au sujet de l'explosion ? »

Elle pinça les lèvres en le regardant d'un faux air de reproche. « Tu ne penses pas que je t'en aurais parlé, si j'avais appris quelque chose ?

— Si, bien sûr. » Il balaya l'air de sa main. « Tu as raison.

— Tiens bon la rampe, David. » Elle s'éloigna, puis se retourna. « Et essaie de ne pas te faire arrêter avant demain soir : je déteste acheter à manger et devoir tout jeter à la poubelle. »

47

L'imam ayant repoussé leur demande d'argent, Nasser doubla son service du lendemain pour gagner un peu plus. Comme il revenait à la station dans Flatbush Avenue, à 8 heures du soir, il vit Bilal, le coordinateur pakistanais, en conversation avec un grand type blond dont la grosse tête ronde était posée sur deux épaules massives.

« Ah ! le voilà. » Bilal pointa son cigare en direction de Nasser. « Je vous disais bien qu'il ne tarderait pas. »

Se retournant, le blond fixa Nasser d'un regard aigu.

« Que se passe-t-il ? demanda le jeune homme.

— Ce monsieur veut te parler. » Bilal coinça son cigare entre ses dents, et disparut derrière le comptoir pour répondre aux appels téléphoniques.

« Comment allez-vous, Nasser ? » L'homme s'avança en sortant de la poche de son jean un petit étui en cuir. « Chris Calloway, détachement spécial du FBI. »

Nasser eut immédiatement la bouche sèche.

Calloway lui montra sa plaque de police. « Je voudrais juste vous poser quelques questions sur l'attentat à la bombe devant le lycée de Coney Island, il y a deux semaines.

— Je ne sais rien de tout ça. »

Nasser eut soudain conscience de retenir l'attention générale. Tous ceux qui se trouvaient là, dans la petite salle d'attente minable de la station, le regardaient : la grosse Noire assise sur une chaise pliante avait délaissé son roman de gare, et les autres vauriens de chauffeurs en blouson d'aviateur avaient levé le nez du flipper sur lequel ils jouaient dans un coin.

« Je n'en aurai pas pour longtemps, dit Calloway, dont le nez semblait avoir souffert de plusieurs fractures et rafistolages. Ça ne vous ennuie pas ?

— Je suis pressé. » Nasser jeta un regard en direction de Bilal et comprit qu'il avait parlé trop vite. « Mais je veux bien répondre à vos questions. C'est terrible, ce qui s'est passé au lycée, et ce pauvre...

— Ça va, on ne va pas en faire un roman, l'interrompit Calloway en rempochant sa plaque. Nous interrogeons tous les élèves du lycée, y compris les anciens.

— Oui, je comprends. » Nasser jugea sa voix tellement haut perchée qu'il se demanda si les autres le remarquaient.

« J'aimerais savoir si vous êtes allé au lycée, récemment ? »

Nasser éluda la question. « Non, je... je n'ai pas été jusqu'à la terminale, répondit-il avec un petit rire en regardant par terre. Je n'étais pas un très bon élève, mais peut-être que je retournerai étudier, un jour.

— Alors, vous n'y êtes pas retourné depuis combien de temps ?

— Quatre ans. Depuis que j'ai arrêté mes études.

— Donc, vous n'y étiez pas, l'autre jour ? »

Merde ! Quelqu'un l'aurait-il vu ? Il aurait dû mentionner sa visite à M. Fitzgerald.

Un bip sonna, et presque tout le monde dans la salle baissa les yeux sur sa ceinture. « C'est le mien, déclara Calloway en allumant l'appareil pour vérifier le numéro d'appel. « Qu'ils aillent se faire foutre, je les rappellerai, marmonna-t-il. Bon, où j'en étais ? reprit-il en rangeant le bip dans son étui.

— On parlait du lycée, dit Nasser, s'efforçant de paraître détendu et coopératif. Mais je n'y suis pas retourné.

— Et vous faites quoi de vos journées ?

— Je conduis mon taxi. Je vois ma famille. Je paie mon loyer. » Il décida de ne pas mentionner les prières à la mosquée, afin de ne pas éveiller de soupçons.

« Vous faites de la politique ?

— Non, je ne vois pas ce que vous voulez dire. »

Est-ce que ce flic jouait avec lui ? Calloway était imprévisible, et ses questions semblaient toujours être à double sens.

« Je vous demande si vous appartenez à un groupe politique ? Il n'y a pas de mal à ça.

— Non, je ne fais partie d'aucun... groupe.

— Vraiment ? Et avez-vous des amis qui, eux, sont engagés ?

— Non, je ne fréquente pas ces gens-là. Je suis heureux comme je suis... J'aime l'Amérique », ajouta Nasser, et prononcer de tels mots lui fit mal aux mâchoires.

« De quel pays venez-vous ?

— Euh... de Jordanie. » Il jeta un regard vers Bilal avec l'espoir que celui-ci ne le contredirait pas. « Ma famille est d'Amman.

— Vous n'êtes pas palestinien ?

— Non, pas du tout. »

Calloway le regarda avec un regain d'attention.

Non, il ne jouait pas, pensa Nasser. Ce type savait quelque chose. Il le vit palper son blouson, comme pour s'assurer que son pistolet était bien dans son holster et ses menottes toujours accrochées à son ceinturon. « Revenons à l'explosion du bus, dit l'agent fédéral. Vous avez une sœur, n'est-ce pas ?

— Oui. » Nasser se raidit ; il ne s'attendait pas à cette question. « Elle est très gentille.

— Oui, il semble bien. L'un de mes collègues l'a déjà interrogée.

— J'ai entendu dire que c'est le professeur qui a fait sauter le bus, lança Nasser, tentant une diversion.

— Ouais, c'est ce que prétend la presse. Mais nous, nous cherchons toujours. »

Il me torture. Il sait vraiment quelque chose. Fitzgerald a dû leur parler de moi, alors ils ne le soupçonnent plus. Nasser passa la langue sur ses lèvres, s'exhortant à ne pas céder à la panique. Et s'il se jetait sur ce type et essayait de lui arracher son arme ? Arriverait-il vivant jusqu'à la porte ?

« Est-ce que votre sœur ou vous-même connaissez quelqu'un qui aurait pu faire le coup ? Est-ce qu'elle a des amis que vous n'aimez pas ?

— Non, ses amis sont très bien. En tout cas, je le crois. »

Le bip sonna de nouveau. « Putain, ils pourraient pas me lâcher ? » s'écria Calloway sans prendre cette fois la peine de relever le numéro de son correspondant. Il se tourna vers Nasser.

« Je reviendrai vous voir et nous reprendrons cette conversation, lui dit-il. D'accord ?

— D'accord. » Nasser entrevit enfin une chance de s'en tirer.

« Mais juste une chose, avant que je vous laisse, ajouta Calloway. Où étiez-vous quand la bombe a explosé ?

— Je n'étais pas au lycée, je vous l'ai dit. Je n'y vais plus jamais.

— Je sais, mais ce que je vous ai demandé, c'est : où étiez-vous ? »

Est-ce que quelqu'un s'était souvenu de l'avoir vu ? Nasser sentit sa gorge se serrer. Il était coincé. S'il disait qu'il était à ce moment-là en train de travailler, Calloway le vérifierait aussitôt auprès de Bilal, qui tenait toujours son carnet de bord à jour.

« J'étais avec ma sœur. »

Bon sang, qu'est-ce que j'ai dit là ! Les mots lui avaient échappé, et il comprit qu'il avait commis une énorme erreur. L'autre policier avait interrogé Elizabeth, mais à cause de leur dispute Nasser n'avait pas eu l'occasion de lui demander ce qu'elle avait répondu exactement. À présent, ignorant si elle lui avait fourni ou non un alibi, il avait l'impression de chuter dans un gouffre noir.

« Vous étiez avec votre sœur, hein ? » répéta Calloway d'un air sceptique en portant la main dans son dos.

Qu'allait-il prendre ? Son arme ? Une paire de menottes ? Nasser jeta un coup d'œil en direction de la porte : oui, il pourrait l'atteindre en quelques enjambées, mais récolterait une balle dans le dos. *Allah akbar*. S'il ressortait vivant de cet interrogatoire, cela signifierait qu'Allah veillait sur lui.

« Eh bien, je vérifierai », déclara Calloway.

Nasser le vit se redresser et ramener sa main vide devant lui. *Inch'Allah !* Il ne serait pas arrêté.

« Si je consulte les notes prises par mon collègue quand il a interrogé votre sœur, vous êtes sûr que votre histoire tiendra ?

— Absolument, affirma Nasser, conscient qu'il lui fallait d'une façon ou d'une autre revoir Elizabeth et lui parler. J'en suis aussi sûr que la bonté de Dieu est infinie.

— Si c'est vous qui le dites. » Calloway lui tendit sa carte de visite avec son numéro de téléphone.

48

Ne pouvant s'offrir les services d'un détective privé, David passa à sa résolution numéro deux et se mit en devoir de découvrir si des gens autour du lycée avaient remarqué quelque chose de suspect le jour de l'attentat.

Le lendemain, il profita d'un de ses moments libres pour se rendre dans Surf Avenue, où il interrogea le Russe qui tenait un magasin de literie, le Yéménite qui vendait des billets de loto, les gosses du lotissement de O'Dwyer Gardens, et les petits vendeurs à la sauvette qui se tenaient le plus souvent à l'entrée du métro.

Naturellement, personne n'avait rien vu.

À 1 heure de l'après-midi, il fit une pause à la baraque de hot dogs près de la rampe d'accès à la promenade. Le type derrière le comptoir avait une énorme tête, le crâne rasé, d'imposantes épaules velues sous un débardeur et le moindre centimètre carré de peau couvert de tatouages multicolores.

« Comment ça va ? » demanda David en commandant deux saucisses et un Coca.

Il pensa au goût délicieux qu'aurait une bière mais s'abstint de le vérifier, préférant garder tous ses esprits face à la panique et à la dépression qui le guettaient à chaque instant.

« J'peux pas me plaindre. » Le tatoué tira un soda à la pression et le lui tendit. « Enfin, j'pourrais, mais qui s'en soucierait ? Et puis qui voudrait d'un pleurnicheur de cent trente kilos ?

— Je vois ce que vous voulez dire. » David sirota une gorgée et s'essuya le front. C'est fou ce qu'il transpirait depuis quelques jours !

L'homme lui tourna le dos pour préparer ses hot dogs, et les ailes d'un aigle se déployèrent de chaque côté de ses impressionnants dorsaux.

« Dites, je peux vous poser une question ? s'enquit David.

— Bien sûr. Mes conseils sont gratuits, sauf ceux qui demandent un peu de réflexion, dans ce dernier cas ils coûtent 1 dollar et demi.

— Ça me paraît honnête. » David prit les hot dogs dans leur papier sulfurisé et les arrosa de moutarde. « Vous travailliez, le jour où le bus a sauté ?

— Ouais. » Le type se pencha en avant sur ses bras épais, et David vit qu'il avait une tête de dragon tatouée sur le crâne. « C'est vous le prof ?

— Ouais, c'est moi le prof.

— Hé ! » L'homme lui tendit la main, dont la paume était ornée d'un serpent bleu. « Entre monstres, faut se tenir les coudes. »

— Je suis innocent, dit David en lui serrant la paluche. Sincèrement, je le suis.

— Moi aussi. Mais quelqu'un n'arrête pas de me faire ces foutus dessins sur la couenne. »

David rit – pour la première fois depuis des mois, il lui sembla. « Où est-ce que vous vous êtes fait tatouer ?

— Bof, un peu partout. J'ai longtemps travaillé à la baraque foraine de Bobby Reynolds, en bas de la rue. Et puis il a fermé la boutique. Il n'y a plus que Dick Zigun qui tient encore le coup dans le coin. Aujourd'hui, les gens ne veulent plus payer pour voir des monstres : ils les ont pour rien à la télé.

— Oui, ils m'ont. » David tapa dans la main du tatoué, puis vida son soda, appréciant le petit coup de fouet de la caféine et du sucre. « Désolé de vous avoir chipé la place.

— Ouais, mais la différence entre nous, c'est que moi j'ai choisi de l'être... un monstre. » L'homme regarda le verre vide de David. « Vous voulez une bière ?

— Non, merci. Je me détesterais après. J'ai des élèves à voir. »

S'abandonner à l'alcool et l'oubli était fort tentant. David se serait volontiers laissé aller à boire et à bavarder avec ce compagnon de marginalité par cette belle journée ensoleillée, si sa situation n'avait été aussi désespérée.

« À propos, dit-il, vous n'auriez rien remarqué de bizarre le jour de l'attentat ?

— Non, à part des mecs raides défoncés au crack, deux ou trois femmes à barbe et quelques avaleurs de sabres. » L'homme tatoué haussa ses puissantes épaules, et prit l'argent que lui tendait David. « L'ordinaire de Coney Island, quoi. »

Quelques élèves lui rendirent visite dans son réduit, quand il fut de retour au lycée. Certains s'étaient déplacés dans l'unique but de voir Fitz la Bombe ; mais d'autres – peut-être poussés par les dénégations plus convaincantes de Ralph Marcovicci aux journaux télévisés de la veille – voulaient l'aider.

« À mon avis, c'est les salopes qui ont fait le coup », lui dit Seniqua Rollins, à peine eut-elle posé son ample fessier.

Enceinte de près de six mois, c'était tout juste si elle pouvait tenir dans un petit espace aussi encombré par les équipements scolaires.

« De qui parles-tu, Seniqua ? » demanda David en reculant sa table pour lui faire un peu plus de place. À deux là-dedans, on aurait dit un couple d'hippopotames dans une cabine téléphonique.

« Les salopes, mec : les salopes du Droit à la vie. C'est elles qui ont fait sauter le bus.

— Qu'est-ce qui te fait dire ça ?

— J'sais pas... Quelqu'un l'a fait, non ? »

David regarda le ventre rond sous l'ample chemise bleu et blanc, et pensa que l'accusation était quelque peu paradoxale, vu la volonté de garder son bébé que Seniqua avait manifestée. En tout cas, cela signifiait qu'elle le considérait, lui, comme innocent.

« Seniqua, qu'est-ce que la police t'a demandé au sujet de l'explosion ?

— Toujours la même histoire. Ils voulaient savoir ce que vous nous aviez dit avant. Et comment ça se faisait que vous aviez disparu pendant vingt minutes avant le cours. Et pourquoi vous auriez fait ça.

— Et que leur as-tu répondu ?

— Que vous m'aviez sauvé la vie, et qu'ils pouvaient aller se faire mettre plutôt deux fois qu'une.

— Je te remercie, Seniqua. »

Sans se l'expliquer, David avait le sentiment de passer à côté de quelque chose, mais quoi ? Une idée. Une image qui pouvait le sauver. Qu'est-ce que c'était ? Il entendit un martèlement de pas au-dessus de sa tête et le lointain concert des voix de la chorale qui répétait là-haut à l'auditorium.

« Et à propos de mon sac, ils t'ont posé des questions ?

— Ouais. Ils voulaient savoir si je vous avais vu le poser dans le bus.

— Et tu leur as répondu que oui ? »

Elle hocha la tête. « Désolée, dit-elle, mais j'peux pas raconter des bourdes aux flics. J'suis déjà en conditionnelle pour une bagarre dans le métro : une salope que j'ai balafrée.

— Je comprends. » David fit craquer ses phalanges. « De toute façon, je n'aurais pas voulu que tu mentes pour moi. Mais y aurait-il quelque chose que tu n'as pas dit à la police et dont tu aimerais me parler ?

— Non. J'leur ai dit tout ce que j'savais... pas grand-chose, quoi. J'voulais rien garder sur la conscience avec le bébé en moi. »

Elle se tapota le ventre. Son visage semblait avoir mûri, comme si elle entrait plus vite dans l'âge adulte en ayant un enfant si prématurément.

« À ce sujet..., commença-t-il prudemment, car il ne souhaitait pas s'immiscer trop dans la question de la paternité... qu'est-ce que tu vas faire de ce bébé ? Je veux dire, est-ce que tu vas demander de l'aide au père ?

— Non, j'vais l'élever toute seule, répliqua-t-elle d'un air de défi. Tous ces salopards à p'tite bite avec qui j'ai traîné, ils valent pas un pet. »

Pendant l'heure suivante, David monta au secrétariat du proviseur et demanda à Michelle s'il pouvait emprunter la clé des toilettes des professeurs. Mais, au lieu de se rendre aux toilettes, il utilisa l'autre clé du trousseau qu'elle lui avait remis pour ouvrir la porte de la salle des archives, au fond du couloir. Il glissa sa carte de crédit entre le pêne et la gâche pour bloquer la serrure, redonna les clés à Michelle, puis attendit qu'il n'y ait personne dans le couloir pour se glisser dans la pièce. Il régnait à l'intérieur une odeur de renfermé et tout était recouvert d'une fine poussière brune. David ne fut pas long à découvrir que les dossiers scolaires étaient classés par ordre alphabétique, et non par années comme il l'avait pensé, si bien que les fiches remontaient jusqu'au début du siècle – quand Coney Island n'était encore qu'un gigantesque bastringue de bord de mer et que le grand Luna Park jetait ses mille feux sur la promenade. David apprit ainsi qu'un certain Joseph Adler, en 1905, avait été renvoyé pendant une semaine pour avoir été pris à jurer tout haut dans les couloirs ; et aussi que Miriam Avery, en 1952, avait été surprise en train de fumer dans les cabinets. Les trois quarts de la pièce n'étaient qu'un panthéon consacré à des temps plus innocents, et d'aucun intérêt pour lui.

Il allait ouvrir un autre tiroir lorsque la porte s'ouvrit brusquement et Michelle apparut sur le seuil.

« Non, mais qu'est-ce que vous faites ici ? demanda-t-elle d'une voix qui aurait fait débander un chimpanzé en rut.

— Je suis venu consulter le dossier d'un élève en vue de son inscription au collège, dit-il, un rien confus. J'ai préféré ne pas vous déranger.

— La prochaine fois que vous voudrez avoir accès aux archives, vous m'en ferez la demande par écrit. Compris ? » Elle le fixait d'un regard où se lisait toute la révulsion qu'il lui inspirait. « Et maintenant sortez, avant que j'appelle la sécurité. »

Il redescendit au sous-sol avec le sentiment d'avoir été justement châtié, car il s'en voulait de ce qu'il avait tenté de faire. Il était censé protéger ses élèves, et non fouiner dans leur passé scolaire. Mais le désespoir le poussait vers des zones obscures.

Elizabeth Hamdy apparut sur le seuil vers la fin du dernier cours. Elle se tint là quelques secondes, l'observant pendant qu'il corrigeait des dissertations, apparemment peu désireuse de révéler sa présence. Elle recula d'un pas, telle une biche rencontrant un chasseur dans la forêt, quand il tourna la tête vers elle.

« Entre, lui dit-il. Je ne te mordrai pas. »

Elle avança lentement, prudemment, ses livres serrés contre sa poitrine.

« Assieds-toi. »

Il vit Donna Vitale s'arrêter à la porte. Ils devaient dîner ensemble un peu plus tard, mais sa présence en cet instant lui parut inopportune. Il se demanda si, à la vérité, elle n'avait pas mission de le surveiller. Elle lui chuchota : « Je te parlerai plus tard », puis disparut.

« Alors, tu m'as apporté quelque chose à lire ? demanda-t-il à la jeune fille.

— Oui. » Elle baissa les yeux, puis déposa sur le bureau cinq pages dactylographiées. « C'est ma dissertation. »

Il se pencha en avant et lut le titre. « La Traversée du fleuve ». Poursuivant sa lecture, il fut immédiatement emporté. C'était l'histoire de son père, lorsqu'il avait franchi le Jourdain. Tous les détails omis quand elle en avait parlé en classe étaient là. Comment sa famille, qui avait habité le même village pendant quatre cents ans, avait dû fuir sous les bombardements des Israéliens. Comment son grand-père, trop vieux et trop faible, avait supplié son père, alors âgé de seize ans, d'emmener son frère et sa sœur de l'autre côté du fleuve, où ils seraient en sûreté. Et comment il avait passé à gué les eaux claires, portant sa petite sœur sur son dos et tenant son frère par la main, tandis qu'il laissait derrière lui sa propre enfance. Enfin, combien la perspective d'immigrer dans un monde étrange l'avait terrifié.

« C'est très beau, dit David, et remarquablement écrit, mais il y a un problème.

— Oui, lequel ?

— Eh bien, ce n'est pas à proprement parler le type de dissertation exigé dans le dossier d'inscription au collège. »

Elle détourna les yeux. « Je n'ai rien décidé.

— Comment cela ?

— Je ne sais pas si je poursuivrai ou pas mes études.

— Non, tu plaisantes ? » Il fronça les sourcils. « Tu pourrais entrer dans n'importe quel grand collège de ce pays. Pourquoi ne veux-tu pas t'inscrire ?

— C'est difficile à expliquer, répondit-elle, les yeux toujours détournés. Je ne suis pas sûre que ce soit la meilleure chose à faire.

— Ce ne serait pas ton frère qui te mettrait ces idées en tête, par hasard ? »

Il la trouvait quelque peu tendue et distante depuis que Nasser était venu lui parler, plus de deux semaines auparavant. Et, après leur querelle dans le parking, il imaginait sans mal qu'elle devait être soumise à forte pression chez elle.

« C'est toute ma famille, dit-elle. Nous sommes tellement éloignés les uns des autres. Je ne sais pas si, à mon tour, je devrais partir...

— Ma foi, ce serait vraiment dommage de rater une opportunité pareille. »

De nouveau elle baissait les yeux, creusant ses joues merveilleusement dessinées. Il ne lui en voulait pas d'être aussi inquiète et mal à l'aise. Il lui avait fallu un certain courage pour venir lui parler, ou Dieu sait quelle forme de désespoir qu'il ne comprenait pas.

« Je ne suis pas sûre de souhaiter saisir cette chance. C'est difficile d'expliquer ce que je ressens. Il y a des fois où je n'ai pas envie d'entrer dans le monde moderne et d'oublier les traditions. Oh, je mentirais si je disais que je n'en ai pas envie : à la vérité, je ne peux pas ! Je fais partie d'une famille arabe traditionnelle, où les filles n'ont pas le droit d'être indépendantes ; elles sont censées se marier selon les vœux de leurs parents.

— Je ne savais pas que tu étais à ce point... musulmane.

— Je ne le suis pas. » Elle triturait avec ses doigts une longue mèche brune. « À vrai dire, j'ignore ce que je suis. J'ai l'impression d'être coincée au milieu d'une rivière. Peut-être que vous avez raison. Peut-être que c'est Nasser qui m'a troublé l'esprit.

— Écoute, fais-moi plaisir : tout ce que je te demande, c'est d'essayer. Écris la dissertation qu'on exige de chaque élève postulant à l'entrée dans un collège et, après ça, tu pourras prendre ta décision. Réfléchis, et dis qui tu es et ce que tu attends de la vie. Ton avenir est entre tes mains. Alors, songes-y bien, pèse le pour et le contre, écoute ton désir. »

Ouais, il aurait pu se conseiller la même chose : dis qui tu es, définis ta place dans le monde, ne les laisse pas t'écraser. Affronte. Sois un homme. Sauve ta propre vie, connard. Personne ne le fera pour toi.

« Mais qu'est-ce que je pourrais bien écrire ?

— La suite de ton histoire familiale. Raconte ce qui s'est passé de l'autre côté du fleuve. »

Elle garda le silence, et ses traits prirent une expression lointaine qui rappela à David l'air qu'avait Nasser en le regardant.

De nouveau, il eut le sentiment qu'elle avait quelque chose d'important à lui dire, mais qu'elle ne parvenait pas à le faire.

« Bon, j'y réfléchirai. » Elle rassembla ses affaires et se leva, sans récupérer sa dissertation sur le bureau.

« Elizabeth, est-ce que je peux te poser une question ? »

Elle s'arrêta sur le seuil, porta encore sa main libre à ses cheveux. « Oui, quoi ? »

Une fois de plus, il fut frappé par la beauté de cette chevelure, et regretta qu'elle l'ait dissimulée si souvent sous cet horrible foulard.

« Tu n'aurais rien remarqué d'anormal, avant que le bus explose ?

— "Rien d'anormal" ? » Enfin, elle le regardait dans les yeux.

« Oui, tu n'ignores pas qu'on raconte n'importe quoi sur ce qui s'est passé », dit-il en grimaçant un sourire.

Elle plissa légèrement le front, porta son poids d'une jambe sur l'autre.

« Mais je n'étais pas là... », répondit-elle.

Il ne la quittait pas des yeux, tout en écoutant un léger grondement au loin et en se demandant si c'était le bruit de la chaudière ou celui de la marée montante que le vent apportait du front de mer.

« Je le sais bien, mais tu as peut-être entendu parler de quelque chose.

— Qu'est-ce qui vous fait dire ça ?

— Oh ! je me souviens que tu voulais me parler la dernière fois, juste après l'attentat ; alors, j'ai pensé que tu avais peut-être quelque chose à me dire sur ce sujet... Je n'étais pas très réceptif à ce moment-là, n'est-ce pas ?

— Non. » Sa bouche forma un cercle tendu. « Mais ce n'était rien, en tout cas rien qui ait de l'importance aujourd'hui.

— Tu en es sûre ? Je suis prêt à t'écouter, maintenant.

— Non, ça va bien, déclara-t-elle en se détournant. C'était un problème que j'ai résolu. »

49

Elizabeth remontait l'allée de sa maison, dans Avenue Z, quand elle vit un grand blond moustachu qui attendait devant la porte.

« Elizabeth Hamdy ? » Il lui présenta une plaque de police. « Chris Calloway, section antiterroriste du FBI. Ça ne vous ennuie pas de me recevoir, que nous puissions discuter un peu ? »

Après son entretien troublant avec M. Fitzgerald, la jeune fille n'avait qu'une envie : être seule à la maison avec ses pensées et son journal intime.

« C'est à quel sujet ? demanda-t-elle en cherchant ses clés. J'ai déjà parlé à un policier – l'inspecteur Noonan, je crois.

— Oui, je sais, répondit-il en souriant, c'est juste pour compléter.

— "Compléter" ? »

Il entra derrière elle, et elle se dit que les voisins devaient épier derrière leurs rideaux. Cette bande d'Italiens ignorants et gras, vautrés tous les après-midi devant la télé à regarder des comédies stupides, et toujours en quête d'une raison de détester les familles arabes du quartier.

« Oui, compléter son interrogatoire, précisa Calloway, une lueur d'acier dans son sourire. Vous devez comprendre que c'est une très grosse affaire. Alors, je dois m'assurer de la concordance des témoignages, ce genre de choses... Cela ne vous ennuie pas de m'aider, n'est-ce pas ?

— Non, pas du tout », répondit-elle avec l'impression désagréable d'être soudain serrée dans ses vêtements.

Elle l'invita à passer dans le salon, et le regretta aussitôt. Il promena un regard attentif autour de la pièce, comme s'il était là pour évaluer la maison, avant de dire son prix.

Il s'arrêta devant le tableau au-dessus du canapé. « Le dôme du Rocher, hein ?

— Vous connaissez ? demanda-t-elle tout en songeant que la présence de cet homme chez elle était comme une mauvaise odeur.

— J'ai servi au Moyen-Orient, déclara-t-il. J'ai passé quelque temps en Israël, appris un peu l'histoire de cette région. C'est l'un des grands monuments religieux de l'Islam, non ?

— Oui, tout à fait. » Elle se composa un sourire réservé. « Je ne pense pas que l'inspecteur Noonan l'ait su.

— Il y a beaucoup de choses que Noonan ignore. » Calloway s'assit sur le canapé, étendant ses jambes écartées devant lui, et ses bras sur le haut des coussins, comme s'il voulait occuper le plus de place possible.

« Voulez-vous une tasse de thé ? proposa-t-elle.

— Non, je ne veux pas abuser de votre temps. J'ai seulement deux ou trois questions à vous poser.

— Très bien, je vous écoute. »

Il la regarda longuement en silence, et elle eut le temps de prendre conscience de son propre corps... une démangeaison dans la cheville, une mèche qui lui chatouillait le cou, une légère constriction dans sa gorge, et surtout les battements de son cœur.

« J'ai parlé avec votre frère, annonça-t-il en croisant ses jambes épaisses gainées dans son jean. Nasser.

— Oh, oui ? »

Le nom de son frère avait claqué comme un pétard à son oreille. Cet entretien ne promettait rien de bon. Elizabeth forma le vœu que sa belle-mère et ses demi-sœurs qui, à cette heure, faisaient des courses ne rentreraient pas plus tôt que prévu. Elle ne voulait pas qu'elles soient effrayées par la présence de ce policier.

« Oui, nous avons eu une conversation intéressante, ajouta Calloway, posant sur ses genoux un carnet dont il se mit à tourner lentement les pages. Il m'a dit qu'il était avec vous le jour de l'attentat.

— Oh... » Elizabeth tira une de ses mèches devant son visage puis la lâcha, de peur que ce geste ne trahisse son trouble. « Oui, c'est exact. »

Voilà donc pourquoi ce flic était là : pour vérifier les dires de Nasser. Elle ne s'étonnait plus que ce dernier l'ait appelée et ait laissé plusieurs messages pour elle la nuit précédente. « Il m'a emmenée dans les magasins, reprit-elle en s'efforçant de paraître détendue. C'est bientôt mon anniversaire, et il voulait m'offrir un casque et des genouillères pour faire du roller. »

Elle se tut, se souvenant de cette journée : Nasser en retard à leur rendez-vous ; la fumée noire là-bas, du côté de la promenade ; la circulation dense dans Belt Parkway...

« C'est la vérité ? demanda Calloway en feuilletant tranquillement son calepin.

— Oui, bien sûr.

— Alors, pourquoi avez-vous déclaré à l'inspecteur Noonan que vous êtes restée chez vous, ce jour-là, parce que vous aviez la migraine ? » lança-t-il, abrupt.

La question la prit par surprise. « Je... » Elle jeta un coup d'œil de côté, comme pour y chercher une explication. « Je ne voulais pas que mes professeurs sachent que je séchais les cours. »

Calloway se redressa sur le canapé et la regarda avec une vive attention, comme un chien qui a entendu le mot « os ».

« C'est cela qui vous inquiétait ? » insista-t-il.

Elle eut l'impression de manquer soudain d'air. Ses jambes fléchissaient, et elle regretta d'être restée debout. « J'ai de bonnes notes, affirma-t-elle. Je ne tenais pas à avoir des ennuis. »

Sentant qu'elle était en position de faiblesse, le policier se leva et vint se placer devant elle, la dominant de sa haute taille. Peu d'hommes s'étaient tenus aussi près d'elle, pensa-t-elle.

« Laissez-moi vous dire une chose, petite. » Son haleine puait les œufs au bacon. « Un homme est mort dans cette explosion. Vous avez idée de ce que ça signifie ?

— Oui, bien sûr. C'était Sam. Il n'a jamais fait de mal à personne...

— Ça signifie qu'il y a eu meurtre, l'interrompit-il, peu intéressé par la compassion. Et que celui qui a fait le coup risque la peine capitale. Et, croyez-moi, on trouvera qui a fait le coup.

— Oui, je comprends, murmura-t-elle.

— Alors, si je découvre que votre frère et vous avez quelque chose à voir avec ce meurtre, c'est la chaise électrique qui vous attend. *Capisce ?* Et le fait que vous soyez une fille ne changera rien à l'affaire : vous êtes une Arabe en Amérique, et ce sera œil pour œil et dent pour dent. Aussi, vous feriez mieux de me dire si vous savez quelque chose. Sinon, je ne pourrai plus rien pour vous. »

Elle baissa les yeux, essayant de récapituler tout ce qu'elle avait à l'esprit. Nasser. La fumée qui montait. Le Monastère des Rameaux. La clé sur la table. La gifle dans le parking. Son père. Sa mère... C'était trop et pas assez. Elle avait besoin de temps pour réfléchir.

« Je n'ai rien à voir avec tout ça, répondit-elle d'une voix ferme en le regardant. Je faisais des courses avec mon frère ce jour-là. Il m'a acheté ce que je vous ai dit : un casque et des genouillères pour rollers.

— Prouvez-le.

— Nous sommes restés coincés dans un bouchon dans Belt Parkway, répliqua-t-elle. Mais j'ai gardé les reçus de nos achats, parce que je n'étais pas sûre que le casque m'aille bien. »

Calloway prit une profonde inspiration, puis lâcha un grand soupir. Il avait cru repérer une faille, mais celle-ci semblait se refermer sous ses yeux. « D'accord, dit-il d'un ton sec. Allez me chercher ces reçus. Je n'ai pas que ça à faire. »

50

« Je crois qu'elle a le béguin pour toi, déclara Donna Vitale.

— Qui ça ? » David termina ses spaghettis et se resservit. Manger compensait bien des choses.

« Cette jeune Arabe qui est venue te voir aujourd'hui. »

Ils dînaient à l'appartement de la jeune femme, donnant sur Carroll Street dans Park Slope. Un studio en rez-de-chaussée avec accès au jardin. Modeste mais suffisant, avec une petite cuisine, un futon dans le fond, et un bureau devant la baie vitrée, qui devait laisser entrer le soleil à flots dans la journée.

« Tu ne l'aimes pas beaucoup, n'est-ce pas ?

— Je ne la connais pas. » Donna se servit de la salade et un autre verre de vin blanc. « Mais j'ai eu son frère dans ma classe, il y a quelques années. Un petit con de première ! La seule fois qu'il a pris la parole, ç'a été pour me dire qu'il ne devrait pas y avoir de femmes enseignantes dans un lycée. Et je crois aussi qu'il me prenait pour une Juive, ce qui, à ses yeux, faisait de moi une véritable offense.

— Oui, il a toujours eu des problèmes d'adaptation. »

David dévorait. Chaque fois qu'il s'essayait à la cuisine, il mettait tant d'herbes et de condiments que c'était immangeable ; cela faisait des mois qu'il n'avait rien mangé d'aussi bon.

La flamme du chandelier éclairait de reflets dansants les cheveux de Donna. « Des gosses comme lui sont capables de foutre en l'air ta classe, si tu n'y prends garde. Dans un autre genre, je ne t'ai jamais raconté que, l'année dernière, deux filles de ma classe, fraîchement débarquées de Moscou, taillaient des pipes aux gars pour une balade en caisse ?

— Non, c'est vrai ?

— Je te le jure. » Donna leva la main, prêtant serment. « Et les petits camés, et les apprentis gangsters – Noirs et Blancs confondus ? Et ces gosses dont les parents sont trop cons pour s'intéresser à leurs propres enfants...

— Ceux-là, je les aime bien, dit David en enroulant ses pâtes autour de sa fourchette. Ceux qui ont besoin qu'on les écoute et qu'on s'occupe d'eux.

— Oui, ceux-là sont mes préférés, approuva Donna en levant son verre. Seulement je ne parlais pas d'eux, mais des mauvaises têtes qui ne veulent pas travailler. Ceux qui ont un handicap à vaincre, qui sans être forcément parfaits essaient quand même d'y arriver, ceux-là, mon cœur est avec eux, bien sûr. »

Est-ce pour cela que tu m'as invité, ce soir ? se demanda David. Parce que je suis imparfait ? Mais peu lui importait, en fait. Il était heureux d'être là où on le désirait.

Elle lui sourit puis alla à la cuisine lui chercher une autre bière.

« Alors, que vas-tu faire ? lui demanda-t-elle en revenant.

— À quel sujet ?

— Mais à ton sujet, précisément. Par rapport à la merde dans laquelle tu t'es foutu. » Elle décapsula elle-même la bouteille et le servit.

« Je ne sais pas, dit-il en la remerciant d'un hochement de tête. Je pourrais vendre des T-shirts sur la promenade. Je pourrais faire sauter le lycée, la prochaine fois.

— Oui, tu pourrais.

— À part ça, je file à trois cents à l'heure, mais j'ignore dans quelle direction. » Il regarda la suave mousse blanche qui couronnait son verre en s'efforçant de lutter contre un terrible sentiment de vide en lui. « J'interroge les gosses, les voisins, je parle avec mes avocats, mais personne ne sait rien. À croire que la bombe s'est posée toute seule dans le bus.

— Et alors, tu vas baisser les bras pour autant ?

— Non, il n'en est pas question. » Il but d'un coup la moitié de sa bière avant de se rappeler qu'il devait être prudent avec la boisson. « Est-ce que je t'ai dit que mes avocats aimeraient me faire passer au détecteur de mensonges, puis accorder une interview en direct à Paul Lindsay, à la fin de cette semaine ?

— Crois-tu que ce soit judicieux ?

— J'étais contre, répondit David fermement, mais quand j'ai emmené Arthur au jardin d'enfants l'autre jour j'ai remarqué que les autres mômes ne voulaient pas jouer avec lui parce que leurs parents m'avaient reconnu. » Il grimaça en se rappelant l'expression douloureuse de son enfant. « J'ai aussi vu trois ou quatre agents fédéraux qui nous surveillaient de l'autre côté de la barrière. Tu te rends compte ? Pendant que j'étais avec mon fils ! Au jardin ! Alors, j'ai pété les plombs. » Il referma sa main autour de son verre. « Je suis allé les voir et j'ai gueulé à leur chef, un certain Donald Sippes : "Fous-moi le camp d'ici, salopard ! Tu veux que mon fils fasse une nouvelle crise d'asthme ?" J'étais comme fou. Et derrière moi, j'ai entendu Arthur qui leur criait après, le visage tout rouge. "Mon papa n'est pas méchant, il est pas méchant, pas méchant !" il répétait.

— Et ça t'a tué, affirma Donna d'une voix douce.

— Ouais, ça m'a fait mal, avoua-t-il, retenant son envie de pleurer. Du coup, j'ai appelé mes avocats et je leur ai dit : "D'accord, on passe à l'action. Je ne vais pas les laisser démolir mon fils." »

Il se tut, écoutant les pas des piétons dans la rue et le bruissement des feuilles dans les arbres. En venant, il n'avait pas aperçu les agents chargés de le surveiller, mais il savait qu'ils étaient là.

« Est-ce que je peux te demander quelque chose ? questionna Donna en s'essuyant les lèvres avec sa serviette.

— Oui, bien sûr. »

Elle laissa passer un silence. « As-tu pensé à ce qui arriverait si jamais ils t'inculpaient ?

— Nous en sommes encore loin, dit-il, un rien bravache, en finissant sa bière.

— Crois-tu que tu supporterais la prison ?

— Ma foi, ce ne serait pas la première fois.

— Oh ? »

Il reposa son verre avec plus de force qu'il n'aurait voulu. « Tu dois savoir que j'ai déjà été arrêté, non ? C'était dans tous les journaux.

— Oui, il me semble avoir entendu ça, entre autres rumeurs.

— C'est la vérité. » Il fit tourner son verre, étudiant la manière dont la lumière en altérait la couleur. « J'étais jeune et je faisais surveillant de baignade pour un club plutôt sélect sur la plage de Westbury. Je fréquentais deux crétins, Pete Spano et Dickie Bergman. Pete avait vraiment envie d'entrer dans la Mafia, mais Dickie était seulement timbré – il avait les cheveux tout blancs, sans être pour autant un albinos ; c'était peut-être ça qui l'avait rendu dingue. » Il rit et eut un peu honte de lui. « C'est eux qui m'ont poussé à voler des voitures sur le parking du club, la nuit.

— Tu as fait ça ? lança-t-elle, le regard brillant.

— Ouais. » Il marqua une pause, se demandant s'il devait continuer. « Ce n'était pas voler des voitures qui m'intéressait, mais juste faire un tour avec avant de les ramener à leur place. Seulement Pete et Dickie, eux, étaient en plein dans la transgression, et ils en ont fauché pas mal pour les revendre à des truands. » Il secoua la tête, conscient d'en avoir trop dit. « J'étais rien qu'un petit crétin qui adorait lire des romans de guerre, faisait de son mieux pour réussir dans ses études, et emmenait chaque semaine sa grand-mère faire des courses dans son fauteuil roulant. Alors, je ne sais pas trop pourquoi j'ai piqué des caisses. Je trouvais ça chouette d'attirer l'attention des filles en me pointant au volant d'une putain de Corvette.

— Ça ne m'étonne plus que tu t'entendes si bien avec tous les marginaux. » Elle se tourna légèrement pour le fixer de son bon œil. « Et que s'est-il passé ensuite ?

— Je me suis fait choper. Peut-être que je cherchais inconsciemment la punition, en volant les voitures dans le club même où je travaillais. J'avais pris un superbe roadster MG rouge pour une balade sur Ocean Boulevard, et j'ai perdu le contrôle du véhicule dans un virage. J'ai traversé la pelouse d'une maison, et défoncé la véranda. Le proprio est sorti en peignoir de bain et il m'a demandé : "Rien de cassé, fils ?" Je lui ai répondu d'aller se faire foutre et je me suis arraché. Mais je venais à peine de regagner le club que les flics me tombaient dessus. En fait, ils me surveillaient depuis un moment.

— Et tu as dénoncé tes amis ? demanda Donna, allant au cœur de l'histoire.

— Ah ça, non ! » Il observa un instant la flamme vacillante de la bougie. « Ils m'ont conduit au poste et, là, le sergent m'a dit qu'il allait appeler mon père, que je n'étais qu'un vaurien et que j'avais foutu ma vie en l'air, mais que je pouvais me racheter si je balançais mes complices.

— Et tu lui as répondu quoi ?

— De m'emmener chez le juge, que j'étais prêt à payer pour ce que j'avais fait.

— Non, c'est pas vrai ? »

Il haussa les épaules. « C'est la vérité. J'ai passé la nuit au violon avec les pochards et, le lendemain matin, quand on m'a présenté au juge, je lui ai dit : "Votre Honneur, je suis coupable de ce dont on m'accuse, mais de rien d'autre. Tout ce que je vous demande, c'est de tenir compte de ce que j'ai pu faire de bien et de ne pas me condamner pour cette seule faute."

— Dis donc, tu n'avais pas froid aux yeux, pour ton âge ! constata Donna.

— Ouais, peut-être. Je ne sais pas. » Il se souvenait de sa peur, ce jour-là, alors qu'il se tenait bien droit dans le box des accusés, au tribunal correctionnel du comté de Nassau. « Je pensais que mon père aurait aimé m'entendre dire ça. Bien sûr, il ne m'avait pas préparé à une pareille éventualité ; mais j'avais le sentiment qu'en plaidant coupable sans oublier que j'avais toujours été, disons... un bon garçon, tout se passerait bien. Et c'est ce qui s'est passé. Le juge s'est contenté de me placer en liberté surveillée pendant quelques mois. J'étais mineur, mon casier est donc resté vierge. »

Il regarda les gouttelettes de cire tombées sur la table. Elles avaient durci et, pendant un moment, il essaya de les décoller avec son ongle.

« Et qu'est-ce qui est arrivé à tes amis ? s'enquit Donna.

— Ils sont tombés juste après moi. Ils se prenaient pour des durs, et ils ont été condamnés à de la prison ferme. Mais ça ne leur a pas réussi : ils en sont sortis encore plus tordus qu'avant. Pete a continué de se rêver mafioso sans jamais pouvoir l'être, il est devenu accro à l'héroïne et a fini par mourir d'une overdose. Quant à Dickie, il a empiré à sa manière... il est devenu démarcheur au téléphone. Bref, nous sommes allés chacun de notre côté, et peut-être que ce flic avait raison, que cette nuit en taule a décidé de mon avenir, mais pas comme il le pensait. »

Il s'adossa à sa chaise, la bouche sèche et de la fatigue dans tout le corps. « La morale de cette histoire, reprit-il, c'est que si j'arrive à garder la tête haute je pourrai peut-être m'en sortir une fois encore. Enfin, je l'espère.

— Moi aussi. » Elle tendit le bras par-dessus la table et lui serra la main.

Il regarda ses doigts. « Et maintenant, je peux te poser une question à mon tour ?

— Je t'écoute.

— Qu'est-ce qui te fait croire que je ne suis pas le monstre partout dépeint ?

— Je l'ignore. » Elle le scruta de son bon œil. « Tu me sembles trop... je ne trouve pas le mot... investi... dévoué... pour l'être ?

— Mais encore ?

— Tu es tellement présent avec les mômes ! Il m'est arrivé de t'écouter quand tu parles à ton fils au téléphone. Bien sûr, je ne devrais pas, mais ce n'est pas de l'indiscrétion... seulement de l'intérêt et de la sympathie pour l'homme que tu es quand, justement, tu es toi-même, sans personne autour pour t'observer. C'est pourquoi je suis certaine que tu serais incapable de faire du mal, et a fortiori de poser une bombe, même si ta vie en dépendait. »

Il leva son verre vide comme pour porter un toast. « Pourquoi ai-je attendu si longtemps pour dîner avec toi ?

— Ah ! bonne question. »

Ils trinquèrent de leurs verres vides. D'une certaine manière, cette soirée marquait pour David un tournant. C'était la première fois depuis son mariage qu'il envisageait sérieusement de se lier avec une autre femme, et l'idée de clore de ce fait une partie de sa vie pour en commencer une autre le remplissait de joie et de mélancolie à la fois.

« Écoute, il ne faut pas que je traîne trop longtemps chez toi, déclara-t-il après avoir consulté sa montre. Je ne sais pas si je te l'ai dit, mais ils sont planqués quelque part à nous surveiller.

— Oui, je m'en doutais. C'est excitant... en un sens. »

Elle se leva et entreprit de débarrasser la table. Il aimait parler avec elle. C'était une femme qui ne vous promettait pas plus qu'elle ne pouvait donner. Il se demanda si Arthur l'aimerait.

« La prochaine fois, c'est moi qui régalerai et c'est de toi qu'on parlera, décréta-t-il en prenant sa veste. Et puis je n'aurai peut-être plus d'anges gardiens sur le dos.

— Ce serait bien. » Elle vint vers lui et lui redressa son col.

Il lui prit le menton et l'embrassa doucement sur les lèvres. Quand il l'enlaça, elle le laissa faire, mais le repoussa gentiment au bout de quelques secondes. « Tu dépasses la vitesse limite, dit-elle. Ralentis un peu.

— Excuse-moi.

— De quoi ? Je sais ce que je veux et je sais quand je le veux. Ce n'est pas tout de suite. Nous en reparlerons, grand garçon.

— Nous en reparlerons. »

Il lui toucha légèrement l'épaule et se dirigea vers la porte.

« Il y a encore une chose que j'aimerais savoir, lança-t-elle.

— Vas-y. » Il s'arrêta, la main sur la poignée.

« "Que Dieu me garde de jamais finir ce que j'ai entrepris"... »

Elle le regardait d'un air interrogateur.

« Ha-ha ! tu n'es pas la première à me poser la question.

— Alors, pourquoi ne pas terminer ce que tu entreprends ? »

Cette fois, il n'était pas en face du Dr Ferry, le psychiatre. « Je ne sais pas. J'ai souvent pensé que, si je ne menais rien à terme, j'aurais toujours une chance de recommencer ailleurs et de faire mieux. Et puis c'était une façon de ne pas affronter le verdict des autres, puisqu'on ne juge que les œuvres achevées.

— Je regrette de te le faire remarquer, mais ça n'a pas marché... » Elle l'aida à boutonner sa veste. « Tu as été jugé.

— Ouais, je m'en suis aperçu. »

51

À 9 heures et demie cette nuit-là, Elizabeth Hamdy ressortit du bureau de location de garde-meubles dans la 10e Avenue, traversa la chaussée en prenant garde aux camions des abattoirs voisins et rejoignit Nasser qui l'attendait dans sa Lincoln le long du trottoir.

« Tu sais, je suis encore très en colère contre toi, lui déclara-t-elle en refermant la portière sur elle.

— Je sais. Je regrette ce que j'ai fait. »

Au loin, devant eux, les colonnes de véhicules disparaissaient dans le tunnel Lincoln, telles de longues cohortes de lucioles s'engouffrant sous le fleuve.

« Ça fait plus d'une semaine qu'on ne s'est pas parlé, et tu m'appelles maintenant parce que tu as besoin d'un service. » Elle croisa les bras sur sa poitrine d'un air fâché. « Et tu n'es même pas venu à mon anniversaire au *Maroccan Star*. C'est sympa !

— Désolé. J'ai été tellement occupé ! Et puis j'avais un peu honte, après notre dispute.

— Je ne devrais même plus t'adresser la parole. J'aurais dû déchirer tous tes messages et les oublier.

— Je ne sais pas pourquoi je me conduis de cette façon. Je perds la tête. » Il secoua tristement la tête et laissa passer un silence avant de lui demander d'une petite voix : « Alors, tu as réussi à faire ce que je te demandais ?

— Oui, j'ai loué ton garde-meuble. 200 dollars par mois pour vingt mètres carrés. Tu es content ? »

Les phares d'un camion les éblouirent un instant. « Oui, très. Tu me rends drôlement service. »

Elle défit ses cheveux et les laissa tomber sur ses épaules. « Je ne sais pourquoi je me donne cette peine. Tu n'es même pas gentil avec moi. Tu ne me fais jamais que des reproches.

— Je regrette. Tu es meilleure que moi. » Nasser jeta un regard dans le rétroviseur, s'assurant qu'aucune voiture de police n'était en vue. « Bon, je te raccompagne à la maison. »

Il démarra le moteur, le ventre noué par la peur. Il l'avait bien dit à Youssef et au Dr Ahmed, que ce n'était pas bien de mêler Elizabeth à cette opération, même dans un rôle aussi marginal. Mais ils avaient insisté. Il suffisait de consulter l'Internet, lui avaient-ils dit, pour apprendre qu'on pouvait fabriquer des bombes avec des produits de consommation courante, et certains commerçants jugeraient peut-être louche que des Arabes achètent d'aussi grosses quantités d'engrais et d'essence. Il valait mieux que ce soit une fille – surtout une ressemblant aussi peu à une Orientale – qui loue un garde-meuble où ils entreposeraient leurs matériaux et feraient livrer les bouteilles d'hydrogène sans éveiller les soupçons. Les voisins du garage dont ils se servaient pour le moment étaient bien trop curieux, et le Dr Ahmed craignait surtout que les drogués, nombreux dans le quartier, ne les cambriolent en leur absence.

« À quoi ça peut te servir ? demanda Elizabeth, comme ils contournaient le pâté de maisons pour reprendre la direction du West Side.

— Quoi ?

— Le garde-meuble. Quel usage peux-tu en avoir ?

— C'est pour ranger du matériel. Du matériel professionnel. Des compresseurs. Je veux me lancer dans la réfrigération. J'essaie d'être... comment on dit... indépendant ? »

Il se tut en entrant sur le périphérique. Le bas de Manhattan luisait comme s'il était radioactif, et la voiture bleue devant eux avait un autocollant sur le pare-chocs qui disait : « Mon karma ne porte pas de culotte. » Elizabeth se tenait immobile et silencieuse à côté de son frère, qui sentait tout le poids du non-dit entre eux sans savoir comment le briser.

Ce fut elle qui prit l'initiative de le faire. « Et pourquoi avais-tu besoin de moi pour le louer ? questionna-t-elle. Tu ne pouvais pas t'en charger toi-même ?

— Ils m'auraient demandé mon permis de conduire comme pièce d'identité, répondit-il en clignant les yeux sous l'éclat des feux des voitures qu'ils croisaient. Et mon permis n'est pas en règle.

— Ton permis n'est pas en règle, dis-tu ? Et ta compagnie de taxis te laisse conduire ? »

Il aurait dû savoir qu'il ne pourrait s'en tirer avec un mensonge aussi grossier : il n'avait jamais réussi à la tromper. Elle le connaissait trop bien ; après tout, ils étaient les deux fruits d'une même branche. Comment allait-il s'y prendre pour aborder le sujet qui l'obsédait : qu'avait-elle dit à Calloway, si celuici l'avait interrogée ? Avait-elle confirmé sa version des faits ?

« Tu poses trop de questions », répliqua-t-il en tournant la tête vers elle.

Une fois de plus, il s'émerveilla secrètement de leur ressemblance. La courbe des pommettes ; cette finesse du grain de la peau, beaucoup plus claire chez elle ; la couleur de nuit des yeux. Il se demanda de quelle façon il parviendrait à la mettre à l'abri, quand il retournerait au lycée avec la bombe.

« Qu'est-ce que tu as fait à tes cheveux ? s'enquit-il, remarquant, grâce aux phares des véhicules derrière eux, que la chevelure noire de sa sœur était striée de mèches rousses.

— Je les ai teints. Tu as quelque chose contre ?

— Mais c'est totalement *haram* ! s'exclama-t-il tout en donnant un coup de frein brusque pour ne pas emboutir le parechocs et le karma de la voiture devant eux. C'est contre la tradition !

— Je doute que le Coran dise quoi que ce soit sur la teinture des cheveux.

— Ça te fait ressembler à une Américaine. C'est une tromperie.

— Mais je suis une Américaine. » Elle appuya son pied chaussé de tennis contre le tableau de bord. « Je suis de Brooklyn.

— Tu écoutes trop ce professeur, répliqua-t-il en se balançant légèrement sur son siège. Ta mère était une Arabe et ton père est toujours un Arabe !

— Oui, mais ça ne m'empêche pas de réfléchir. Je ne suis jamais retournée au pays, alors je ne vois pas en quoi tout cela me concernerait.

— Tu y reviendras, un jour. Et tu verras. Tu iras au marché à moutons de Bethléem le samedi matin, et tu rencontreras les Bédouins venus du désert avec leurs chèvres et leurs brebis, et les fermiers du Moab qui apportent leurs sacs de blé et d'orge. Leur farine est si fine et si blanche qu'on dirait un nuage, et rien là-bas n'est semblable à ce qu'on voit ici. Au pays, le temps s'est arrêté dans sa beauté, il y a cinq cents ans.

— Tu m'emmèneras ? » demanda-t-elle.

Mais il garda le silence.

C'était dans ces instants qu'elle se sentait le plus proche de lui. Quand il parlait de la Palestine. De ces choses dont elle avait une perception sans jamais les avoir vues et qui étaient pour elle semblables aux lambeaux d'un rêve. Des choses qui réveillaient aussi en elle la sensation d'un certain manque, et l'impression qu'ici, en cette terre d'accueil, elle n'était pas vraiment chez elle. Certes, elle était une Américaine, mais elle éprouvait parfois le désir d'atteindre un autre monde, une autre époque. De temps à autre, son père lui lisait le Coran et les mots prenaient un son musical, même quand elle ne les comprenait pas. Mais porter le voile et le foulard n'était pas non plus la réponse ; elle se rebellait à la seule pensée de se dissimuler entièrement sous le haïk noir. À la vérité, elle était entre deux pôles, le Nouveau Monde et l'Ancien. Nasser ressentait-il le même écartèlement, après tout ce temps passé en Amérique ? Peut-être était-ce là le lien qui les unissait parfois : ils étaient tous deux entre deux rives, sur un îlot au milieu du fleuve.

Mais, cette nuit, les courants les entraînaient dans des directions opposées.

« Nasser, il y a quelque chose que je dois te dire. C'est même pour ça que j'ai répondu à ton appel. »

Ces paroles inquiétèrent Nasser au point qu'il monta sans raison le volume de la radio. « J'porte un galure pour avoir de l'allure / Et j'peux tout faire comme un mec, alors pas de salamalecs, j'suis pas ta souris », rappait une femme avec une voix évoquant un moteur pris de hoquet.

« Tu vois, elle dit que les femmes sont aussi fortes que les hommes, remarqua Nasser en secouant le chef d'un air de dépit. Mais ça ne suffit pas de chanter qu'on est un homme. Faut le prouver.

— Nasser, l'interrompit Elizabeth en éteignant la radio, j'ai une question à te poser. »

Il lui jeta un regard furtif. « Oui, quoi ?

— Un policier est venu à la maison, aujourd'hui. Un type qui s'appelle Calloway. Il m'a parlé de toi. »

La main de Nasser pressa sans le vouloir le klaxon. « Oui, je sais, dit-il en se redressant sur son siège. J'ai déjà discuté avec lui. Tout est réglé.

— Rien n'est réglé. » Elle se tourna vers lui. « Il voulait savoir où tu étais quand il y a eu cette bombe.

— Eh bien, tu lui as dit que j'étais avec toi. » Une goutte de sueur roula le long de sa joue. « Pas de problème. On est allés ensemble acheter le casque.

— Nasser, ce n'est pas la vérité. » Son ton cinglant le fit tressaillir. « Je t'attendais quand j'ai vu la fumée là-bas, du côté de la plage. Et tu es arrivé en retard.

— Tu lui as dit ça, au flic ? »

Il s'écarta soudain de la chaussée pour se ranger sur le bas-côté, et resta assis en silence derrière le volant en regardant droit devant lui.

« Nasser, regarde-moi. »

Il céda à son injonction, mais détourna aussitôt les yeux, comme s'il avait peur.

« Je t'ai dit de me regarder.

— C'est ce que j'ai fait ! riposta-t-il d'une voix aiguë. Tu veux quoi : que je colle mes yeux sur toi ?

— Tu as quelque chose à voir avec l'explosion de ce bus devant le lycée ?

— C'est ton professeur qui a fait le coup ! Ils l'ont dit à la radio et à la télévision...

— Mais c'est à toi que je pose la question. Je sais que tu ne me mentiras pas. Je sais que le Coran condamne le mensonge. Alors, je te le demande : est-ce toi qui as posé cette bombe ? »

Il mit les feux de détresse, déclenchant un tic-tac lancinant sur le tableau de bord.

Plusieurs minutes passèrent avant qu'il parle enfin.

« Ceux... ceux qui ont fait ça... ils ont des raisons de l'avoir fait. Ils sont confrontés à des choix... terrifiants. Ils se demandent pas, comme les Américains, s'ils vont entrer au collège ou quels vêtements ils vont porter... Non, ce sont des choix que tu peux pas comprendre. C'est une chose tellement différente de tout ce que tu connais ! Les gens qui ont ce courage appartiennent à un autre monde. »

Il se tut brusquement et, en écoutant le clignotement des feux, Elizabeth sentit son propre pouls se mettre au même rythme.

« Alors, c'est toi qui as fait ça, énonça-t-elle avec un étrange détachement.

— Je ne sais pas de quoi tu parles, je ne sais rien de rien !

— Comment as-tu pu commettre une chose pareille ? Tu as tué Sam. Tous les élèves auraient pu mourir. C'est contre le Coran. »

Il baissa la tête pendant une seconde, puis soudain se mit à frapper du poing contre le volant en hurlant. Elle ne l'avait jamais vu dans cet état. Mais ce qui ressemblait au début à une éruption animale n'était, elle le réalisa, que la panique d'un petit garçon. Nasser tirait dans tous les sens sur le volant comme s'il voulait l'arracher.

« Ah ! tu veux être un homme ? criait-il. Sois un homme, alors ! Tu veux être un musulman ? Alors, sois un bon musulman ! Sois un combattant ! Ne sois pas un lâche, comme ton père, qui a construit des maisons pour les Juifs et a accepté leur argent. Fais ton devoir. Bats-toi comme un homme ! Sois un soldat de Dieu... Tu dis que c'est contre le Coran, mais c'est une guerre qu'on mène ! Une guerre sainte. »

Elizabeth comprenait que ses paroles ne s'adressaient pas à elle, mais à lui-même.

« Je ne pense pas que notre père soit un lâche, répondit-elle doucement. Il a survécu dans le camp de réfugiés et a réussi à nous bâtir une nouvelle vie ici. À mes yeux, cela fait de lui un héros.

— Il a laissé sa famille derrière lui, protesta Nasser. Tu parles d'un héros ! »

Il coupa les feux de détresse et redémarra. « Pour toi, c'est une nouvelle vie », murmura-t-il.

Elle avait l'esprit vide et la bouche sèche. De quoi avait-il parlé dans son délire verbal ? De « choix terrifiants » ? C'était pourtant cela qu'il venait de proposer à sa propre sœur : un choix terrifiant.

Il accéléra, et les maisons défilèrent. En haut d'une tour clignotait un néon rouge au dessin de parapluie.

« Alors, demanda-t-il, tu lui as dit que tu étais avec moi quand la bombe a explosé ?

— Oui, c'est ce que j'ai dit. » Elle se rencogna dans son siège avec un sentiment de déchirement comme elle n'en avait jamais éprouvé. « Qu'est-ce que je pouvais faire d'autre ? Tu es mon frère.

— Oui, je suis ton frère. » Il se redressa derrière le volant. « Et tu as le sens de la famille. »

52

« Vos élèves vous trouvent... excentrique, dit l'hôte du talk-show. Est-ce que vous l'êtes ? »

Si tu prends Unabomber pour référence, j'ai peu de chances de l'être, ducon ! pensa David. Non, efface ça. Tu es à la télévision. Ne jamais pratiquer l'ironie dans un pays sous-développé.

« J'utilise tous les moyens nécessaires pouvant inciter mes élèves à se servir de leur matière grise. » David, assis bien droit face aux caméras, se dit aussi que ça ne servirait pas sa cause s'il citait Malcolm X. « Et si cela fait de moi un... excentrique, je n'y vois pas d'inconvénient.

— Avez-vous fait sauter ce bus ? demanda son hôte, Paul Lindsay, un présentateur du journal télévisé chevronné et brillant qui était parvenu au crépuscule de ses beaux jours.

— Non, certainement pas. »

David était de retour sous l'œil des caméras, en direct et sur l'une des chaînes du câble les plus populaires aux États-Unis. Il s'était juré de ne plus recommencer, mais les circonstances l'y avaient poussé. Il n'avait pas le choix : il avait eu beau se démener – s'entretenir avec les élèves, enquêter dans le voisinage, tenter une seconde fois de consulter les archives –, il n'avait pas obtenu le début de l'ombre d'une piste.

« Alors, pourquoi les soupçons se sont-ils portés sur vous ? questionna Lindsay, complet gris, cheveu châtain, et un air de sincérité forgé au feu des sunlights. Vous avez bien dû faire quelque chose...

— Dans ce cas, j'aimerais que quelqu'un me dise quoi, répliqua David. Personnellement, je n'en ai pas la moindre idée ! »

Derrière la caméra, Ralph Marcovicci leva son pouce avec enthousiasme à l'adresse de David. Du gâteau, lui avait répété l'avocat avant le début de l'émission. Du putain de gâteau : Lindsay était un ami de trente ans. « Il va te lancer des balles qu'un aveugle pourrait attraper », lui avait garanti ce cher Ralph.

« Dans ce cas, on ne peut que se demander... » Lindsay pencha en avant un visage empreint de gravité cathodique. « ... si ce n'est pas vous, alors qui ?

— C'est bien pour cette raison que je suis là ce soir, répondit David. Mes avocats et moi, nous pensons qu'une ou plusieurs personnes savent quelque chose, mais qu'elles continuent de garder le silence. » Lindsay se prit le menton entre l'index et le pouce, essayant de ressusciter en lui le journaliste d'investigation qu'il avait été. « Et comment se fait-il que le FBI n'ait pas encore tiré la moindre information d'un seul indicateur ni mis la main sur un seul témoin ?

— Je l'ignore, affirma David en s'efforçant de ne pas voir sa propre image dans le moniteur, de crainte d'être changé en pierre comme la tête tranchée de Méduse. Peut-être ces témoins ont-ils peur, ou n'ont-ils pas envie de s'impliquer. Mais j'espère qu'ils m'entendront ce soir, examineront leur conscience et feront leur devoir. »

À présent, Ralph applaudissait en silence. Judah Rosenbloom se tenait quelque part dans l'un des salons de la chaîne devant une batterie de téléphones, au cas où un appel salvateur arriverait.

« Mis à part ça, je voulais aussi que les gens constatent que je ne suis qu'un homme, et certainement pas le monstre qu'une certaine presse à scandales se plaît à décrire à longueur de colonne.

— Très juste, David Fitzgerald. Très juste ! » s'exclama Lindsay.

Le cameraman les cadra de plus près, et l'hôte leva la tête vers l'objectif, dévoilant toute l'impartialité gravée dans ses traits.

Jamais, jamais je ne pourrais jouer avec un tel culot ! se dit David. Un coup d'œil à la pendule du plateau lui apprit qu'il lui restait dix minutes. Après ses nombreux passages télévisés, il pensait avoir acquis de l'aisance et de ce naturel qui séduit le téléspectateur. Mais il se sentait toujours aussi gauche et bien trop conscient de lui-même. Par ailleurs, c'était en accusé et non plus en héros qu'il apparaissait aujourd'hui. Précédemment, il s'était montré quelque peu imbu de lui-même et presque euphorique ; à présent, il était fermé et méfiant, douloureusement conscient que chaque mot comptait.

« Passons maintenant au "Téléphone sonne", et prenons quelques appels en direct », lança soudain Lindsay.

David se raidit. « Téléphone sonne ? » « Appels en direct ? » Hors du champ de la caméra, Ralph Marcovicci, rouge de colère, menaçait Lindsay d'un poing charnu. Il n'avait jamais été question de prendre au téléphone des téléspectateurs. En vérité, David avait même cru comprendre que l'affaire était entendue : il n'en serait pas question. Mais déjà la ruche bourdonnait. Lindsay avait joué les judas, et les appels se bousculaient au portillon du lynchage. Quitter précipitamment le plateau équivaudrait à signer sa culpabilité.

« Nous avons en ligne Emma Brown, de Springfield Gardens, dans le Queens ! annonça Lindsay. Nous vous écoutons, Emma. »

David pinça les narines. Une odeur méphitique flottait jusqu'à lui, et il réalisa que son hôte distingué péchait non seulement d'un relâchement de la parole donnée mais aussi des sphincters.

« Bonsoir, Lindsay. » Une voix posée d'Afro-Américaine. Une voix qui devait chanter le gospel à l'église pentecôtiste le dimanche. « Je suis la plus jeune sœur de Sam Hall. »

Un coup de feu claqua dans la tête de David. Il avait lu quelque part dans les journaux que cette dame le menaçait d'un procès. Ça n'augurait rien de bon.

« Je suis désolé de la mort de votre frère, madame, articula Lindsay. C'était un brave homme et j'étais un grand fan de sa musique.

— Je veux juste savoir comment cet homme peut être assis là et demander aux gens de l'aider, alors que ma famille n'aurait jamais pu enterrer dignement mon frère si le maire ne nous avait pas secourus. »

Que puis-je répondre à ça ? se demanda David, feuilletant son catalogue de poncifs et de platitudes, sans trouver la formule d'apaisement qui siérait en la circonstance.

« Avec tout mon respect, Emma, cela n'est pas vraiment le

sujet que nous traitons ce soir », intervint Lindsay, non sans une pointe de bon sens.

Mais Mme Brown était lancée, et décidée à témoigner. « C'est ce que vous dites ! Mais mon frère est mort et j'aimerais savoir quand l'homme qui l'a tué sera puni pour son crime. Où est la justice pour mon frère ? Il a été tué sans la moindre raison. Et cet homme est là, il parle à la télé. Je ne comprends pas, Lindsay ! »

L'émotion que charriait sa voix compensait largement l'absence de logique de son discours, et David était conscient que cela lui serait défavorable. Les gens qui regardaient la télé en ce moment même ne verraient que l'émoi et la colère légitime de cette femme. Des sentiments qui brouillaient toute tentative de raisonnement, qui incitaient à choisir son camp. David pouvait être écrasé sur-le-champ s'il ne trouvait pas à son tour des paroles susceptibles de faire vibrer la corde sensible dans les chaumières.

« Emma, déclara-t-il, comme s'il l'avait déjà rencontrée. Je suis entièrement d'accord avec ce que vous dites. Votre frère était un type bien, et tout ce que je veux c'est aider la police à mettre la main sur celui qui l'a tué. Plus que n'importe qui d'autre, je suis impatient de découvrir ce qui s'est passé. C'est ma propre vie qui est en jeu, vous comprenez ? »

Ralph s'agitait comme un diable de l'autre côté de la caméra, moulinant des bras, l'encourageant à poursuivre.

« Mais c'est vous qui..., commença-t-elle à dire.

— Et, dès que la vérité aura éclaté, je serai à vos côtés pour intenter un procès à la Ville et à l'État, la coupa David. Mais c'est peut-être là quelque chose dont nous ferions mieux de débattre hors antenne, car je ne voudrais rien dire qui puisse nuire à notre cause. »

Ce n'était que de la fumée et du vent, car il n'avait pas encore examiné cette question avec Ralph et Judah, mais Emma semblait manifestement déroutée par la tournure de leur étrange conversation.

« C'est-à-dire que je...

— Mes avocats sont en train de rassembler des informations qui vous seront très utiles si vous persistez, comme je le souhaite, à intenter un procès aux autorités. Nous pouvons nous entraider, Emma, mais je veux que vous sachiez avant tout une chose... Je n'ai pas tué votre frère... »

Cette fois, il avait l'impression d'avoir trouvé le ton pour s'exprimer. Et, qui sait ? peut-être que ses avocats seraient en mesure d'aider la famille de Sam.

« Emma, y a-t-il autre chose que vous aimeriez exprimer ? demanda Lindsay.

— Euh... non, je préférerais en discuter d'abord avec mon avocat.

— Merci, Emma. » Lindsay se tourna, offrant au cameraman un nouvel angle de son visage. « Nous avons en ligne Glen, de Sioux City, Iowa.

— Ouais. » Une voix de jeune Blanc, un rien rocailleuse. « J'suis un ancien élève de M'sieur Fitzgerald.

— On vous écoute, Glen. » Lindsay sourit, toujours sincère et télégénique.

David se tendit de nouveau, en proie au vertige des montagnes russes. Chaque fois qu'il pensait être sorti de ces plongées soulève-cœur, il s'en présentait une autre, plus raide que la précédente.

« Je voudrais seulement dire que ce type est un pervers. Il m'a offert de la bière quand j'étais élève de seconde. Il m'a soûlé, puis m'a emmené dans les vestiaires et là... il a essayé de me... toucher. »

Eh voilà, c'était reparti pour une balade en terre sordide ! Il y eut un silence à l'autre bout de la ligne, silence suivi d'un soupir qui exprimait un aveu longtemps contenu. Le ton détaché de la voix rendait l'appel à la fois irréel et profondément authentique. Ralph Marcovicci avait les mains sur la tête, comme s'il s'attendait à encaisser de plein fouet un missile de croisière.

C'était pire qu'un désastre : c'était un anéantissement. Et si le juge de son divorce regardait l'émission ? David avait l'impression d'être suspendu par les doigts au-dessus du vide.

Il décida tout de même de contrer en douceur. « Pardonnez-moi, Lindsay, mais pourrais-je poser une ou deux questions à notre correspondant ?

— Mais naturellement.

— Glen ? » David leva les yeux vers la caméra. « Pourriez-vous me dire votre nom de famille ? »

Il avait désespérément envie de mettre un visage sur cette voix. Que pouvait bien faire en Iowa un de ses anciens élèves ?

« Monsieur, je ne peux vous donner mon nom, par égard pour mes parents.

— Je vois, déclara David, se gardant de paraître sarcastique ou sur la défensive. Alors, vous pouvez peut-être me dire en quelle année vous avez passé votre bac ?

— Récemment. »

Son interlocuteur n'était qu'un mauvais plaisant, David en était convaincu. Mais il devait néanmoins le manipuler avec précaution.

« Glen, dans quelle classe étiez-vous avec moi ?

— Anglais.

— Et quel cours suiviez-vous ? J'en ai plusieurs. »

Glen n'hésita qu'un très bref instant. « Le premier, celui de 8 à 9.

— Ma foi, il y a des années que je n'assure plus la première heure. Cela est consigné dans le cahier de permanence du lycée, et tout le monde peut le consulter.

— Monsieur, je sais ce que vous m'avez fait. Et je sais que c'était mal ! »

La voix trahissait une certaine nervosité : le môme se sentait acculé. Mais David n'ignorait pas que son indignation feinte frapperait de nouveau les esprits. Il devait continuer de faire pression sans attaquer de front le garçon.

« Laissez-moi vous poser une autre question, dit-il. Quels livres avez-vous lus quand vous étiez dans ma classe ? »

Il y eut un craquement sur la ligne, et le garçon se tut pendant quelques secondes. *Je vais y arriver*, pensa David. *Doucement, maintenant.* Lindsay Paul commençait à présenter des signes d'impatience. Finalement, un gloussement étouffé suivi d'une voix haut perchée jaillit des haut-parleurs.

« Va te faire enculer, pédé ! »

Paul Lindsay prit une expression horrifiée et choquée, comme une matrone découvrant soudain ses invités nus et ivres dans son salon. « Désolé de cet incident, mes amis, déclara-t-il d'un ton pincé. Nous avons encore le temps pour deux autres appels. »

Mais David était redescendu de ses montagnes russes, et il n'avait pas l'intention de repartir pour un tour. Pour une fois, il décida de tirer avantage du silence. « Vous savez, Lindsay, j'ai quelque chose à dire avant que vous preniez d'autres appels.

— Eh bien, nous vous écoutons. »

David se tourna vers la caméra. « Il y avait une certaine candeur de ma part à vouloir revenir à l'antenne pour laver mon honneur souillé par les médias : autant aller au bordel pour se guérir d'une chaude-pisse ! »

Il vit Ralph enfouir son visage dans les mains, mais n'en poursuivit pas moins. « Mais je veux bien passer l'éponge sur certaines choses qui ont été formulées ici ce soir. » Il jeta à Lindsay un regard amusé. « Comme on dit à Coney Island : Paie ce que tu dois et tente ta chance. »

Il haussa les épaules et planta son regard dans l'objectif. « Tout ce que je demande, c'est qu'on soit équitable. Je conseille toujours à mes élèves : "Défendez votre cause ou bien fichez le camp." Personne ne pourra jamais dire qu'il m'a vu avec une bombe, un détonateur ou un quelconque autre engin de mort. Personne ne pourra jamais dire que j'ai levé la main sur ma femme ou mon garçon. Et la raison en est simple : tout cela est faux. Ce ne sont que vils mensonges. Je n'ai pas tué Sam Hall et je n'ai pas fabriqué de bombe. Je ne suis certainement pas parfait, mais je suis comme je suis. Alors, ne me condamnez pas sur la foi d'une rumeur. Mes élèves ont une maxime : "S'il y a un lézard, dis-le." Aussi, je vous le demande : si vous savez quelque chose, dites-le. Vous savez ce que vous devez faire. »

Il se tut et respira un grand coup, peu sûr de s'être bien fait comprendre. Lindsay Paul ne lui était d'aucun secours, occupé qu'il était à sourire à la caméra, tandis que son réalisateur s'avançait hors champ pour faire signe de couper. L'émission était terminée.

53

Durant les dernières vingt-quatre heures, Nasser s'était démené : faire louer par sa sœur le garde-meuble dans le West Side, se rendre la nuit au garage dans Sunset Park pour y préparer le mélange explosif, aller au travail à 6 heures le matin et prendre deux services au lieu d'un, avant de regagner le petit appartement derrière la station de taxis et de s'accorder enfin quelque repos.

Youssef et le Dr Ahmed l'attendaient quand il arriva, fourbu, les yeux rougis par dix heures de conduite dans New York.

« Que se passe-t-il ? demanda Youssef. Ma femme m'a laissé un message me disant que tu avais besoin de me parler.

— C'est exact, cheikh, j'ai appelé chez toi. » Nasser se laissa choir sur le matelas rongé par les mites qu'il avait posé par terre à côté du coin cuisine.

Dieu, qu'il détestait habiter ce taudis en compagnie du docteur ! Les deux pièces minuscules, la peinture bleue écaillée des murs, les souris qui couraient partout, le bruit permanent de la rue, l'odeur de tabac dans l'air, et la musique à fond des voisins du dessus. La vie ici était aussi misérable que dans le camp de réfugiés de Deheisha. Pourquoi les déshérités américains ne se révoltaient-ils pas ?

« Un policier est venu me voir l'autre jour, apprit-il aux deux hommes. Et il a aussi interrogé ma sœur ; il lui a demandé ce qu'elle faisait le jour où le bus a explosé. »

Le docteur siffla entre ses dents et se mit à tirer sur sa barbe.

« *Ya habela !* s'écria-t-il. Pourquoi ne nous as-tu pas prévenus plus tôt ? *Yin an a bouk !* Tu veux qu'on aille tous en prison ?

— Non, cheikh, répliqua Nasser, tellement fatigué que secouer la tête était un effort. J'ai essayé, mais je n'ai pas réussi à vous joindre. Alors, j'ai continué de travailler, parce que le temps pressait. »

Youssef s'appuya contre le poêle avec un calme ostentatoire. « Qu'est-ce que vous lui avez dit à ce flic, ta sœur et toi ?

— Rien du tout. » Nasser commença de délacer ses chaussures, puis abandonna. « Elle a dit qu'elle était avec moi, et moi j'ai dit que j'étais avec elle. Donc, il n'y a pas de problème. Mais j'ai pensé que vous deviez en être informés. »

Youssef et le docteur se regardèrent en silence. On entendait, venant de l'autre côté du mur du fond, Bilal, le coordinateur pakistanais, prendre les appels et transmettre les demandes de courses aux divers chauffeurs.

« À mon avis, il faut changer nos plans », lança soudain le Dr Ahmed en commençant à aller et venir dans la pièce de son pas claudicant.

Nasser le suivait des yeux. Le docteur se faisait chaque jour plus nerveux et impatient. Ses gestes étaient fébriles et son visage parcouru de tics.

« C'est une chose à laquelle je réfléchis depuis longtemps, ajouta-t-il en se frottant le nez avec son mouchoir. Parce que toute notre action est placée sous le signe du djihad. Le DJIHAD ! Tu comprends cela, Nasser ? »

Il s'arrêta devant le garçon et baissa sur lui un regard enfiévré.

« Oui, je comprends, répondit Nasser, vaguement conscient de faire soudain l'objet d'une attention particulière dont il saisissait mal la raison.

— Mais ce n'est pas assez de dire que tu es pour la guerre sainte. » Le docteur reprit sa marche, accompagnant ses paroles de petits gestes saccadés. « Le djihad n'a de sens que s'il est mis en pratique. Tu dois te lever pour lui et pour l'amour d'Allah, béni soit Son nom. Il se moque de tes prières. Il se moque du *haj*. Ce sont les niveaux les plus bas de la foi. Allah ne respecte que l'action. Tu dois prendre des risques pour Lui, prouver ta croyance en Lui.

— *Allah akbar !* » Youssef, toujours appuyé contre le poêle, glissa une pilule à la nitroglycérine sous sa langue. Il avait le teint terreux et l'air apathique depuis leur dernière rencontre avec l'imam, avait remarqué Nasser.

Mais le Dr Ahmed, lui, ne cessait de s'échauffer. « Veux-tu savoir quand je me suis senti le plus proche d'Allah ? » Il s'arrêta de nouveau devant Nasser, inclina le buste vers lui. « C'était pendant la guerre sainte en Afghanistan, et je montais un âne avec une jambe à moitié arrachée par une mine antipersonnel. Oui ! » Il releva la jambe de son pantalon, pour révéler une hideuse cicatrice rouge qui courait de la cheville au genou. « Chaque fois que nous traversions un fossé, j'avais l'impression qu'un chien enfonçait ses crocs dans mon cœur, et je remerciais Allah, Celui qui donne et qui prend la vie, de m'avoir épargné.

— *Inch'Allah.* » Youssef posa la main sur la balafre zébrant sa propre poitrine.

Le Dr Ahmed se pencha un peu plus, jusqu'à avoir son visage tout près de celui de Nasser. « Le Livre saint nous apprend à douter de l'existence des miracles. Tu sais cela ?

— Oui, je le sais. » Nasser avait parfaitement conscience d'être l'objet d'une manipulation, mais il se sentait incapable de s'y soustraire.

« La volonté d'Allah ne se manifeste pas par des tours de magie, comme la transformation de l'eau en vin, mais par le soleil, la lune, les vaches dans les champs et les oiseaux chantant dans les arbres. » Le docteur prit Nasser par les épaules et le regarda dans les yeux. « Le petit enfant qui rit dans son berceau, voilà un signe de la bonté d'Allah.

— *Allah akbar* », conclut Youssef, mais sa voix avait une résonance détachée et lointaine.

Le docteur était seul en scène. Il mit un genou par terre devant Nasser en continuant de le fixer du regard et en donnant à ses paroles une légère scansion. « Mais la mort aussi est un signe de la bonté d'Allah. Je l'ai appris à la guerre. Tout ce que j'avais étudié à l'université du Caire, mon doctorat en psychologie, toutes les manifestations contre le chah d'Iran auxquelles j'avais participé, tout cela n'était rien en comparaison de ce que j'ai ressenti la première fois que j'ai tué un homme. Je me suis dressé au-dessus de lui et je lui ai tiré une balle dans le cœur. C'était un soldat russe. Je lui ai parlé. Je lui ai demandé combien il avait d'enfants, puis je l'ai regardé passer de vie à trépas. Et tu sais quoi ? Pendant qu'il rendait son dernier souffle et que son visage devenait gris, j'ai vraiment senti le pouvoir d'Allah. Parce que Lui seul règne sur la mort comme Il règne sur les oiseaux, les vaches, les enfants. Et s'il en est ainsi, c'est qu'Il le veut ainsi. Comprends-tu ?

— Oui, je comprends. »

Nasser se surprit lui-même à se balancer d'avant en arrière sur son matelas, le corps frémissant et la tête pleine des souvenirs de sa mère. Il ne savait pas si c'était la fatigue ou la tension de ces derniers jours, mais il avait la sensation d'être à la fois vidé et rempli par les paroles du docteur.

« C'est la raison pour laquelle nous allons changer nos plans. » Le Dr Ahmed se releva lentement pour s'asseoir sur une chaise métallique. « Les cibles resteront les mêmes. Tu retourneras au lycée avec une *hadduta*. Mais ce sera avec de la dynamite au lieu des bombes à essence, que nous utiliserons pour des explosions plus puissantes. Et il n'y aura pas de minuteur.

— Je ne comprends pas. »

Il se fit soudain un étrange silence dans la pièce. L'air devint lourd et oppressant – même le bruit de la station de taxis de l'autre côté de la cloison cessa. Youssef toussa dans sa main, tandis que le Dr Ahmed regardait ailleurs. Nasser eut l'impression d'être arrivé au bout de son voyage. Dans son cœur, il avait toujours su que ce moment viendrait.

« Nous allons avoir un martyr, mon ami, articula le docteur. Et tu seras celui-là. »

Youssef vint s'agenouiller à côté de Nasser, lui posa une main sur l'épaule et lui murmura à l'oreille : « C'est une grande chance, mon ami. Tu seras récompensé au paradis par soixante-dix vierges et tu seras un héros dans ta terre natale. Ton village t'enterrera en grande pompe, ils seront des milliers à venir et ils distribueront des portraits de toi aux enfants, pour qu'ils n'oublient jamais ton héroïsme.

— *Allah akbar !* s'exclama le docteur en se penchant une fois de plus vers Nasser. Et tout le monde chantera ta mémoire : "Avec notre sang ! Avec nos âmes ! Nous t'honorerons !" Tu seras *shaheen*. Et c'est ce sacrifice qui fera le plus peur aux infidèles – plus que le dynamitage d'un pont ou d'un tunnel. Ils sauront qu'il y a dans leur pays des héros prêts à donner leur vie pour leur cause. Des hommes décidés à se faire sauter et à entraîner dans leur mort des dizaines d'autres. Et ça, ils sauront qu'ils ne pourront jamais l'arrêter. Alors, ils n'auront plus jamais la paix de l'esprit. »

Ils le serraient de chaque côté, tel un corps unique à deux voix, le docteur toujours penché et Youssef à genoux qui murmurait à l'oreille de Nasser : « Tu seras la fierté de ta famille, et ta mère là-haut, au paradis des musulmans, aura éternellement le sourire. »

Nasser avait la gorge serrée. Il s'affaissa doucement sur lui-même, ébranlé jusqu'au tréfonds par ce qu'ils évoquaient. Oui, sa mère serait fière. Elle disait toujours qu'un homme devait se soumettre à la volonté de Dieu et mourir pour ce qu'il croyait, sinon il n'était rien. La vie en ce monde n'est qu'une occupation passagère. Toutes les richesses de la terre sont éphémères. Ne l'avait-il pas vue pleurer et déchirer sa robe aux funérailles des martyrs ? N'avait-elle pas choisi de mettre fin à ses jours ? Son ami Hamid n'avait-il pas accompli ce même et grand sacrifice à la prison d'Ashqelon ?

« Tu as été choisi pour une mission extraordinaire, continuait Youssef. Personne n'a encore jamais fait cela ici, dans ce pays. Tu seras le premier. Tu seras l'exemple. Franchement, je t'envie... »

Nasser avait la certitude d'avoir été placé à son insu sur ce chemin depuis le début. Youssef et le docteur savaient exactement quels mots et quelles images frapperaient son esprit. Mais, en même temps, le jeune homme était convaincu que toute résistance serait inutile. C'était sa destinée. Tout l'avait conduit à ce point de non-retour : la clé rouillée, la torture du sac, sa mère, son père, le fait même de n'avoir jamais connu, au cours de son existence, un seul moment de plaisir qui ne fût assombri par un sentiment de misère.

Une heure sur le champ de bataille vaut cent années de prière.

« Tu n'as pas peur, n'est-ce pas ? demanda le docteur.

— Non, bien sûr que non. »

En vérité, il était terrifié. Une partie de lui-même ne voulait pas de ça. Il ne pouvait véritablement concevoir l'existence de ces soixante-dix vierges ou l'eau vive des ruisseaux courant dans les jardins du paradis. Cela n'avait aucune réalité. La ville, elle, était réelle. Les femmes, les voitures, les néons, les chansons sentimentales à la radio, le dédale infini des rues.

Peut-être tout ceci était-il sa dernière épreuve. Celle qui déciderait de son courage, de sa capacité à être un héros, un *shaheen*. Peut-être le fait même qu'il désirait tant vivre donnait toute sa valeur au sacrifice qu'on attendait de lui. *Inch'Allah*. À vrai dire, ces mystères dépassaient son entendement, et il en était réduit à faire semblant de comprendre et à... agir.

« Alors, dit-il en se redressant lentement, la main serrée sur la clé de sa mère. Qu'est-ce que je dois faire, maintenant ? »

54

Le lendemain matin, David passa l'épreuve du détecteur de mensonges puis se rendit aussitôt après chez ses avocats dans Broadway pour en examiner les résultats. Quand il ressortit, sur le coup des 11 heures, Judy Mandel l'attendait sur le trottoir, le bloc-notes à la main et la bouche entrouverte.

« Euh... David ? » Elle avait une voix jeune, hésitante, une voix de paroissienne vendant des billets de tombola au bénéfice des sourds et muets. « Vous vous souvenez de moi ? »

L'esprit de David s'aiguilla dans deux directions opposées. Le nom de Mandel évoquait pour lui la sonnette d'un crotale. Le nom de Mandel était la signature au bas d'un article qui avait défait l'ouvrage de sa vie, le faisant passer pour un poseur de bombe, un assassin, un violent, un pervers. Mais la femme qui se tenait devant lui était plutôt séduisante, avec ses lèvres peintes d'un marron soutenu. Elle avait l'air d'une étudiante.

« C'est bizarre, vous savez, répondit-il avec un soupir las. À chacune de nos rencontres, j'oublie à quoi vous ressemblez sitôt que j'ai tourné le dos. Je me demande bien pourquoi...

— Vous êtes peut-être distrait, répliqua-t-elle avec une moue, comme s'il l'avait blessée dans son amour-propre.

— Vous avez rapporté dans votre torchon ce que vous a dit ma femme.

— Cela prouve au moins que je n'ai rien inventé. »

Il prit une profonde inspiration pour calmer la colère qu'il sentait monter en lui. « Renee est malade. N'importe qui s'en apercevrait après deux minutes de conversation avec elle. » Campé bien droit devant elle, il la regardait, le menton aussi dur qu'un poing. « Vous avez profité de sa faiblesse et de son égarement. Je ne pense pas avoir quoi que ce soit à vous dire. Allez donc bousiller la vie de quelqu'un d'autre ! »

Il se détourna, et commença de s'éloigner en essayant de se rappeler où était la station de métro la plus proche.

« Mais j'avais une question à vous poser ! » Il la vit du coin de l'œil lever la main comme une élève de sa classe. Et, malgré lui, il pivota sur lui-même et franchit en deux enjambées la distance qui le séparait d'elle. « C'est quoi, votre question ? demanda-t-il sèchement.

— J'ai entendu dire que vous aviez échoué au détecteur de mensonges, ce matin. »

Il s'efforça de ne pas broncher. Les résultats officiels étaient : « Non concluants. » « *Serrez les fesses*, lui avait recommandé Ralph Marcovicci avant l'épreuve. *La machine mesure le stress, aussi si vous serrez bien votre trou de balle à chaque question, vos arguments tiendront la route.* »

« Je n'ai aucun commentaire à faire sur ce sujet », répliqua David à Judy Mandel.

Comment l'avait-elle appris aussi vite ? Ralph et Judah l'avaient averti que les fédéraux seraient les premiers à organiser les fuites et à lancer les rumeurs, pour le pousser à conclure un marché avec eux – ses aveux contre une réduction des charges –, mais cela dépassait l'entendement. Il y avait à peine deux heures qu'il avait subi l'épreuve du détecteur. C'était probablement l'examinateur lui-même, un certain Cardio, ancien flic de la criminelle, qui avait balancé les résultats à la presse.

« On raconte que le FBI va finalement vous arrêter d'ici un jour ou deux, déclara Judy.

— Eh bien, qu'ils viennent me chercher, répondit-il en écartant les bras d'un air tranquille. Ils savent où me trouver. »

Dans son for intérieur, la panique le rongeait comme une sale infection, mais il n'allait sûrement pas se trahir devant cette femme.

Il remonta la ceinture de son pantalon et garda une expression imperturbable. « Vous vous attendiez à quoi ? À ce que je tombe à genoux et avoue tout ?

— Non, je voulais seulement que les choses soient claires. »

Les passants défilaient à côté d'eux, enfermés dans leurs monologues intérieurs.

« Laissez-moi vous poser une question à mon tour, lança David. Ça ne vous tracasse pas d'avoir tout bâti sur des hypothèses et de la pure spéculation ?

— Que voulez-vous dire ?

— Vous vous êtes lancée dans cette petite entreprise d'écrire toutes ces choses sur moi, alors que vous ne me connaissez pas. Et si vous vous trompiez ? Voyez-vous, j'essaie d'enseigner à mes élèves la valeur de la pensée critique, quand ils rédigent leurs dissertations. Je leur dis : "Considérez l'envers de chaque chose, cherchez l'alternative, allez voir de l'autre côté de la frontière." Et vous, vous ne vous êtes jamais dit que je n'avais peut-être rien fait, que j'étais totalement innocent ? Votre misérable petit monde ne s'effondrerait-il pas, si c'était le cas ? »

La jolie bouche peinte s'ouvrit, aucun son n'en sortit.

« Si je n'avais pas autant de mépris pour ceux de votre espèce, je vous prendrais peut-être en pitié. »

Sur ce, il s'en fut d'un bon pas.

Judy le regarda s'éloigner avec l'impression d'avoir une lourde pierre sur la poitrine. Oui, et s'il était innocent ? Cela faisait des jours qu'elle chassait cette pensée de son esprit. « Il faut accorder ses violons quand on suit une histoire, lui avait dit un jour Bill Ryan. La note de l'article du jour doit être en harmonie avec celle de l'article de la veille. »

Judy s'élança après David, dont la tête dépassait de temps à autre dans le flot des piétons. Elle était en colère après lui. Elle s'attendait à voir un individu gauche et craintif, réfugié dans l'ombre de son père. Et elle s'était trouvée face à un homme solide, au regard franc. Pourquoi ne ressemblait-il pas au personnage qu'elle avait décrit dans ses papiers ?

« Les grandes institutions mentent toujours, assurait Bill, c'est pourquoi tu dois être sans pitié avec elles. » Or, elle réalisait qu'elle s'était trompée : David Fitzgerald n'était pas une institution, il n'était qu'un homme. Alors qu'elle-même se sentait soudain devenir une pièce d'une grande machine qu'on ne pouvait plus arrêter.

Elle le rattrapa et lui tapa sur l'épaule. « David.

— Quoi ? » Il se retourna, exaspéré. « Qu'y a-t-il encore ?

— Je pensais à ce que vous avez dit à la télé la nuit dernière, et je voulais que vous le sachiez : moi aussi, je suis humaine. »

Il se remit en marche et lui jeta un regard par-dessus l'épaule. « Si c'est vous qui le dites. »

55

« Excusez-moi, monsieur, mais qui vous venez voir ? »

Quatre jours avant son action kamikaze, Nasser avait été envoyé en reconnaissance au lycée par Youssef et le Dr Ahmed. Cette fois, il ne devait pas y avoir d'erreur.

Aussi, peu avant 13 heures, il se tenait devant le détecteur de métal et tendait à l'agent de sécurité sa carte d'identité.

« Je suis venu m'inscrire, dit-il. Et j'aimerais parler au proviseur. »

L'agent, un grand Noir au pantalon impeccablement repassé, prit son temps pour examiner avec attention le document plastifié. Apparemment, il avait des consignes strictes. Nasser avait l'impression d'être nu, tandis que les élèves passaient non loin dans le couloir pour se rendre au réfectoire. Il espérait qu'Elizabeth ne serait pas parmi eux. Il avait le ventre noué depuis la nuit précédente, où il n'avait pas fermé l'œil.

Il remarqua qu'il y avait maintenant un tapis roulant à scanner à côté du portique détecteur, ce qui permettait une radiographie des sacs et des cartables. Il devrait porter la bombe sur lui, la prochaine fois qu'il reviendrait.

Il essaya d'imaginer la chose : les bâtons de dynamite maintenus serrés autour de sa taille par une bande adhésive. Il lui faudrait mettre une ample chemise. Que ressentirait-il lors de l'explosion ? Mourrait-il sur le coup ou bien connaîtrait-il une longue et douloureuse agonie ?

« D'accord, vous savez où se trouve le bureau du proviseur ? » L'homme lui rendit sa carte.

« Oui, je m'en souviens.

— Alors, bonne chance. » Le ton de voix était amical, mais le regard froid et scrutateur, comme si le bonhomme mémorisait les traits du visiteur.

Nasser s'éloigna rapidement en direction des bureaux de l'administration. Son cœur battait à la seule pensée de ce qui l'attendait le jour J. Je suis un lâche, je ne veux pas mourir, je ne vaux rien, se répétait-il. Il passa devant les plaques gravées aux noms des élèves lauréats, un palmarès qui commençait en 1902. Il imagina son propre nom parmi eux. Nasser Hamdy, major de sa promotion. Nasser Hamdy, athlète de l'année. Nasser, au milieu de ses amis.

Quand il atteignit le bureau du proviseur, il ne s'arrêta pas, mais prit l'escalier qui menait au réfectoire tout en jetant de fréquents regards derrière lui, redoutant qu'un surveillant ne l'arrête et ne lui demande où il allait. *Pardonnez-moi, mais que faites-vous ici ? Je ne vous ai encore jamais vu.* Que répondrait-il ? *Je suis ici par la volonté d'Allah...*

Il ne mit pas plus de trente secondes à descendre les marches deux par deux. Il devrait aller plus lentement et avec précaution, lorsqu'il serait une bombe humaine. Une fois de plus, il fut frappé par l'incroyable audace de l'entreprise. Il lui semblait impossible que tout se déroule selon le plan prévu. Youssef et Ahmed avaient beau lui répéter de ne plus penser à rien, de vider son esprit et de se transformer en machine de mort, une formidable appréhension l'oppressait à chaque minute. Dans quatre jours, quand il serait arrivé au bas de ce même escalier, il n'aurait pas plus de deux minutes à vivre. Quelles seraient alors ses pensées ? Songerait-il à sa mère ? son père ? Elizabeth ? Dieu, il n'avait encore rien prévu pour l'éloigner du lycée ce jour-là, et le temps pressait !

Leur conversation de la nuit précédente n'avait rien résolu. Elle avait loué le garde-meuble, mais, à présent qu'elle savait ce qu'il avait fait, garderait-elle longtemps le silence ? Bien sûr, le lien du sang les unissait, mais elle était aussi une Américaine. Elle était peut-être fidèle à sa terre d'origine, mais elle s'était toujours senti des devoirs envers son pays d'accueil. Il percevait en elle une résistance tranquille qui l'effrayait.

Il se dirigea vers le réfectoire, d'où lui parvenait le brouhaha des élèves. Un bruit qui s'amplifiait à mesure qu'il approchait de la porte à double battant. Son ventre se nouait un peu plus à chaque pas. Ses tympans bourdonnaient. Qu'éprouverait-il, la prochaine fois ?

Il pouvait imaginer la salle du réfectoire, l'infecte tambouille fumant dans les bacs le long du comptoir du libre-service, les odeurs de graisse et d'ammoniac mêlées, les fontaines à soda, les filles et les garçons se serrant sur les bancs. Il se voyait entrant avec la *hadduta* – tout le monde le regarderait, se demandant ce qu'il venait faire ici.

Et puis... la bombe exploserait, et tout changerait. Le temps, l'espace, la vie. Les plateaux voleraient à travers la pièce, les vitres se briseraient, les clous s'enfonceraient dans les chairs. Le sol serait jonché de cadavres, éclaboussé de sang. Il y aurait des visages à moitié emportés, des mains mutilées, et des cris monteraient de partout. La colère de Dieu.

Il tenta de se représenter lui-même, gisant immobile et déchiqueté, le sang du vengeur mêlé à celui des victimes.

Dieu, fais en sorte que cela n'arrive pas ! Ou alors, donne-moi la force de le faire sans peur !

Il tourna la tête juste comme il passait devant une porte ouverte, et eut la surprise de découvrir une figure familière. M. Fitzgerald était accoudé à une minuscule table, dans un réduit encombré de matériel. Le menton appuyé sur ses mains croisées, il fermait les yeux et se balançait doucement. Il avait l'air ridicule, encombré par son propre corps, ne sachant où mettre ses longues jambes et ses larges épaules. On aurait dit un grand garçon poussé trop vite se cachant dans un carton.

Fasciné par cette vision, Nasser s'était arrêté malgré lui dans le couloir. Mais, avant qu'il se remette en marche, Fitzgerald l'aperçut. « Oh, c'est toi, Nasser ! Que fais-tu ici ? »

Nasser envisagea de s'en aller sans répondre, mais il réalisa que cela attirerait davantage encore l'attention sur lui. Il vit Fitzgerald se redresser sur sa chaise, hésitant manifestement sur l'attitude à adopter. Avait-il peur de lui ? Allait-il appeler la sécurité ?

« Rien qu'une petite visite, déclara Nasser avec une feinte désinvolture.

— Histoire de surveiller ta sœur ? »

Le soupçon qu'il perçut dans la voix de Fitzgerald alluma une flamme de colère en lui. « Non, je suis venu pour me réinscrire. »

Il tuerait ce Fitzgerald ! C'était la seule chose qu'il ferait sans hésiter. L'idée même que cet homme puisse toucher sa sœur lui faisait bouillir le sang.

« C'est bien, dit David en se levant pour s'approcher de Nasser. Tu sais, nous n'avons pas eu l'occasion de parler depuis notre petit... accrochage sur le parking. »

Nasser eut malgré lui un mouvement de recul. « Oui, je regrette, c'était stupide, affirma-t-il. Je ne sais pas ce qui m'a pris. J'ai vu rouge, comme on dit. Merci de ne pas m'avoir signalé à l'administration.

— De rien. Ces choses-là arrivent. Ce n'était qu'un malentendu. » David le regarda dans les yeux. « Mais il faut que tu le saches : jamais je ne pourrais avoir un geste déplacé envers ta sœur. J'essayais seulement de l'aider, et c'est son bonheur que nous voulons, toi et moi.

— Oui, bien sûr. »

Ils se serrèrent la main. Nasser regrettait de ne pas avoir un couteau sur lui. Il l'aurait plongé dans le cœur de ce salaud pour l'empêcher à jamais de déshonorer Elizabeth.

« Et nous avons tous des problèmes, assura David en s'efforçant de sourire. Je suppose que tu es au courant des ennuis que j'ai...

— Oui, je suis vraiment désolé pour vous.

— Ma foi, j'ai bon espoir que tout cela finira par s'arranger. » David jeta un coup d'œil dans le couloir pour vérifier qu'ils étaient seuls. « Ça n'est rien d'autre que ce siècle de folie... Tu n'aurais rien entendu, par hasard ?

— À quel sujet ?

— Au sujet du vrai coupable. Celui qui a posé la bombe dans le bus. On ne sait jamais, quelqu'un l'a peut-être vu faire. »

Nasser se balançait d'une jambe sur l'autre. Mais que faisait-il ici, à parler avec cet homme ? C'était insensé ! Il était temps qu'il s'en aille. « Non, je ne sais rien.

— Très bien. Passe me voir, si jamais tu apprends quelque chose.

— Je le ferai. »

M. Fitzgerald le regardait de nouveau de cette façon qui

l'avait toujours mis mal à l'aise, quand il était son élève. Les yeux de cet homme voyaient des choses que Nasser ne souhaitait pas montrer.

« Je te félicite de vouloir revenir au lycée, dit-il enfin. Tu es intelligent. Tu devrais te bâtir un avenir. »

Nasser grimaça un sourire, incapable de formuler une quelconque réponse. Ce diable jouait avec lui, il tentait de l'empêcher d'accomplir son devoir sacré.

« Alors, je suppose qu'on se reverra, ajouta M. Fitzgerald en retournant s'asseoir derrière la petite table sans parvenir à croiser ses jambes. Est-ce qu'ils te feront passer une épreuve de lecture ?

— Peut-être. Je l'ignore. »

Nasser mit la main sur son ventre, là où il porterait la bombe. « Tu devrais te bâtir un avenir. » L'idée était tentante. Il pouvait certainement avoir un autre destin que celui de martyr. Mais non, il n'allait pas se laisser détourner de sa mission.

M. Fitzgerald semblait embarrassé, soudain. « Ils ne t'ont pas parlé d'une épreuve de lecture ?

— Vous savez, ce n'est encore qu'un projet, je n'ai rien décidé.

— Ah bon. »

M. Fitzgerald considéra les papiers parfaitement rangés sur sa table. Apparemment, il avait trop de temps devant lui. Mais cela ne durerait pas.

« Il faut que j'y aille, maintenant, lança Nasser.

— À bientôt, donc. Quoique, au train où vont les choses, je serai probablement parti d'ici longtemps avant que tu n'y reviennes. Mais fais-moi signe si tu as besoin d'aide pour préparer ton examen d'entrée.

— Je peux me préparer tout seul, ne vous inquiétez pas pour moi », répliqua Nasser en s'empressant de disparaître, soulagé d'échapper à l'attention de son ancien professeur.

56

Quand Judy Mandel retourna au journal, elle eut la surprise de découvrir Renee Fitzgerald dans son bureau.

« Vous m'avez appelée, alors je suis venue, déclara Renee un peu trop rapidement avec un sourire bref, comme un clin d'œil. Je veux dire que je vous ai d'abord rappelée et puis, comme je suis tombée sur votre répondeur, j'ai pensé que je ferais peut-être mieux de...

— Bien, bien, bien », la coupa Judy, qui leva les mains en signe de reddition. Cela l'étourdissait presque de passer du mari à l'épouse en si peu de temps. Oui, elle avait appelé Renee avec son portable juste après sa conversation avec David, mais elle s'attendait à avoir quelques minutes de réflexion devant elle.

Sa confiance dans la teneur de ses articles et le statut professionnel que cette histoire lui apportait avaient été assez ébranlés par les paroles de David, et elle tenait à s'assurer qu'elle n'avait pas tout faux. De l'autre côté de la salle de rédaction, elle pouvait voir Robert dans sa cage de verre en grande conversation avec M. Hampton, le propriétaire du journal, dont les visites étaient si rares qu'elle ne l'avait encore jamais vu. Le bonhomme était plus petit qu'elle se l'était imaginé. Il avait le teint hâlé et de larges narines un rien simiesques. En une autre occasion, elle aurait certainement fait un saut là-bas en minijupe et dit quelque chose d'impertinent pour attirer l'attention du magnat. Mais elle n'avait ni le temps ni la tête à cela, aujourd'hui.

« Alors, que se passe-t-il ? » demanda-t-elle à Renee en débarrassant de sa chaise une pile de papiers pour que sa visiteuse puisse s'asseoir.

Mais Renee resta debout. « Il faut que je vous parle de cet article que vous avez écrit.

— Lequel ? »

Les regards des autres journalistes présents dans la salle convergeaient vers les deux femmes, tandis que l'habituel crépitement diluvien des claviers tendait à se réduire à quelques tapements distraits.

« Je parle de votre entretien avec moi. » Renee serrait dans ses mains un vieux sac en cuir noir. Judy remarqua les ongles rongés jusqu'à la racine. Pourquoi n'avait-elle pas relevé ce détail plus tôt ? Était-elle à ce point impatiente de décrocher le plus fameux des scoops qu'elle était passée à côté d'éléments aussi visibles ?

« Pourquoi m'en parler maintenant ? interrogea Judy en s'asseyant. Cet article est paru voilà plusieurs jours déjà.

— Je sais. » Renee passa sa langue sur la petite plaie qui ornait sa lèvre inférieure. « C'est seulement que... écoutez, Judy, la vérité, c'est que je n'ai pas toute ma tête. Je ne l'ai plus depuis longtemps. »

Judy vit que Nazi et M. Hampton l'observaient, et que, même sans entendre ce qui se disait et sans connaître les détails, ils devinaient l'imminente dégringolade d'une des leurs.

« Je ne sais pas pourquoi je vous ai dit tout ça, poursuivait Renee, son regard ricochant dans tous les coins de la pièce. David ne m'a jamais frappée, il n'a jamais fait de mal à Arthur. David est un homme bon et...

— Écoutez, Renee, l'interrompit Judy, tentant d'agripper la moindre épave pour ne pas sombrer. Si vous dites cela parce que les avocats de David vous menacent d'un procès en diffamation, vous ne servirez la cause de personne. »

Peut-être était-ce la vérité, espérait Judy. Ils avaient tous conspiré pour faire revenir cette pauvre femme sur ses déclarations...

Pour toute réponse, Renee plongea la main dans son sac, et en sortit des flacons de pilules qu'elle aligna sur le bureau de Judy.

« Vous voyez ? dit-elle.

— Que dois-je voir, Renee ? » Judy se pencha pour lire les étiquettes. Lithium, halopéridol, réserpine... elle connaissait ces éléments : ils entraient dans le traitement des psychoses.

« Ils ne vous donnent pas ça pour des crampes d'estomac », précisa Renee en se penchant pour reprendre ses fioles et les remettre dans son sac. « Voilà ce que je suis. Voilà ce contre quoi je lutte. Je voulais que vous le sachiez. »

Mue par un besoin urgent de soutien, Judy chercha des yeux Bill Ryan, mais il n'était toujours pas là. Elle en éprouva un violent ressentiment envers lui. C'était lui qui l'avait piégée avec ce discours sur le bon vieux temps, l'intégrité, la tête haute et les mains propres. Qu'avait-elle fait ? Avait-elle réellement torpillé et détruit la vie d'un innocent ?

« Bon, que voulez-vous dire ? demanda-t-elle à Renee. Je ne suis tout de même pas censée croire tout ce que vous me racontez parce que vous voyez un médecin et que vous prenez des médicaments ?

— Non ! » Renee saisit Judy par le bras. « Je suis seulement en train de vous dire que j'ai besoin de David pour élever notre fils. Il ne peut pas aller en prison ! Regardez-moi, Judy : je suis complètement paumée, mais j'essaie de faire ce qui est juste. Jamais nous n'y arriverons, Arthur et moi, si on nous prend David ! »

Judy eut envie de lui rendre son regard, mais elle détourna la tête malgré elle. Du coin de l'œil, elle vit le curseur vert clignoter sur l'écran de son ordinateur, comme s'il lui demandait : Et maintenant, qu'est-ce que tu vas faire ? Elle s'excusa poliment auprès de Renee, gagna les toilettes et vomit.

57

Assis sur l'une des banquettes du quai à ciel ouvert, à la station de Stillwell Avenue, David attendait son train avec le sentiment d'avoir finalement atteint le point de non-retour.

Il parcourut du regard la ligne brisée des toits de Coney Island. Ce matin, en venant, une femme l'avait traité de « tueur d'enfant »... deux allégations mensongères pour le prix d'une. Puis, peu de temps après son arrivée au lycée, Larry Simonetti était descendu le voir, colère blanche au visage, parce qu'il avait eu vent que David interrogeait les élèves au sujet de l'attentat, au lieu de les aider à rédiger leurs mémoires. « Je vous ferai renvoyer sur-le-champ, si cela se reproduit ! » avait-il menacé. Pis encore, les résultats négatifs de son passage au détecteur de mensonges étaient dans tous les quotidiens du matin.

David croisa les doigts sur sa tête, accablé par le poids des deux semaines qui venaient de s'écouler. Les interrogatoires, les perquisitions, la rechute de Renee, l'asthme d'Arthur, les avocats, les émissions de télé. Il était bien trop las pour hiérarchiser ses soucis. Là-haut dans le ciel, les mouettes ressemblaient à des traces de gomme sur les nuages.

Il ne remarqua la présence d'Elizabeth Hamdy qu'au moment où elle se planta devant lui.

« Je vous ai vu à la télé, l'autre soir », déclara-t-elle.

Un train passa de l'autre côté de la voie dans un vacarme évoquant l'avalanche de mille boîtes en fer.

« Super, non ? répondit-il en roulant les yeux. Depuis le temps, je devrais avoir ma propre émission !

— Cela m'a fait réfléchir.

— À quel sujet ?

— Au sujet de ce qu'on a débattu en classe. Des choses que vous avez dites. » Elle détourna le regard, timide et déterminée à la fois. « Et elles trottent dans ma tête. Comme, par exemple, ce que nous avons lu de Stephen Crane il y a quelques semaines.

— C'était quoi ? s'enquit-il avec l'impression d'avancer à travers des vagues de fatigue et d'être obligé de prêter l'oreille pour entendre ses paroles.

— Le choix auquel on est confronté sur un champ de bataille. Rester ou fuir.

— Je ne vois pas le rapport, mais il est vrai que je suis épuisé. »

Elle suivit des yeux une mouette qui arpentait le quai avec un filtre de cigarette au bec. « Vous m'avez demandé quelque chose l'autre jour, et je ne vous ai pas répondu franchement.

— Ah oui ? »

Il la regarda en se grattant le menton. Elle était prête à donner, mais il ne se sentait pas en état de recevoir. Et pourtant, il se passait quelque chose ; il se secoua, mobilisant de force son attention. « Pourquoi ne t'assieds-tu pas, Elizabeth ? » ajouta-t-il en tapotant le siège voisin.

Elle jeta un regard autour d'elle, comme si elle était tentée de s'enfuir ; puis, lentement, avec réticence, elle se glissa à côté de lui, mais sans oser tourner la tête dans sa direction. « C'est difficile, ce que j'ai à vous dire. Très difficile...

— Peut-être qu'en le disant ce sera moins dur, répondit-il, sentant monter en lui une étrange angoisse. Tu sais, nous nous connaissons depuis longtemps. Si tu ne me fais pas confiance maintenant, tu n'en auras plus jamais l'occasion.

— Je sais bien. » Une expression déterminée se peignit peu à peu sur son beau visage. « Vous m'avez demandé ce que j'avais fait, le jour où la bombe a explosé, n'est-ce pas ?

— Oui. » Il chassa une mouche de la main. « Et tu m'as rappelé que tu n'étais pas au lycée. » Il se souvenait parfaitement de cette conversation – qui, comme les autres, n'avait abouti à rien.

Elle prit une profonde inspiration. « Mais je ne vous ai pas tout dit. »

Elle marqua une pause, et lui retint son souffle, n'osant la presser de poursuivre.

« C'est mon frère qui m'a demandé de rester à la maison, ce jour-là, reprit-elle d'une voix précipitée, comme si les mots lui brûlaient soudain la bouche. Il m'a dit qu'il m'emmènerait dans les magasins. Puis il est arrivé avec beaucoup de retard...

— Et après ? Quel est le sens de tout ceci ? questionna-t-il, remarquant pour la première fois qu'elle avait les yeux cernés et les joues creusées, comme si elle dormait très mal ou très peu depuis quelque temps. Allons, Elizabeth, dis-moi ce que tu veux me dire. Je ne sais plus très bien lire entre les lignes. »

Un train s'arrêta, et c'est tout juste s'ils le remarquèrent. Des gens descendirent, d'autres montèrent, le train repartit, le quai se vida. Dans le silence revenu, l'aveu d'Elizabeth eut un sinistre écho. « Il est arrivé juste après l'explosion parce que c'est lui qui a posé la bombe. »

Une mouette cria dans l'air.

« Comment le sais-tu ? demanda David.

— Je le sais parce qu'il me l'a dit. »

David n'eut pas un mouvement. Pour le coup, il était réveillé, mais il ne voulait pas briser cet instant magique.

« C'est ton frère qui a posé la bombe », articula-t-il, comme s'il craignait d'avoir imaginé ce qu'il venait d'entendre.

Elle détourna le regard et pressa les paumes de ses mains sur ses yeux pour contenir ses larmes. « Vous comprenez mon problème, à présent ? Faire face ou bien s'enfuir, quand tout va mal ? Pendant tout ce temps, je voulais vous parler, mais j'avais tellement peur ! »

David s'obligea à garder son calme. Mais, dans son esprit, il lui semblait entendre une ovation saluant le triomphe de la vérité.

Il regarda Elizabeth. Elle était la plus belle issue de secours qu'il pût trouver pour s'échapper de l'enfer dans lequel on l'avait injustement jeté.

« Tu en as parlé à quelqu'un d'autre ? demanda-t-il d'une voix douce.

— Non, à personne. »

David ferma les yeux. Il avait le plus grand mal à croire ce qui lui arrivait. Plus question de baisser sa garde. C'était trop beau pour être vrai !

« Alors, qu'allons-nous faire ? » s'enquit-il.

Il devait avancer à pas prudents, comme s'il marchait sur une mince couche de glace.

« Je ne sais pas, murmura Elizabeth. Je ne sais pas ce que je vais faire.

— As-tu pensé à aller à la police ? »

Elle releva la tête, et il lut dans ses yeux la peur qu'il ne la trahisse. « Un policier est déjà venu à la maison. Il m'a dit que mon frère serait condamné à mort s'il avait trempé dans l'attentat. Alors, je lui ai menti.

— D'accord. »

David jeta un coup d'œil à la cabine téléphonique sur le quai ; il avait envie d'appeler ses avocats. Mais il s'abstint, conscient qu'Elizabeth était comme un oiseau sur un fil : au moindre geste brusque, elle s'envolerait.

« Il n'a pas fait ça tout seul, vous comprenez ? expliqua-t-elle d'une voix étranglée. Il y a d'autres gens avec lui. Il a beaucoup souffert et a été confronté à des choix terribles. »

Oui, oui, pensa David. Et si les cochons avaient des ailes et ma tante une moustache... Comprendre ne débouche pas nécessairement sur le pardon.

« Crois-tu qu'il serait capable de recommencer ? »

Elle se moucha, et s'essuya le visage avec le revers de la main. « Je l'ignore, mais il m'a demandé de lui louer un garde-meuble. Pour y entreposer du matériel, paraît-il. Des compresseurs. »

David se rappela la dispute avec Nasser sur le parking, leur conversation la veille dans son bureau, sa présence silencieuse et tendue quand il était dans sa classe. Ce sont toujours les plus tranquilles, ceux qu'on attend le moins...

« Il faut régler cette histoire, Elizabeth, affirma-t-il. Si ton frère commet un nouvel attentat, alors que tu es au courant de ce qu'il fait et que tu n'en parles pas au FBI, tu iras en prison pour complicité.

— Je sais, je sais. » Elle se plia en deux sur son siège, les bras croisés sur son ventre. « Mais si j'en parle, je cours le risque qu'ils me tuent. Vous ignorez comment sont ces gens-là, ceux avec qui il est ! Mon père m'en a parlé, de ces fanatiques qu'il a connus en Palestine. Leur seul but dans la vie est de tuer. »

David écouta pendant un instant les cris des mouettes et l'alarme lointaine d'une voiture. Que pouvait-il répondre ? De quelle expérience pouvait-il se prévaloir pour lui donner un conseil ? Voyons, tu es un professeur. Alors, enseigne.

« De quel côté penches-tu ? demanda-t-il en ôtant ses lunettes.

— Je ne sais pas. » Elle se rapprocha soudain de lui, et appuya sa tête contre l'épaule de David. « Mon père en mourra si jamais il apprend ça. Il a toujours détesté et fui la violence. »

La tête de la jeune fille qui pesait contre lui émouvait David malgré lui.

« Tu dois faire un choix, Elizabeth. Tu te rappelles : nous en avons parlé en cours. Il faut parfois s'avancer et prendre ses responsabilités.

— Mais je ne veux pas avoir à choisir ! » Elle se mit à pleurer contre lui. « Je veux que vous me disiez ce que je dois faire. »

Il envisagea de passer son bras autour d'elle, mais se retint de peur d'être vu par un élève ou un collègue.

« Je connais toutes vos difficultés, ajouta-t-elle. Je ne suis pas complètement stupide. » Elle s'écarta de lui pour le regarder. « Je sais que vous avez une femme et un enfant, et que tout le monde vous accuse de quelque chose que vous n'avez pas commis.

— Oui, c'est ainsi, dit-il, un rien fataliste.

— Mais je ne le supporte pas, vous comprenez ? Je ne le supporte pas. Ce n'est pas juste. C'est *haram* ! »

Il la regarda, étonné de l'entendre utiliser le mot de son frère.

« Ce serait peut-être différent si je ne vous connaissais pas, si je ne vous... appréciais pas. » Elle sortit un Kleenex et se moucha. « Je pourrais alors rester du côté de ma famille en espérant que personne ne découvre la vérité. Mais c'est vous, et pas un autre. D'accord ? »

Pendant quelques secondes, il fut incapable de répondre. Il avait le sentiment qu'elle venait de lui confier son cœur saignant.

« Nous devons prendre une décision, répondit-il.

— Mais je ne suis pas prête ! » Elle donna un coup de pied dans son sac. « Aidez-moi. Aidez-moi à y voir clair. Que se passera-t-il si je raconte tout à la police ? Est-ce que Nasser sera condamné à mort ?

— Je l'ignore. Il pourrait bénéficier de circonstances atténuantes si on parvenait à prouver qu'il a été manipulé.

— Mais ses amis me tueront, s'ils apprennent. Comment me protégerez-vous ?

— Comment, moi, je te protégerai ? » C'était une bonne question, à laquelle il n'avait pas songé. « Euh... le FBI dispose d'un service de protection pour les témoins, vois-tu. Ils peuvent te donner une nouvelle identité, t'envoyer dans une autre ville, une autre école... bref, t'offrir une autre vie... »

Mais plus il parlait, plus il la sentait s'éloigner de lui. Elle avait le visage très pâle.

« Vous voulez dire que je ne pourrais plus jamais revoir ma famille ?

— Ma foi, vous pourriez peut-être bénéficier tous de la même protection...

— Alors, je ne peux pas le faire ! l'interrompit-elle. Mon père ne le supporterait pas : il en mourrait, s'il devait abandonner tout ce qu'il a bâti pour se cacher le restant de ses jours, et ruiner la vie de mes sœurs et de ma belle-mère. »

Un autre train arriva et repartit. David regarda s'éloigner la dernière voiture en se disant qu'il ne devait pas rater le suivant.

« Peut-être que cela ne se passera pas ainsi, déclara-t-il. Peut-être qu'ils pourront utiliser tes informations sans que tu aies à témoigner publiquement. C'est quelque chose dont il faudrait discuter avec mes avocats – nous assurer que ton anonymat sera préservé. »

Voilà, refile l'affaire aux experts. Ne t'en mêle pas. Manipule cette pauvre fille, monte-la contre son frère. Peut-être es-tu du genre à te défiler, après tout. C'est elle qui prend tous les risques, ici. L'instinct de survie entrait chez David en lutte contre l'amour-propre. Le premier avait un avantage au poids, mais le second était assez bon au corps à corps...

« Vous êtes sûr que c'est la seule chose à faire ? demanda Elizabeth. J'ai besoin que vous me le disiez. »

Tout d'un coup, elle n'était plus seulement une issue de secours. Il voyait ce qui se passait en elle et cela le rendait malheureux. Ces yeux marron pleins de vulnérabilité, cette bouche pleine qui se voulait forte, la grâce des épaules. Pourquoi n'était-elle pas plus solide, plus dure, plus égoïste, comme une vraie Américaine ? C'était pourtant elle qui était venue le voir, lui parler, lui apporter son aide et le sauver. Pouvait-il maintenant la laisser seule à risquer sa vie pour lui ? Le dégoût de soi lui commandait d'y réfléchir ; l'instinct de survie lui ordonnait de sauter sur l'occase.

« Oui, je pense que c'est la seule chose à faire », répondit-il.

Et puis il y a d'autres vies humaines en jeu, ajouta la survie, hypocrite. *Ouais, bien sûr*, répliqua le dégoût, *à commencer par la tienne.*

David grimaça. « Veux-tu que j'en parle à mes avocats et qu'on voie ce qu'on peut faire ? »

Elizabeth leva les yeux vers lui. « Oui, ce serait le mieux », dit-elle.

Un autre train entra dans la station. *Héros une fois par semaine, et salopard le reste du temps*, affirma la honte de soi. *Tu n'as jamais rien valu... Cause toujours*, rétorqua chacun-pour-soi... *je vais faire un tour à Disneyland.*

58

Depuis leur décision de transformer Nasser en bombe humaine, Youssef et le Dr Ahmed ne quittaient plus le jeune homme. C'est avec lui qu'ils préparaient les explosifs dans le garage ; avec lui qu'ils allaient prier cinq fois par jour dans diverses mosquées, s'assurant qu'il disait au moins trois *rakas* chaque fois ; avec lui qu'ils mangeaient, qu'ils dormaient... et à lui enfin qu'ils interdisaient tout contact avec sa famille.

Bien sûr, Nasser s'y attendait. Il avait toujours entendu dire que les chefs séparaient les futurs *shaheen* de leurs amis et de leurs familles quelques jours avant qu'ils soient « activés ». Il devait en être ainsi, s'était-il dit au début. L'isolement était le meilleur moyen de maintenir sa détermination au plus fort – surtout à l'approche de l'action, quand son courage était susceptible de vaciller. Mais, à présent, Nasser éprouvait un sentiment de grande solitude et de malaise profond. Il avait envie de parler avec quelqu'un d'autre que Youssef ou le Dr Ahmed. Toutes les deux minutes, il plongeait dans une profonde incertitude quant à sa mission. Cela influençait son comportement ; à table, il était incapable de choisir entre deux plats ; en pénétrant dans une pièce, il hésitait à aller à gauche ou à droite...

À la fin, il n'y tint plus. Il attendit que le Dr Ahmed s'endorme d'épuisement, dans la soirée du mardi, pour lui fausser compagnie.

Il était temps de revoir son ancien compagnon de prison le Pr Bin-Khaled. Nasser savait à quelle heure celui-ci finissait ses cours à l'université. À 9 heures, alors qu'une pluie fine commençait de tomber, il gara la Lincoln devant la sortie de la faculté, dans la 42e Rue, puis attendit dans la voiture. Quelques minutes plus tard, le professeur apparut. Il prit congé des étudiants avec lesquels il bavardait et descendit les marches. Une nouvelle fois, Nasser trouva que son ami avait beaucoup changé depuis leur dernière discussion.

« *Salâm alaïkum*, frère, appela Nasser en penchant sa tête par la fenêtre. Je vous conduis quelque part ? »

Ibrahim s'approcha d'un air prudent, mais son visage s'éclaira d'un grand sourire dès qu'il reconnut Nasser. « Ça fait des années, petit frère ! » Il monta dans la voiture, et ils se donnèrent l'accolade. « Des années ! »

Le vieil homme sentait le tabac et le café turc. Des odeurs bien éloignées de la puanteur des geôles d'Ashqelon. À l'époque où ils avaient partagé une cellule, ils n'avaient eu droit qu'à une maigre douche par semaine ; des années après, Nasser se faisait un devoir de prendre un bain deux fois par jour.

« Alors, voulez-vous que je vous emmène quelque part ? »

Le professeur regarda Nasser. Ses yeux marron profondément enfoncés dans les orbites semblaient capter les lumières de la rue. « Oui, c'est une bonne idée, dit-il enfin. Je suis hébergé chez un professeur qui travaille à l'université Columbia. »

Il donna à Nasser une adresse dans Upper West Side.

« Désirez-vous vous installer derrière, comme un vrai client ? demanda Nasser en se retournant pour vérifier qu'il n'avait pas laissé traîner des journaux ou des chiffons sur la banquette arrière.

— Non, mon ami. Je serai très bien devant, avec toi. »

Nasser l'observa, tandis qu'il montait dans la voiture et claquait la portière sur lui. Ces sept dernières années avaient creusé et ridé un peu plus le visage de Bin-Khaled, et Nasser, pensant au fils qu'avait perdu le professeur, se félicita de ne pas avoir d'enfant lui-même.

« Alors, mon petit frère, dit le vieil homme, comme ils commençaient de remonter la 6e Avenue. Depuis le temps que tu es dans cette ville, tu n'es jamais venu me voir. Pourquoi cela ?

— Je suis désolé, cheikh. J'ai été très occupé, et le temps a passé sans que je m'en rende compte.

— Tu m'as appelé cheikh ? répliqua Bin-Khaled d'un air étonné. Je ne suis pas un cheikh. Je suis seulement un professeur. À quoi occupes-tu ton temps, ami ?

— J'étudie beaucoup la religion. J'essaie de comprendre Dieu.

— Oh, oui ? » Le professeur vérifia des papiers dans sa serviette posée sur ses genoux. « C'est bien, d'étudier le Coran. Cela peut être d'un grand secours dans la vie. Et que fais-tu d'autre ?

— De la politique. » C'était l'euphémisme dont Nasser avait décidé d'user pour définir ses activités terroristes, lorsqu'il avait imaginé la conversation qui se déroulait présentement. « Je suis de plus en plus impliqué dans la politique.

— Ah ! la politique, dit le professeur avec un soupir, alors qu'ils passaient devant le music-hall de Radio City. Je n'ai plus trop envie de m'y intéresser.

— Oui, il y a eu tellement de mensonges et de déceptions. » Nasser raffermit sa prise sur le volant, qui lui semblait avoir du jeu depuis le traitement qu'il lui avait fait subir, le soir où il avait vu Elizabeth. « Des fois, je pense que le temps de négocier avec les Juifs est terminé. Il faut maintenant passer à l'action.

— À la vérité, je ne veux plus rien savoir des politiciens. » Le professeur tira péniblement sur sa ceinture de sécurité et la boucla. « Depuis qu'Abu est mort, je suis très loin de tout ça.

— Oui, j'ai appris pour votre fils, dit Nasser. C'était une triste nouvelle. » Nasser tourna dans Central Park South. « J'aurais dû vous écrire. »

Abu était l'aîné du professeur. Nasser se souvenait du garçon quand celui-ci avait rendu visite à son père en prison. Un gosse aux grands yeux, avec une tignasse brune et un rire contagieux. Même les gardiens israéliens étaient gentils avec lui, le laissant mettre leur calot et ne lui en voulant pas quand il demandait à porter leur fusil. Les circonstances de sa mort restaient vagues pour Nasser. Il y avait eu des jets de pierres entre de jeunes Palestiniens et des colons juifs de Hébron, et, dans la fusillade qui avait suivi, Abu avait été tué en tentant de protéger un ami. Il avait seize ans : l'âge de Nasser lorsqu'il avait rencontré pour la première fois le professeur en prison.

« Ceux qui ont fait ça méritent cent fois la mort, ajouta Nasser en s'arrêtant à un feu rouge près de Columbus Circle. Quand je pense à toutes ces horreurs, je voudrais qu'une bombe les tue tous. Je n'en éprouverais aucun remords. »

Le professeur secoua légèrement la tête. « Non, je ne pense pas que la violence soit la bonne réponse, répondit-il d'une voix douce.

— Comment pouvez-vous dire cela, frère ? s'écria Nasser, surpris. Ils vous ont jeté dans un cachot et ont tué votre fils. Comment pouvez-vous ne pas souhaiter leur mort ? »

Le professeur regarda Nasser. « Je ne t'ai jamais raconté ce qui s'est passé quand ils m'ont torturé ?

— Non, je... je ne m'en souviens pas. »

Après toutes ces années, il en avait tant entendu, des histoires de tortures – pour beaucoup exagérées et pour certaines fausses –, qu'à présent elles se mêlaient dans son esprit.

« Tu sais qu'ils m'ont emprisonné sous le motif fallacieux de "résistance à l'occupation". Et, bien entendu, ils me soupçonnaient d'être un dangereux terroriste. Alors, ils ont essayé de me faire avouer mes crimes avant que je passe en jugement. Tous les jours pendant un mois, ils m'ont conduit devant cet homme qui s'appelait Avi ; il me posait toujours les mêmes questions, et je répondais toujours de la même façon. Et puis, un jour, il m'a déclaré : "Désolé, mais, puisque tu ne veux rien nous dire, maintenant nous allons passer aux choses sérieuses." Ils m'ont attaché les mains derrière le dos et allongé par terre sur le ventre, ils ont placé une chaise entre mes jambes pour les tenir bien écartées ; ensuite ce type, Avi, m'a attrapé les couilles, et les a serrées de toutes ses forces.

— Le salaud ! s'écria Nasser en accélérant malgré lui en plein carrefour et en manquant heurter un camion qui venait en sens inverse. Ça doit être horrible, comme douleur !

— Oui, jamais de ma vie je n'avais autant souffert dans mon corps, affirma le professeur. Et il n'y avait qu'une seule façon de tenir le coup. Il était là, à serrer et serrer ; alors j'ai pensé : il va faiblir, et plus il faiblira, plus moi je prendrai de la force. J'ai levé les yeux vers lui et je lui ai parlé : "Tu ne m'as pas dit que tu avais fait des études en sciences humaines aux États-Unis ?" Il m'a répondu : "Si." Alors je lui ai dit : "Et à présent tu me tenailles les couilles ?"

— Qu'est-ce qui s'est passé ?

— Il m'a lâché et ne m'a plus jamais torturé », déclara le professeur avec un petit gloussement.

Nasser regardait devant lui et, pendant quelques secondes, la circulation urbaine perdit toute réalité à ses yeux. Ce n'était plus qu'une constellation de lumières blanches et rouges criblant la nuit.

« Je ne comprends pas, déclara-t-il, tandis qu'il remontait Broadway. Comment est-il possible de ne pas désirer se venger des gens qui vous ont fait souffrir ? »

Le professeur sortit de sa serviette du papier à rouler et une blague à tabac. « Je ne sais pas si je t'en ai parlé, Nasser, mais, avant que j'aille en prison, j'étais favorable au processus de paix.

— Non, vous ne me l'avez jamais dit.

— Ma foi, ce n'était peut-être pas une chose à avouer, surtout après que ce pauvre Hamid a mis fin à ses jours, et qu'ils nous ont tous enfermés au mitard en interdisant à nos familles de venir... La colère est humaine. Je n'ai jamais dit que les Israéliens étaient mes amis. Mais la violence n'engendre que la violence. Elle ne profite à personne, si ce n'est à ceux qui ont fait de la guerre leur mode de vie. Ce n'est pas la violence qui fondera l'État palestinien.

— Vous êtes donc toujours en faveur de la paix ? lança Nasser en s'efforçant de cacher le mépris que lui inspiraient ces paroles. Après tout ce qu'ils vous ont fait ? Après la mort d'Abu ? »

La voiture cahota sur un trou dans la chaussée, mais le professeur ne perdit pas une miette du tabac qu'il venait de disposer sur sa feuille de papier à rouler.

« Il faut être au-dessus de la vengeance, dit-il. Les Juifs ont souffert, eux aussi : ils ont perdu six millions des leurs dans les camps nazis. Et il me reste cinq enfants. À quoi mènerait la guerre, sinon à les faire tuer ? Bien sûr, je ne veux pas les voir vivre comme des esclaves. Mais, quand je reviens à Hébron, je passe chaque jour dans la rue où Abu a été tué ; je vois chaque nuit par ma fenêtre les lumières dans les maisons des colons, et je dois trouver le moyen de vivre avec cette réalité. Je ne peux pas sortir de chez moi avec le cœur empoisonné par la haine. J'ai déjà trop perdu. Pour moi, la vie n'aura plus jamais le même goût ; elle ne m'apportera plus jamais les mêmes joies. Tu comprends ? J'ai assez souffert comme ça. »

Ces paroles plongèrent Nasser dans le silence. Il avait espéré trouver dans cette rencontre avec le professeur un regain de force et de détermination pour mener à bien sa mission. Il avait désiré mêler sa propre colère à celle de son ancien compagnon de cellule, se souvenir des morts avec lui, retrouver l'ardeur au combat. Au lieu de cela, il éprouvait une confusion encore plus grande.

Ils s'arrêtèrent devant un immeuble datant d'avant-guerre, dans la 106e Rue. Le vent agitait les ombres des arbres sur le capot de la Lincoln. Le professeur proposa à Nasser de lui rouler une cigarette, mais il déclina l'offre.

« Ça va bien, mon ami ?

— Ça va bien, répondit le jeune homme, le menton appuyé sur le haut du volant.

— Je suis content de t'avoir revu. » Le professeur lui tapota affectueusement l'épaule. « Cela m'a rappelé les jours anciens. Quand mon fils était encore en vie. Je me demande ce qu'il serait devenu. Peut-être serait-il comme toi, énergique et entreprenant. »

Nasser voulait lui répondre que tout ça était une tragédie, mais il avait la gorge serrée et se sentait incapable d'articuler un mot.

Le professeur abaissa sa vitre et alluma sa cigarette. « C'est curieux, tu vois, remarqua-t-il, l'air songeur, avant de m'endormir, je m'accordais toujours un petit moment de rêverie. Cela me faisait plaisir d'imaginer la maison que j'aimerais construire pour ma mère, le collège où irait mon fils, le bon et riche mari pour l'aînée de mes filles. Mais, après la mort d'Abu, les rêves se sont arrêtés. Et depuis, j'attends qu'ils reviennent. Parfois, je me demande si je suis encore capable de rêver.

— Quelle est la réponse ? questionna Nasser.

— Je ne sais pas. » Le professeur exhala par la fenêtre un long jet de fumée bleutée qui se dissipa dans l'air du soir. « Et toi, Nasser, est-ce que tu rêves encore ? »

59

« Définissons quelques règles du jeu, proposa Jim Lefferts, le sous-directeur du FBI à New York. La réhabilitation n'est pas à l'ordre du jour.

— Alors, ne comptez pas sur nous. » Ralph Marcovicci tapa sur l'épaule de David, leva lentement son mètre quatre-vingt-dix et ses cent cinquante kilos, et se dirigea de son pas de pachyderme vers la porte de la salle de conférences. « Venez, mes amis, allons manger une sole meunière au *Greengrass.* »

Judah Rosenbloom fourra hâtivement ses papiers dans sa serviette et trottina après lui. David resta assis, stupéfait qu'on lui rafle sous le nez sa chance de salut.

« Vraiment, les gars, c'est pas la peine de monter sur vos grands chevaux ! » Lefferts, ex-joueur de football dont le bureau était encombré de souvenirs de son passage chez les marines, eut un sourire conciliant. « Nous avons tous des intérêts en jeu. Personne ne tient à s'enfoncer un peu plus dans la merde. »

David leva la tête et sourit d'un air encourageant à ses avocats, tel un parent inquiet du comportement turbulent de ses enfants. Mais Ralph garda la main sur la poignée de la porte, tandis que Judah prenait la pose, drapé dans une réprobation muette.

« Pour autant que je sache, agent Lefferts, notre client est le seul à avoir été enfoncé dans la merde, comme vous dites, répliqua Judah avec une indignation consommée. Et maintenant que David vous apporte des informations susceptibles de résoudre votre enquête, vous essayez de l'y plonger un peu plus. Je trouve cela scandaleux ! »

Les paupières de Lefferts parurent s'alourdir, comme s'il se lassait déjà de cette petite comédie. « Je dis seulement que je n'ai pas encore l'assurance que votre client ne soit pas de ces terroristes. Je trouve terriblement suspect le fait qu'il ait pu entrer en possession de telles informations. Comment pouvons-nous être certains qu'il n'est pas de mèche avec ces Arabes ?

— Allons, Jim, il n'est complice de rien ni personne, rétorqua Ralph en revenant poser sa digne personne sur sa chaise, qui grinça de manière alarmante. David est un professeur d'anglais, et le coupable est le frère d'une de ses élèves. Cette fille aime bien son professeur, et elle dénonce son frère, avec lequel elle a des problèmes. C'est difficile à croire ?

— Ma foi, je ne suis pas entièrement convaincu. » Lefferts repoussa sa chaise en arrière en grimaçant comme s'il souffrait d'une vieille blessure de football. « Je n'ai pas envie que le Bureau se fasse de nouveau botter le cul parce que votre client a décidé de balancer ses complices. Personne ici ne veut d'un nouveau désastre médiatique. »

David ouvrit la bouche pour protester, mais Judah l'en dissuada d'un geste de la main.

« Un désastre médiatique, dites-vous ? » Ralph se pencha au-dessus du bureau en souriant – comme un joueur de poker venant d'obtenir les deux cartes qui lui manquaient pour un full aux as. « Et Waco, comment vous appelez ça ? Et Ruby Ridge ? Et tous les autres attentats signés par des terroristes que vous n'avez jamais attrapés ? »

Lefferts grimaça de nouveau. « Je ne vois pas le rapport. »

Même Judah Rosenbloom se mit à rire.

« Vous plaisantez ou quoi, Jim ? » Ralph croisa les mains derrière sa tête. « Nous vous donnons les noms de ces gens et le lieu où ils ont entreposé les explosifs. Nous vous amenons même la fille, une fois que nous serons tombés d'accord sur un arrangement. Vous voulez qu'on se charge aussi de l'arrestation et qu'on donne une conférence de presse ? »

Le visage de Lefferts s'empourpra. « Qui a parlé d'une conférence de presse ?

— Allons, Jim, atterrissez. Notre client vous remet l'affaire sur un plateau. Le moins que vous puissiez faire, c'est de diffuser un communiqué qui blanchisse M. Fitzgerald, ainsi que vos excuses pour tout le mal que vous lui avez causé. »

Lefferts regarda David, comme pour s'assurer de la réalité de sa présence, puis il aboya à Ralph : « C'est ridicule !

— Partons, David. » Judah se tourna en désignant la porte d'un mouvement de tête. « Nous n'avons plus rien à faire ici. »

Ralph adressa à Lefferts un haussement de sourcils qui semblait dire : Qu'est-ce que j'y peux si mon associé est timbré ?, comme si c'était lui, désormais, le raisonnable, puis il entreprit de lever de nouveau son quintal et demi.

« Allons, allons, allons, messieurs ! » Lefferts leva des bras apaisants, tel un pasteur pacifiant ses fidèles. « Reprenons-nous, voulez-vous ? Si nous arrêtons ce jeune Arabe et ses complices, et s'il s'avère que ce sont eux les coupables, le public saura que votre client est innocent, non ?

— Ce n'est pas suffisant, repartit Ralph, penché en avant sur sa chaise. Nous demandons réparation.

— Écoutez, le Bureau ne peut tout de même pas donner une conférence de presse pour annoncer que cet homme qui n'a jamais été arrêté n'est pas un suspect ! Ne comptez pas là-dessus. Pour autant que je sache, nos agents n'ont rien fait de mal. Nous avions une piste et nous avons mené notre enquête, point final. Nous n'avons pas pour habitude de nous excuser auprès de tous les gens faisant l'objet d'une investigation. Et ce n'est pas nous qui avons porté tort à la précieuse réputation de votre client. Si vous avez eu un problème avec ça, prenez-vous-en aux médias.

— Dans ce cas, nous n'avons plus rien à nous dire. » Cette fois, Ralph se dressa pour de bon. « La fille ne témoignera pas. Venez, David ! »

David commença de se lever sous le regard irrité de Lefferts.

« Restez assis, David ! » ordonna-t-il.

Ils jouaient avec lui. Ou plutôt ils jouaient les uns avec les autres, et lui se trouvait au milieu.

Sans attendre un nouveau signe de ses avocats, David se mit debout et posa ses mains sur le bord de la table comme s'il s'apprêtait à la renverser.

« Vous allez la boucler, maintenant ! lança-t-il tandis que le sang lui montait à la tête. D'accord ? Tout le monde la ferme pendant une minute ! »

Ils le regardèrent comme s'il était un grand immeuble sur le point de s'écrouler. Le regard de David tomba sur le presse-papiers, qui représentait la célèbre scène de cette poignée de soldats plantant la bannière étoilée sur une colline d'Iwo Jima. *La guerre de mon père.*

« J'en ai assez de toutes vos petites manœuvres, ajouta-t-il calmement. J'en ai assez d'être mis sous surveillance. Mes élèves croient que je les ai trahis. Mon fils a entendu dire que son père était un assassin. Et ma femme est au bord de l'internement psychiatrique. Ce que je veux, c'est que tout ça se termine. Immédiatement ! Je ne veux plus vous voir, ni les uns ni les autres, est-ce bien compris ? »

Lefferts et les deux avocats se regardèrent, interloqués, l'air de dire : Qu'est-ce qu'il lui prend ? Mais David se foutait de leur opinion. Il désirait seulement échapper aux manipulations et se retrouver lui-même.

« La balle est dans votre camp, Jim, dit Ralph avec nervosité, sans cesser d'examiner David. Vous avez besoin de notre client pour rencontrer cette fille, parce que vos agents ont été incapables de découvrir les vrais coupables. Le témoignage de cette personne vous est indispensable, et David est le seul à pouvoir la convaincre de se présenter. Sinon, elle refusera toute collaboration avec vous.

— Très bien. » Lefferts se racla la gorge et jeta un regard de biais à Ralph. « Est-ce que c'est aussi quelque chose que vous voulez rendre public ? Je veux dire, que le mérite revient à votre client ? »

David avait envie de dire oui. Du moins, le jeune surveillant de baignade qu'il avait été, cherchant quelqu'un à sauver, le désirait. « Oui, c'est exactement ce que je veux », répondit-il.

Jim Lefferts secoua la tête, mi-triste mi-amusé, comme s'il savait que tout cela finirait par des larmes de joie. « Eh bien, d'accord, déclara-t-il. Vous voulez que votre honneur vous soit rendu, et il le sera. Mais pas de conférence de presse ni d'excuses officielles. La rumeur a fonctionné dans le mauvais sens ; elle fonctionnera de nouveau, dans le bon. »

60

Judy Mandel chantonnait encore. Un son bas et inquiétant venant de la gorge.

« Quand vous faites ça, cela me rappelle cette chanson que chante Robert Mitchum dans *La Nuit du chasseur*, observa John LeVecque.

— Et ça vous rend nerveux ? »

Ils étaient assis à une table du *Spaghetti Western*, un restaurant lambrissé de bois sombre près de City Hall. Au plafond, un grand ventilateur tournait sans inquiéter l'air ambiant. Au bar, près de l'entrée, un jeune avocat en complet veston italien se vantait auprès de ses amis de ce qu'il venait de gagner dans un procès civil. « Trois millions sept ! Le juge doit m'adorer ! »

Dans un box, une femme blanche d'âge moyen au visage botticellien revu à la ride par le temps et l'alcool faisait doucement tinter ses glaçons, l'air absent, comme si elle essayait de faire enfin le deuil d'une lointaine rencontre amoureuse.

« Alors, que devient l'affaire Fitzgerald ? demanda Judy.

— C'est pour cela que vous m'avez donné rendez-vous ? répondit LeVecque, jouant d'un air boudeur avec les petits pains dans leur panier.

— Que voulez-vous dire ?

— Rien, sinon que je me demande si ce n'est pas la seule raison de notre relation. Vous me voyez pour m'interroger sur cette enquête et, de mon côté, j'essaie de ne pas répondre à vos questions.

— Allons, John ! »

Il fit signe à la serveuse. « Une bière pression et un verre de tequila, s'il vous plaît.

— Je ne savais pas que vous buviez, remarqua Judy.

— J'ai changé. Beaucoup de choses ont changé durant ces dernières semaines. Mon ménage est en train de capoter.

— Oh ?

— Mais comment le sauriez-vous ? Vous ne vous êtes jamais intéressée à moi. On ne parle que de travail, avec vous ! »

Elle eut un sourire gêné. Lors de leurs deux dernières rencontres, elle n'avait pas voulu accorder d'attention à l'intérêt qu'il semblait lui porter.

« Je suis fou de vous, ajouta-t-il. Vous le savez, n'est-ce pas ? »

La serveuse lui apporta sa commande. Dehors, la nuit tombait et l'enseigne de néon palpitait comme un cœur ouvert. Un rideau de fer se referma avec fracas sur une boutique voisine.

Surprise par cet aveu, Judy tenta de changer de sujet. « On m'a dit qu'ils allaient arrêter quelqu'un d'autre... »

Mais LeVecque ne parut pas l'entendre. « Savez-vous que j'ai pensé à quitter ma femme pour vous, alors que je ne vous ai même pas embrassée une seule fois ? C'est pas dingue, ça ? »

Judy sentit son ventre se nouer. Ce n'était pas juste, qu'il lui arrive une chose pareille ! Ils n'avaient jamais été que des partenaires, des équipiers. Ne savait-il pas que le flirt et la séduction faisaient partie du jeu ? Elle ne voulait pas d'une liaison avec un homme marié, père d'un enfant.

« Vous avez entendu ce que je vous ai dit ? » Il s'appuya sur la table, qui manqua basculer.

« John, ce que vous me déclarez me met mal à l'aise. Ne pourrions-nous pas discuter d'autre chose ? J'ai besoin d'ordonner un peu mes pensées.

— Oui, bien sûr, vous n'aimez pas qu'on vous mette sur la sellette. » LeVecque tendit le bras pour lui prendre la main mais, devinant son geste, Judy retira la sienne avec assez de naturel pour ne pas le choquer davantage.

Elle recommença de chantonner. « Eh bien, David Fitzgerald... ?

— Eh bien, quoi ? rétorqua-t-il, maussade.

— Ce n'était pas lui le coupable : ses avocats ont annoncé qu'il allait être officiellement innocenté.

— C'est vous qui avez écrit que c'était lui le poseur de bombe.

— Mais c'est vous qui me l'avez soufflé.

— C'était à titre purement confidentiel. » Il se tut, et son visage exprima soudain une profonde amertume. « Vous m'avez soutiré l'information, et vous m'avez trahi. Je ne sais même pas pourquoi je suis attiré par vous. » Il finit sa tequila et sa bière, fit signe à la serveuse de le resservir. « Je ne sais pas ce qui cloche en moi », ajouta-t-il en secouant la tête d'un air de dépit.

Judy plongea son regard dans son verre de vin blanc. Allons, elle devait poursuivre, obtenir ce dont elle avait besoin pour écrire son article. Ne pas en faire une affaire personnelle. Ne pas se laisser déstabiliser par lui.

« Ils savent donc qui a fait le coup ? questionna-t-elle.

— Oui, nous le savons.

— Et l'arrestation est imminente ?

— Imminente, en effet. Mais vous n'obtiendrez rien de moi à ce sujet. Je ne me laisserai pas tromper une seconde fois.

— Tout ce que je vous demande, c'est de me confirmer une seule chose, d'accord ? Les avocats de David prétendent que leur client collabore avec la police. Est-ce vrai ?

— C'est aussi ce que j'ai entendu.

— Ce qui veut dire ?

— Je l'ignore. » Il passa une main dans ses cheveux d'un air distrait.

« On peut donc annoncer qu'il aide les enquêteurs, n'est-ce pas ? »

Après avoir traité le professeur au rouleau compresseur ces deux dernières semaines, Judy était impatiente de se racheter et de participer à la réhabilitation de sa victime. Elle avait du mal à dormir, hantée par tout ce qu'elle avait écrit sur David.

« Dites et écrivez ce que vous voudrez. » LeVecque remercia la serveuse, venue lui apporter ses deux verres. Judy remarqua qu'il avait les mains tremblantes. « Je ne sais rien de rien, Judy. Vous m'avez complètement chamboulé. Je ne devrais même pas vous parler, parce que vous avez trahi ma confiance. Mais c'est plus fort que moi. Je me rends compte que j'ai trop bu, mais je suis en train de plonger, de toute façon... »

Il vida sa tequila et attaqua sa bière. « Je suis fou de vous, poursuivit-il en reposant son verre, la lèvre barrée par une moustache de mousse.

— Je sais, John, mais ne vous laissez pas aller comme ça. »

Il ne parut pas l'entendre. « Je veux dire : bien sûr, quand vous me regardez, vous voyez un type de quarante ans passés, qui travaille pour la police et qui perd ses cheveux. Mais, à l'intérieur, je suis encore plein de vie ; à l'intérieur, je brûle ! » Il s'arrêta pour reprendre son souffle. « Alors, je me dis que si vous me donniez une chance, Judy, je pourrais m'élever de nouveau avec vous. Je pourrais être bien meilleur que je ne suis.

— Oh, John ! » Elle lui toucha la main, légèrement. « Vous ne me connaissez même pas.

— Je n'ai aucune chance, c'est ça ? demanda-t-il, l'espoir déclinant dans ses yeux.

— Je vais me marier en décembre. »

Ce n'était pas vrai. Et elle eut aussitôt le sentiment qu'elle n'aurait pas dû mentir de la sorte. Il lui sembla qu'elle venait de jeter une malédiction sur son propre avenir. Une vieille chanson mélancolique de Smokey Robinson montait du juke-box, une chanson qui parlait d'amour et de mirages. Elle pensa aussi qu'elle n'aurait peut-être jamais d'enfant. En face d'elle, John LeVecque, adossé à sa chaise, s'efforçait de redresser son nœud de cravate.

« Eh bien, j'espère que vous avez trouvé ce dont vous aviez besoin, répondit-il.

— John, je ne sais vraiment pas quoi vous dire... »

Elle regarda l'empreinte de paume humide qu'il avait laissée sur le bois de la table. Elle avait l'impression d'avoir renversé un pochard venu trébucher devant sa voiture. Elle éprouvait un sentiment de culpabilité, mais aussi du ressentiment à son égard : elle avait joué avec lui pour lui soutirer des informations, même s'il s'était prêté à ce jeu ; et maintenant, il étalait devant elle une misère dont elle n'était certainement pas la cause. Ce n'était pas juste : si elle devait se sentir coupable, c'était avant tout envers David Fitzgerald.

Jetant un coup d'œil à sa montre, elle tenta de calculer combien de temps il lui faudrait pour retourner au journal et écrire son article pour l'édition du lendemain. Presque six heures. Elle devrait appeler Nazi et lui demander de lui garder en attente la première page.

« On aurait pu s'élever ensemble, continuait LeVecque. Je suis toujours fou de vous... »

Elle eut soudain la vision d'un homme enfermé dans un rêve où il essayait de l'attirer. Tous ces mots sur le désir et cette passion qui brûlait en lui n'avaient pas grand-chose à voir avec elle, réalisait-elle : elle n'était qu'une illusion, pour cet homme triste et précocement vieilli. Quand elle aurait disparu du petit monde dans lequel il vivait, il y aurait une autre jeune journaliste en minijupe pour qui il aurait le béguin et à cause de qui il souffrirait. Et elle, la Judy dont il était fou, aurait disparu de sa mémoire.

C'était un jeu aussi vieux que le monde. Et c'était maintenant à une autre qu'elle d'y jouer.

« John, demandez l'addition, déclara-t-elle. Il est tard et je dois passer un coup de fil. »

61

Tôt le lendemain matin, Nasser était au volant de la Lincoln, avec Youssef et le Dr Ahmed assis à l'arrière. Le jour semblait encore endormi et pas tout à fait prêt à démarrer. Des nuages ressemblant à des cervelles ou à des vieilles chaussettes flottaient dans le ciel. Un fourgon marron du service postal était rangé de l'autre côté de la rue. Un petit Hispano rondouillard en chemise blanche et cravate relevait le rideau métallique du garde-meuble de West Side.

« Attendons encore dix minutes avant d'aller chercher le matériel, décréta le Dr Ahmed, levant les yeux de son journal. Assurons-nous que personne ne nous surveille.

— Allah soit loué, dit Youssef, qui mangeait un beignet blanchi au sucre glace. La réussite nous attend.

— À la volonté de Dieu », répondit le docteur. Il tourna nerveusement une feuille du quotidien tout en jetant un regard irrité à Nasser dans le rétroviseur.

La tension entre eux deux avait encore grimpé depuis l'escapade du jeune homme la nuit précédente. Le Dr Ahmed l'avait aussitôt accusé d'être un *khan al'ahad* – un vendu – et d'avoir alerté la police de leurs intentions. Il avait demandé à Nasser de leur montrer quel avait été son trajet en voiture et de lui répéter mot pour mot sa conversation avec Ibrahim. « *Yin an a bouk*, je tuerai toute ta famille si je découvre que tu nous as trahis ! »

Et Nasser devait avouer que le docteur ne se trompait qu'à moitié à son sujet, ce qui accroissait encore l'inconfort de sa position. Des doutes le rongeaient depuis qu'il avait revu le Pr Bin-Khaled. Le docteur précipitait-il les attentats dans le seul but de concurrencer son ancien ami Mehdi ? Obéissait-il à un autre motif que celui de servir la guerre sainte ? Par ailleurs, Nasser savait maintenant que le Dr Ahmed avait un doctorat de psychologie et non de médecine ou de chimie, comme il l'avait d'abord pensé. C'était donc un homme capable de manipuler l'esprit des plus jeunes.

Nasser jeta un regard vers la poignée de sa portière et fut saisi par l'envie de l'actionner pour fuir. Fuir ce qu'on attendait de lui, fuir ces deux hommes, fuir l'imam et son double langage. Il ne voulait pas être un martyr. Il voulait oublier le passé, la guerre, les bombes, le chauffeur de bus mort, les appels à la gloire éternelle. Il voulait recommencer tout. Changer son nom. Se réinventer. Chaque jour, des gens faisaient ça en Amérique.

« Tiens, lis ça. » Le Dr Ahmed tendit le journal à Youssef. « On a bien fait de ne pas perdre de temps.

— C'est quoi ? » demanda Nasser en les regardant dans le rétroviseur.

Youssef s'essuya la barbe et parcourut l'article que lui avait désigné le docteur, pendant que celui-ci se tournait d'un air agité pour regarder par la lunette arrière.

« Ton professeur n'est plus considéré comme un suspect, déclara Youssef à Nasser, tout en ajustant ses lunettes d'aviateur. Il paraît qu'il "collabore", mais je ne vois pas ce que cela peut vouloir dire. Comment pourra-t-il collaborer s'il ne sait rien ?

— Peut-être qu'il sait quelque chose, au contraire », répliqua le Dr Ahmed.

Pour une fois, il ne bougeait pas, ne se mouchait pas, ne tirait pas sur sa barbe ; au contraire, il restait immobile comme une pierre.

« Qu'y a-t-il, cheikh ? s'enquit Nasser. Vous avez l'air inquiet. »

Le docteur passa la langue sur ses lèvres. « Ils nous surveillent, affirma-t-il d'une voix froide.

— Qui ça ?

— Ceux du fourgon derrière nous. Ne te retourne pas trop vite. »

Sans même avoir à regarder dans le rétroviseur, Nasser sut de quel véhicule parlait Ahmed. Un fourgon blanc aux vitres teintées, immatriculé dans le New Jersey, avec un autocollant sur le pare-chocs : « NE RIEZ PAS, VOTRE FILLE EST PEUT-ÊTRE À L'INTÉRIEUR. » Il l'avait repéré en arrivant et il avait l'impression de l'avoir déjà vu. À présent, il se souvenait : c'était la veille, dans Foster Avenue, où ils avaient acheté douze gallons d'essence pour les bombes.

« Tu crois que c'est la police ? » demanda-t-il à Ahmed.

Un pesant silence tomba dans la voiture.

« Par le Prophète, il faut s'arracher d'ici ! s'exclama Youssef. Démarre, mon frère, démarre ! » Il grimaçait et se penchait en avant comme s'il allait vomir.

« Pas de panique, rétorqua calmement Ahmed. Fais le tour du pâté de maisons. On va vérifier s'ils nous suivent. »

Nasser tourna la clé de contact et déboîta lentement, alors qu'un vent fort soulevait les détritus dans la rue et poussait les nuages dans le ciel.

Il vit dans le rétroviseur le fourgon blanc s'ébranler derrière eux, puis s'arrêter au bout d'une vingtaine de mètres, comme si quelqu'un venait d'en donner l'ordre. Nasser avait l'impression de sentir sur sa peau les regards de ceux qui les observaient, invisibles derrière les vitres noires, attendant de les surprendre en flagrant délit.

« Peut-être que c'était une fausse alerte, cheikh, remarqua Youssef en jetant un coup d'œil par la lunette arrière. Ils n'ont pas l'air de vouloir nous suivre.

— Fais le tour, Nasser, et on verra bien. »

Les mains serrant fort le volant, Nasser contourna à petite vitesse le pâté de maisons. Dans le rétroviseur intérieur, il s'aperçut que le Dr Ahmed chuchotait à l'oreille de Grand Ours, puis se penchait en avant pour sortir quelque chose derrière sa ceinture. Un pistolet. Le seul qu'ils possédaient ; un automatique 9 mm que Youssef avait acheté à un dealer dominicain.

« *T'awa kaf*, dit le docteur tandis qu'ils arrivaient de nouveau en vue du garde-meuble. Arrête-toi. »

Ils se garèrent de l'autre côté de la rue, cette fois. Le fourgon du service postal était parti. Des taxis jaunes et des motos passaient, comme emportés par le vent ; mais la fourgonnette blanche était toujours là, garée un peu plus près de l'entrée de l'entrepôt.

« Pas de doute, ce sont des flics », grogna Ahmed.

S'il ne pouvait distinguer les mains du docteur, Nasser voyait que ses épaules étaient agitées de petits mouvements, comme s'il était en train de lacer ses chaussures... ou de vérifier le chargeur du pistolet.

Nasser s'aperçut qu'il avait peur d'ôter son regard du rétroviseur et de se retourner.

« Qui a pu leur dire que nous serions ici ? lança Youssef en avalant une nouvelle pilule. Je ne comprends pas.

— Pourquoi ne pas poser la question à notre chauffeur ? marmonna le docteur entre ses dents, les mains toujours dissimulées par le dossier du siège avant. C'est lui qui nous a faussé compagnie, l'autre nuit. »

Nasser regarda une fois de plus la poignée de la portière. Pourquoi avait-il laissé passer l'occasion de s'enfuir ? Pourquoi avait-il laissé passer tant d'occasions ? Son indécision l'avait toujours perdu. S'il avait su préserver en lui assez de détermination, il aurait pu agir sans même réfléchir. Il se serait enfui, ou bien aurait accepté sans broncher de sacrifier sa vie pour la cause. « Cheikh, je n'ai parlé à personne d'autre que mon ami, affirma-t-il en se tournant vers le Dr Ahmed et Youssef. Et je ne lui ai pas soufflé un mot de nos intentions.

— Ça, tu nous l'as déjà dit. » Le docteur tenait maintenant le pistolet bien en vue sur ses genoux. Tout piéton passant par là aurait pu voir l'arme.

« Je n'ai jamais trahi personne ! protesta Nasser. Et je mets ma main à couper que je dis la vérité. J'ai été torturé, quand j'étais en prison, et... »

Il allait mourir, il en était sûr. Soit le docteur lui tirerait une balle dans la tête, soit il serait tué comme le docteur et Youssef dans une fusillade avec les policiers du fourgon.

« Alors, dis-nous comment ils savaient qu'on viendrait ici ? » rétorqua Youssef.

Son bon ami, son frère Youssef, la « figure paternelle », qui le lâchait une fois de plus !

« Je ne sais pas, dit Nasser, le cœur battant et le regard implorant. Ils nous ont peut-être suivis.

— Personne ne nous a suivis, affirma Ahmed en couvrant son arme de son autre main. Ils étaient déjà là quand nous sommes arrivés.

— Attends un peu, intervint Youssef. C'est bien ta sœur qui a loué le garde-meuble pour nous, pas vrai ? »

Nasser eut l'impression que le ciel s'assombrissait soudain. « C'est vous qui m'avez demandé de la charger de ça. Jamais ma sœur n'appellerait la police !

— Alors, comment ont-ils su ? insista le docteur. Ils n'ont pu l'apprendre que par elle ou par toi. Lequel de vous deux nous a dénoncés ? »

Nasser, médusé, regarda en direction du fourgon et relut machinalement l'autocollant : « NE RIEZ PAS, VOTRE FILLE EST PEUT-ÊTRE À L'INTÉRIEUR. » Dans son esprit, le mot « fille » se transforma en « sœur ». Elizabeth, appeler la police ? Cela lui paraissait impossible ; mais elle avait toujours eu deux visages pour lui, un qu'il connaissait bien et un autre qui lui était étranger...

« Mais à qui elle aurait pu parler ? dit-il d'une voix blanche.

— Peut-être à ce professeur – celui qui "collabore", si on en croit le journal. » Youssef roula le *Tribune* pour le brandir comme un bâton. « Est-ce que tu ne t'inquiétais pas parce que ce type tournait un peu trop autour d'elle ?

— Mais oui, renchérit le docteur. Peut-être qu'il a couché avec elle et en a fait sa chienne. »

Nasser avait la sensation d'avoir été brutalement plongé dans une eau glacée. Il levait les yeux vers la surface, mais n'entendait plus les voix. Quelque chose faisait écran entre lui et le monde.

« Non, ce n'est pas possible... Ce n'est pas possible ! répéta-t-il.

— C'est toi ou elle. » Le Dr Ahmed haussa les épaules. « Et, si c'est elle, cela signifie qu'elle a déshonoré sa famille et qu'elle mérite la mort.

— Ce n'est pas elle », affirma mollement Nasser.

Il se sentait la proie d'émotions si fortes qu'il craignait de voir son cœur se déchirer littéralement. L'idée de sa sœur copulant avec Fitzgerald lui était insoutenable. Il ferma les yeux dans l'espoir d'échapper à ses pensées.

« Si ce n'est pas elle, c'est toi, repartit le docteur. Et tu devrais crever comme un chien et brûler en enfer pour l'éternité. Que la honte soit sur ta famille. Eux aussi devraient mourir comme des chiens.

— Ce n'est pas moi ! s'écria Nasser.

— Alors, prouve-le ! cria Ahmed. Allez, démarre ! On va faire sauter le lycée. Sans plus attendre.

— Et le matériel dans le garde-meuble ? demanda Youssef d'une petite voix. Il nous a coûté presque 3 000 dollars.

— On s'en fout ! » Le docteur s'adossa à la banquette en balayant l'air de la main. « Nous n'avons pas le temps de fabriquer les bombes à essence. Mais nous avons assez de dynamite à l'appartement pour une grosse *hadduta*. Il ne nous faudra pas plus de deux heures pour monter un interrupteur manuel sur le détonateur. Ne perdons plus de temps.

— Mais, cheikh, protesta Youssef, je n'ai jamais dit que je voulais être un *shaheen*. J'ai une femme et des enfants...

— C'est la volonté d'Allah ! lui hurla le docteur. Lui seul nous guide. Voudrais-tu t'opposer à Sa volonté ?

— Non, cheikh », répondit Grand Ours, résigné à filer doux.

La nouvelle pétrifia Nasser. Il n'aurait ni le temps ni le moyen de faire quitter le lycée à Elizabeth avant qu'ils n'arrivent avec la bombe. Et s'il s'insurgeait ou réclamait un délai, le docteur n'hésiterait pas à le tuer, et peut-être à tuer ensuite Elizabeth. Nasser tenta de se rappeler la scène sur le parking, quand il avait vu sa sœur en compagnie de Fitzgerald. Elle avait le visage et le corps tournés vers ce maudit professeur. On aurait dit une fleur, offerte au soleil...

Si jamais elle avait accueilli ce salaud dans son ventre, alors elle méritait cent fois la mort !

« Allez, démarre ! » La voix du docteur le fit sursauter.

« On va devoir semer le fourgon, mais sans rouler trop vite ou brûler des feux. Pas question de se faire arrêter par des flics pour excès de vitesse. Ce n'est pas le moment de commettre une nouvelle erreur stupide.

— Et si c'était la volonté d'Allah, qu'on se fasse arrêter ? dit Nasser.

— Roule, et tais-toi », répliqua Ahmed.

62

David passa tôt, ce matin-là, à son ancien appartement dans la 98e Rue Ouest, pour remettre à Renee ses 400 dollars hebdomadaires et conduire Arthur à l'école. En venant, dans le métro, il avait remarqué que les gens ne s'écartaient plus de lui lorsqu'il montait dans une rame. Soit les articles dans la presse du matin l'avaient racheté aux yeux du public, soit le monde l'avait oublié. En tout cas, l'air semblait plus pur, plus respirable et rempli de possibilités.

À l'intérieur de l'appartement, toutefois, l'atmosphère était plus tamisée. Renee traînait encore en peignoir, et un tas de boîtes en carton jouait les constructions cubistes dans l'entrée. Les rideaux du salon étaient à moitié tirés, et la radio dans la cuisine diffusait de la musique symphonique.

« Que se passe-t-il ? demanda David. Quelqu'un est mort ?

— "La foudre éclaire le monde, répondit Renee d'une voix lointaine. Et je suis plus fidèle que je ne voulais."

— Quoi ?

— "Aujourd'hui, la foudre éclaire le monde". » Elle s'assit dans l'ombre de Margot Fonteyn. « "Il est temps de souffler nos chandelles."

— *La Ménagerie de verre*, déclara David, reconnaissant le texte. Mais n'est-ce pas le fils qui dit ça, et non l'une des femmes de la pièce ?

— Qu'est-ce que ça peut faire ? » Renee porta un doigt à ses lèvres. « Les mots ne sont que des mots. »

Jetant un coup d'œil autour de lui, David remarqua que les meubles avaient été remis en place et qu'un ordre inhabituel régnait dans le salon, qui paraissait plus grand, avec son tapis presque trop propre. On aurait dit que Renee avait nettoyé l'appartement de fond en comble dans un accès de maniaquerie, puis s'était écroulée, préférant désespérer plutôt que persévérer. David repéra deux petites valises en toile, près des cartons dans le vestibule.

« Tu t'en vas quelque part ? s'enquit-il, craignant qu'elle ne quitte New York avec Arthur.

— Non, pas moi, répondit-elle. Je ne vais nulle part.

— Renee, que se passe-t-il ? » répéta David en s'asseyant à côté d'elle. « Ce devrait être un grand jour pour nous tous. Tu ne connais pas la nouvelle ? Elle s'étale en première page dans tous les journaux : je ne suis plus suspecté.

— Félicitations, dit-elle sans le regarder. Je devrais être heureuse pour toi.

— Oui, en théorie, tu devrais.

— Les journalistes n'ont pas arrêté d'appeler dès le lever du jour. Ils voulaient tout savoir à ton sujet, déclara-t-elle en croisant et décroisant les doigts. Il y en a deux qui m'ont demandé si je démentais ce que j'avais dit sur toi.

— Et qu'est-ce que tu leur as répondu ?

— Que ç'avait été une terrible erreur. » Elle se gratta la jambe, puis sortit son paquet de cigarettes de la poche de son peignoir. « Et que je regrettais d'avoir parlé de toi de cette façon.

— C'est gentil à toi.

— Je ne suis pas gentille. » Elle se leva et alluma une cigarette. « Je ne suis pas méchante non plus, mais je déconne tout le temps. »

Ce n'était pas une excuse. Rien qu'un constat.

Il regarda de nouveau autour de lui et releva comme une odeur de roses fanées sous celle de la fumée de cigarette. Mais peut-être s'imaginait-il des choses. Il n'avait pas encore eu le temps de se détendre, en rejoignant le reste des humains. Il se méfiait du sentiment de soulagement. Il était toujours dans l'état d'esprit d'un homme s'attendant à être frappé par la foudre.

« Où est Anton ? demanda-t-il.

— Il n'est pas là.

— Je n'ai encore jamais vu un musicien se lever si tôt...

— Il ne s'est pas levé tôt, dit-elle. Il a fait ses valises, et il dégage vendredi. Il a trouvé un ami pour l'héberger en attendant.

— Oh ? » fit David en coulant un regard vers les cartons dans l'entrée.

Elle tira une longue bouffée, comme si la fumée lui apportait le réconfort.

« Il a décidé de partir sans nous à L. A., expliqua-t-elle. Il s'est dit que le juge Nemerson retarderait la décision concernant la garde d'Arthur, parce que tu as été innocenté. Il a dit qu'il en avait assez de toute cette histoire, que ça n'en finirait jamais.

— Notre divorce ?

— Je crois qu'il parlait plutôt de moi, de ce que je suis. »

Ses mots dérivèrent dans la fumée et le silence de la pièce. Elle s'assit de nouveau à côté de lui.

« Que voulait-il dire par là ? demanda David.

— Probablement qu'il n'y aurait jamais de fin heureuse avec moi, répondit-elle d'un ton égal. Si on trouvait une solution à tous mes problèmes, je me dépêcherais d'en créer d'autres. » Elle tourna vers lui ses yeux cerclés de rouge sous une cascade de mèches rousses. « Mais c'est une chose que tu sais depuis longtemps. »

Il sortit de sa poche le chèque, et le posa sur la table basse.

« Je suis désolé.

— Tu n'envisages pas de revenir t'installer ici, n'est-ce pas ? questionna-t-elle, mais elle secoua la tête avant même qu'il lui réponde.

— Je ne pense pas que ce serait une bonne idée. »

David avait peine à croire que, quelques semaines plus tôt, il nourrissait encore l'espoir de pouvoir renouer avec elle le lien défait. Ce rêve était mort. Elle avait raison : il n'y aurait jamais de happy end pour elle. Elle se consumait de malheur et brûlait quiconque s'approchait trop près d'elle.

« J'aimerais emmener Arthur à l'école ce matin, dit-il. Je sais que ça n'entre pas dans notre accord, mais...

— Ça me va. » Elle leva la main d'un air conciliant. « Tu auras peut-être plus de chance que moi pour le faire sortir de sa chambre, aujourd'hui. »

Il se leva et alla frapper à la porte de la chambre d'Arthur.

Cette matinée ne se passait pas comme elle aurait dû. Ça aurait dû être son retour sous le soleil. Il s'était imaginé portant

Arthur sur ses épaules dans Broadway, une horde de cameramen dans leur sillage. La partie la plus difficile à jouer viendrait un peu plus tard, quand il devrait accompagner Elizabeth au FBI.

« Hé ! camarade, sors de là ! » N'obtenant pas de réponse, David essaya la poignée. « Je suis venu te chercher pour faire le tour de la victoire.

— Sauve-toi, papa ! dit la voix du garçon derrière la porte fermée. Sauve-toi, ils sont toujours après toi !

— Arthur, tout va bien. » David actionna de nouveau la poignée, plus inquiet que fâché. « Le plus mauvais est passé, à présent. »

Le silence persistant, il poussa plus fort la porte, mais rencontra une ferme résistance, Arthur avait dû la coincer avec l'une de ses petites chaises en bois.

David sentit son cœur se serrer. Bon Dieu, son fils n'allait pas suivre les traces de sa mère ! Il ne pourrait pas le supporter.

« Arthur, plus personne ne nous fera du mal, je te le jure. Les méchants sont partis. »

Il y eut un silence, suivi d'un tapement de petits pas agités. Que faisait-il ? Allait-il se barricader encore davantage ? David posa le front contre le battant, pensant que ce serait le comble de l'ironie qu'il ait été trop occupé à sauver sa propre peau pour s'apercevoir que son fils était en train de couler.

« Je t'en prie, petit ! reprit-il. J'ai fait tout ça pour toi. Et si tu ne viens pas maintenant, ça n'aura servi à rien. Je sais que c'est difficile à comprendre, mais je veux juste... » Il marqua une pause, ne désirant pas étourdir l'enfant sous une avalanche de mots. « Je veux juste t'accompagner à l'école. Fais-moi confiance. Tout ira bien. »

La porte s'entrouvrit, et un petit œil vert apparut. « Tu me promets ?

— Si jamais quelqu'un nous suit, je le coupe en deux avec mon sabre. »

Cette fois, la porte s'ouvrit en grand pour révéler un Arthur en pantalon kaki mis à l'envers, chemise en flanelle rouge et tennis enfilées sur les mauvais pieds. Sa chambre était un chaos, comme s'il s'y était déroulé un championnat de désordre pour désaxés.

« Où est ton sabre ? questionna Arthur.

— On ira le chercher. » David prit le garçonnet par la main et l'entraîna dans le salon.

Il serait temps, quand ils arriveraient en bas, de revoir la mise d'Arthur avant de l'emmener déjeuner. Pour le moment, David désirait seulement quitter cet appartement sur lequel planait toujours l'ombre de la folie.

« Tiens, voilà ton sac, mon chéri. » Renee vint vers eux avec le cartable d'Arthur à la main. « J'y ai mis ton inhalateur, pour que tu n'oublies pas. »

Elle se pencha et serra longuement Arthur dans ses bras. Puis elle se redressa et, se hissant sur la pointe des pieds, embrassa David sur la joue.

« Je suis contente que tu puisses de nouveau prendre soin de notre fils », lui murmura-t-elle à l'oreille.

Il posa sa main sur l'épaule de Renee et la regarda un instant. La cigarette et l'inquiétude commençaient à dessiner de nouvelles rides sur son visage. Et les pilules qu'elle prenait pâlissaient l'éclat de ses yeux. Il l'imagina soudain telle qu'elle serait durant les prochaines années : chahutée au gré de ses humeurs, traînant toute la journée chez elle, plongée dans une mélancolie croissante. Il espérait qu'elle ne finirait pas dans la rue, mais il se sentait impuissant à détourner la trajectoire de cette femme qu'il avait aimée.

« Je ne vais pas m'améliorer ? lui demanda-t-elle, comme si elle avait deviné ce qu'il pensait.

— Je ne sais pas. »

Il prit Arthur par la main, alors qu'elle leur ouvrait la porte. Je sauve mon fils, pensa David. D'accord, tu ne seras pas celui qui a arraché à la mer déchaînée la belle jeune fille, ni celui qui marque le but de la victoire. Mais tu seras celui qui emmène son fils à l'école le matin.

« Essaie de te faire du bien, Renee. »

Il sortit dans le hall avec son garçon et laissa la porte se refermer derrière eux.

63

Tout en observant M. Fitzgerald occupé à recevoir les félicitations et les accolades de ses collègues et de ses élèves, Elizabeth, assise dans un coin du réfectoire, repensait à l'histoire de son père et de sa traversée du Jourdain. L'eau vive courant sur les cailloux et son enfance disparaissant derrière lui. C'était ce sentiment qu'elle éprouvait à son tour, aujourd'hui. Comme si un fleuve la séparait du reste du monde.

Plus tard, dans l'après-midi, M. Fitzgerald l'emmènerait de l'autre côté de l'Hudson pour la présenter aux hommes du FBI. Les agents fédéraux auraient voulu qu'elle vienne dès ce matin, mais les avocats de M. Fitzgerald lui avaient conseillé d'attendre, jusqu'à ce qu'ils aient négocié un accord lui garantissant l'immunité.

Elle avait la gorge serrée à la pensée de ce que tout cela ferait à son père. Elle avait eu envie de s'ouvrir à lui, la nuit précédente, mais n'en avait pas trouvé le courage. Son seul fils était un terroriste qu'une de ses filles s'apprêtait à dénoncer à la police. Tout ce que son père avait désiré dans la vie, c'était un travail et un foyer pour sa famille. Maintes fois, il lui avait confié son rêve : s'il travaillait assez dur et si Allah lui accordait Sa bienveillance, il pourrait peut-être bâtir une autre maison dans les environs de Bethléem : il aurait tant aimé y finir ses jours et mourir à l'ombre d'un oranger, entouré de ses enfants et de ses petits-enfants !

À présent, ce rêve n'avait plus aucune chance de se réaliser, et il ne le savait même pas. Elle balaya du regard la salle grande comme un terrain de basket, où cinq cents élèves bavardaient et plaisantaient. Ils appartenaient à un monde dont elle ne ferait jamais vraiment partie. Ce jour était supposé être « Journée bleue ». Idiot, en vérité ! Il n'y avait ni fête ni événement à célébrer, comme Halloween ou le jour de l'an. C'était juste une mode lancée par un DJ sur WBLS, et tout le monde devait porter quelque chose de bleu. Merry Tyrone avait donc des lacets bleus sur ses tennis blanches, et Seniqua Rollins, un sweat-shirt bleu marine. Elle-même n'avait pas changé sa tenue : T-shirt noir et pantalon vert. De toute façon, se plier à un tel jeu lui semblait trop frivole en de pareilles circonstances.

Elle ouvrit son livre et essaya de se perdre dans *Une histoire de deux villes*, mais elle avait l'esprit bien trop parasité pour se laisser emporter par les mots. Pourquoi les femmes, dans la plupart des romans, devaient-elles faire des sacrifices dans le plus grand secret, alors que les hommes pouvaient se lancer dans de longs discours juste avant qu'on leur passe la corde autour du cou ?

« Comment ça va ? demanda M. Fitzgerald, qui s'en revenait de faire le tour des tables.

— Ça peut aller. » Elizabeth se passa la langue sur les lèvres, et marqua la page de son livre avant de le refermer. « Je suis un peu sur les nerfs. J'ai faim, mais je ne peux rien avaler. »

Elle n'avait pas touché à son poulet ni à sa purée de pommes de terre.

« Écoute. » Il s'accroupit à côté d'elle. « Je ne peux pas te parler longtemps, de crainte que ça paraisse louche. Les agents du FBI sont dehors, prêts à nous emmener en ville dans deux heures... Je voulais juste m'assurer que tu étais toujours d'accord. »

Elle hocha la tête. « J'ai bien réfléchi, et je veux que les autorités m'hébergent dans un hôtel jusqu'à ce que mon frère soit arrêté. Je ne pourrais pas supporter de le voir, sachant ce qui l'attend par ma faute. Est-ce que pour vous cela fait de moi une lâche ? »

Il secoua doucement la tête. « Non, affirma-t-il.

— Moi, je pense le contraire.

— Voyons, s'il y a quelqu'un de lâche, ici, c'est moi.

— Pourquoi dites-vous ça ? »

David jeta un regard autour de lui, et constata qu'ils faisaient l'objet d'une attention grandissante. Il se releva.

« Nous en reparlerons dans la voiture. Je veux que nous soyons tous deux conscients de nos responsabilités, et des conséquences qu'elles auront. Je ne veux pas être celui qui aura nui à ton avenir. »

Elle leva vers lui un regard incertain. « Je ne crois pas que vous puissiez jamais me nuire », répliqua-t-elle en rouvrant son livre.

Il était un peu moins de 13 heures quand Nasser arriva au lycée en compagnie de Youssef et du Dr Ahmed. À un moment, durant ces dernières heures, alors qu'il était transformé en bombe humaine, le bourdonnement dans ses oreilles était devenu si fort qu'il n'entendait presque plus rien.

Ses pensées prenaient maintenant un cours inattendu. Il était là, devant les marches du lycée, et il s'interrogeait sur la notion de l'honneur en cette fin de siècle. Les bâtons de dynamite appuyaient durement sur ses côtes, et l'adhésif lui tirait la peau dans le dos. Était-ce vraiment la meilleure façon de mourir, que d'exploser en mille taches de sang ?

Le Dr Ahmed poussa le premier la porte d'entrée. Le vigile noir au pantalon bien repassé avait été relevé par deux hommes blancs, qui se tenaient près du détecteur de métaux. Des agents du FBI. Nasser les reconnut aussitôt. Ils avaient la même coupe en brosse que Calloway, celui qui l'avait déjà interrogé. Le type posté à gauche avait les cheveux blond sable et les yeux bleus, comme le soldat israélien dans l'histoire que racontait son père. Dès qu'il aperçut Nasser et les deux autres, il dégagea l'un des pans de son blouson, comme s'il s'apprêtait à sortir son arme.

Nasser sentit une vibration dans ses tympans. « S'il vous plaît, s'entendit-il prononcer, je suis venu déposer mon inscription chez le proviseur. »

Oui, ce qu'il s'apprêtait à commettre était une noble et juste action.

Yeux Bleus regarda son collègue, un type chauve à l'air banal.

« Hé, Don, déclara-t-il, appelle sur le talkie, pour leur dire qu'on a des visiteurs. »

L'air parut s'épaissir et se figer. La main de Yeux Bleus avait disparu sous le blouson, alors qu'il s'avançait vers eux, le bruit de ses talons claquant à l'unisson du cœur de Nasser.

« Excusez-moi, messieurs, dit-il avec une politesse formelle. Avez-vous une pièce d'identité ? »

Nasser vit le Dr Ahmed et Youssef échanger un regard. Ces hommes, qui avaient déjà risqué leur vie pour le djihad, attendaient tellement de lui ! L'existence en ce monde n'est qu'un passe-temps. La récompense arrive plus tard. Nasser se rappelait ces paroles et s'efforçait d'y croire. Peut-être l'action lui apporterait-elle enfin la foi. Un héros ne fait rien d'autre que se sacrifier pour les autres. Tout le monde apprend ça à l'école.

« Oui, bien sûr, répondit le Dr Ahmed. Voici nos papiers. »

Il porta la main à sa ceinture et, sortant son pistolet, fit feu avant qu'aucun des deux hommes ait eu le temps de réagir. Il leur tira à chacun une balle dans la tête et, pour faire bonne mesure, une balle dans la poitrine.

David, qui n'avait pas quitté le réfectoire, s'entretenait de manière amicale mais distante avec Henry Rosenthal quand les trois hommes entrèrent. Et il sut immédiatement que non seulement les circonstances mais la texture même de sa vie allaient changer.

Le premier était chauve, grand et fort, et le bas de son visage disparaissait sous une épaisse barbe grisonnante. Il traversa rapidement la salle pour prendre position devant l'issue de secours. Le deuxième était barbu, lui aussi, mais plus petit, avec un long visage chevalin et un complet noir bon marché et sans cravate ; il semblait très nerveux, comme s'il venait de passer une demi-journée dans la salle d'attente d'un médecin. Le dernier à entrer fut Nasser Hamdy, de retour au lycée, arborant l'expression à la fois féroce et lointaine d'un homme chargé d'une mission.

Passant devant David, Nasser alla se planter devant sa sœur, assise seule à une table. Ce n'étaient pas des yeux de frère aimant qu'il fixait sur elle, mais un regard vengeur et punitif. Ensuite, il parut prendre une décision. Il grimpa sur la chaise à côté d'Elizabeth puis sur la table au plateau de Formica, et écarta brutalement les pans de sa chemise.

Pendant quelques secondes, il se tint là, surveillant la grande salle à manger, les bras étendus en croix et son torse étroit dénudé, à l'exception d'une vieille clé accrochée à une chaîne de cou et de cinq gros bâtons de dynamite maintenus autour de sa taille par un adhésif. On aurait dit qu'il annonçait : Approchez et venez voir l'Incroyable Bombe Humaine de Coney Island.

Un vent de panique déferla sur la salle. Cinq cents élèves se levèrent en criant, prêts à fuir.

David avait l'impression qu'on venait de lui cisailler la calotte crânienne pour lui ôter la cervelle. Qu'est-ce que je fous ici ? Il jeta un regard en direction de l'entrée principale, à quinze mètres de lui : l'homme au visage chevalin avait sorti un pistolet, et il venait de l'abattre en travers du visage de Tisha Cornwall, qui l'avait bousculé pour passer. La jeune fille tomba à terre, le nez et la bouche en sang, tandis que son agresseur levait fièrement son arme, prêt à tirer sur quiconque essaierait de recommencer. À l'autre bout de la salle, le grand chauve s'adossait à l'issue de secours. Il ne brandissait aucune arme, mais son expression menaçante indiquait qu'il en avait une.

La peur lui fouaillant le ventre, David tentait de réfléchir. Si quelqu'un attaquait Nasser, celui-ci actionnerait l'interrupteur du détonateur accroché à sa ceinture, tuant tous ceux qui se trouvaient autour de lui. Par ailleurs, si les gosses fonçaient tous ensemble vers la porte, le petit barbu ferait usage de son arme, provoquant une bousculade dont beaucoup ne se relèveraient pas vivants – et la bombe exploserait de toute façon.

« Viens, espèce d'enculé de ta mère ! beuglait Seniqua à Nasser, une main sur son gros ventre. « Descends de ta table, qu'on te la fasse bouffer, ta bombe ! »

Merry Tyrone la retenait par les épaules en pleurant. Kevin Hardison sautillait derrière elle en hurlant à Nasser : « Arrive, pédé ! Arrive ! »

Nydia Colone priait à genoux près d'une table. Obstreperous Q, Ray-Za et cinq autres garçons étaient accroupis dans un coin, manifestement prêts à allier leurs forces pour foncer sur les trois babouins.

Le cœur battant, la gorge sèche, David réalisa qu'il devait intervenir avant que tout n'explose au sens propre... la violence de ses mômes et la bombe de ces trois fanatiques. Personne ne le ferait à sa place, ses chers collègues tapis sous les tables moins que tout autre. Il grimpa un peu gauchement sur l'une des tables voisines de celle de Nasser, leva les mains et beugla : « SILENCE, TOUT LE MONDE ! »

Les voix moururent, chacun se figea et se tut. Nasser baissa un peu les bras. Même les deux hommes stationnés chacun à un bout de la salle levèrent la tête vers David, intéressés par ce qu'il pouvait annoncer.

Mais David, qui suait déjà à grosses gouttes sous la montée d'adrénaline, n'avait pas la moindre idée de ce qu'il devait dire à présent. Il ne possédait en mémoire aucune expérience de ce type. Tout ce qu'il avait, c'étaient quelques mots de son père : « *Il ne se passe rien et puis, soudain, tout se déchaîne.* »

« Que viens-tu faire ici ? » cria-t-il à Nasser.

Mais ce fut le petit homme au pistolet qui répondit : « Nous sommes ici parce qu'il n'y a pas d'autre moyen d'attirer votre attention ! Vous êtes trop occupés à regarder la télévision ! Les musulmans souffrent à travers le monde entier, et vous vous en foutez ! Vous soutenez nos oppresseurs, parce que vous êtes des lâches et des hypocrites ! Et avec ça, vous vous prenez pour des héros ! »

Il parcourut des yeux la salle, cherchant des signes de compréhension sur les visages tournés vers lui. Puis, comme il ne récoltait que des expressions hermétiques, il tenta de se faire mieux comprendre.

« Si vous habitiez une ville où seuls les Blancs avaient le droit de travailler et de posséder des biens, vous crieriez au racisme ! lança-t-il. Mais ça ne vous empêche pas d'approuver l'oppression que nous, les musulmans, subissons. Et vous l'approuvez parce que ce pays s'est fondé sur le racisme et l'esclavage des Noirs, et sur le génocide des Indiens. Et c'est vous qui avez inventé le terrorisme en lançant deux bombes atomiques sur le Japon, tuant des centaines de milliers de femmes et d'enfants ! Si nous utilisons à notre tour les bombes, c'est parce que vous ne connaissez pas d'autre langage ! »

Il était inutile d'essayer de parlementer avec cet homme, pensa David. Il était de ceux qui n'ont d'autre raison d'être ni identité que celles que leur fournissent la violence et la guerre.

Mais Nasser était probablement plus accessible. Il était jeune, et peut-être ne s'était-il pas encore transformé en monolithe de rage inébranlable.

« Pourquoi fais-tu cela, Nasser ? demanda David en se tournant vers le jeune homme, à trois mètres de lui. C'est ta propre sœur qui est ici. Et les autres sont tes amis. Pourquoi leur ferais-tu du mal ?

— Ce ne sont pas mes amis ! cria Nasser. Et ma sœur est une putain, et c'est à cause de vous ! »

David vit Elizabeth fermer les yeux, comme pour nier la réalité de ce qui se passait. Seniqua brandit un poing noir en direction de Nasser, tandis que de tous les autres enfants montait un sifflement menaçant. Il était certain qu'à la moindre occasion ils sauteraient sur leurs visiteurs et les massacreraient. David comprit aussitôt le message et leva les mains en signe d'apaisement, redoutant qu'une action kamikaze d'une de ces têtes brûlées n'aboutisse à un carnage.

« Nasser, je ne suis pas une putain, dit enfin Elizabeth en levant un visage douloureux vers son frère. Mon cœur est aussi pur que le tien. »

Nasser la regarda, sa poitrine étroite se soulevant sous les bâtons de dynamite. « Alors, pourquoi ? Pourquoi m'as-tu trahi ? Pourquoi faut-il que ça se passe ainsi ? Pourquoi... ? »

Pendant une seconde, la voix brisée de Nasser émut dangereusement David. Par quelles souffrances était passé ce garçon pour en arriver là ? Mais la vision du corset d'explosifs excluait toute compassion.

« Ça suffit ! cria le petit barbu, essayant de reprendre le contrôle de la situation. Tous ceux et celles qui sont musulmans, dehors – sauf la sœur ! Vous porterez le message à vos frères. Les autres ne bougent pas. »

Il y eut de-ci de-là des mouvements précipités, et une douzaine d'élèves se rassemblèrent près de la porte que gardait l'homme armé. Il y avait parmi eux Ibrahim Yassin, d'origine égyptienne ; Fatima Fayyad, une jeune Libanaise ; Mohammed Azzam, d'Irak. Et, se faufilant au milieu d'eux, Amal Lincoln et Yuri Ehrlich.

À les voir se tenir là, David sentit l'espoir l'abandonner. Tous les autres étaient destinés à mourir. Cette conscience de l'inéluctable le frappa comme une rafale de vent. Non, tu te trompais, ta vie ne devait pas s'achever dans un bus en flammes. Cette fois-là n'était qu'un exercice préparatoire. Tu étais destiné à finir ici, dans ce réfectoire, au milieu de tes élèves.

Il serra les poings, révolté par ce sentiment d'impuissance.

Allons, fais quelque chose. Un combattant combat. Un écrivain écrit. Un enseignant enseigne.

« Nasser, ce n'est pas le bon chemin que tu prends. Tu n'es pas obligé de te sacrifier. Pense à toi...

— Pense à toi ! Pense à toi ! répéta le petit homme d'un ton moqueur, tandis qu'il poussait dehors ceux qui étaient musulmans. C'est la grande différence entre vous et nous : vous ne pensez qu'à vous-même. Nous, nous pensons aux autres gens, nous pensons à Dieu. C'est quelque chose que vous ne pouvez pas comprendre. Pour vous, nous ne sommes qu'une bande d'Arabes assez fous pour se faire sauter eux-mêmes. Vous ignorez qu'il y a des hommes prêts à donner leur vie pour quelque chose de plus grand...

— D'accord, d'accord, j'ai compris », l'interrompit David en levant la main.

Il jeta un regard en direction du troisième homme, qui bloquait l'issue de secours et donnait quelques signes d'agitation, après ce discours sur le sacrifice. Peut-être n'était-il pas prêt à s'immoler au nom de son Dieu. Peut-être que le discours de son frère de combat allait au-delà de ce qu'il était convenu entre eux. Néanmoins, il ne semblait pas décidé à quitter son poste.

Aussi David se tourna-t-il de nouveau vers Nasser, tout en tentant de puiser en lui-même ce qu'il lui restait de courage. « Tu sais, Nasser, dit-il, moi non plus je ne pense pas qu'à moi. J'ai ici des gens auxquels je tiens... des gens que je dois protéger. »

Il se tut, se demandant s'il aurait le cran d'aller jusqu'au bout de l'idée qui s'imposait à lui. Il balaya du regard ses élèves : Seniqua et sa grossesse agressive, Kevin avec sa chemise à rayures, Elizabeth sans ses rollers... Des gosses qui, d'une façon ou d'une autre, lui avaient accordé leur confiance. Oui, c'était à eux qu'il devait songer.

« Moi aussi, je suis prêt à faire un sacrifice », ajouta-t-il d'une voix lente, tandis qu'au-dessus d'eux, dans le gymnase, quelqu'un faisait rebondir un ballon de basket.

En dépit de sa volonté, Nasser ne put s'empêcher de regarder David.

« Tu laisses tout le monde partir, et je reste, reprit David. C'est ça, mon sacrifice. » Il embrassa la salle d'un geste du bras. « C'est eux, mon peuple.

— *Yin an deen nekk !* hurla le petit homme en pointant son

pistolet en direction de David. Il ne t'écoutera pas. Il sait que tu joues avec son esprit.

— C'est toi qui as le pouvoir, lança David à Nasser sans le quitter des yeux. Tu peux changer la donne. Tu obtiendras la même répercussion médiatique si tu laisses tous les autres sortir, et qu'il n'y ait que toi et moi pour sauter avec le lycée... Allez, ils ne t'ont rien fait, laisse-leur une chance de s'en sortir ! Soyons les seuls à payer, toi et moi. »

Mais, bien sûr, ils ne seraient pas les seuls : quelques heures plus tôt, David avait sorti son fils de sa chambre, l'avait pris par la main, et lui avait promis que tout irait bien désormais.

À présent, il trahissait cette promesse, et cela le déchirait. Il n'existait pas de sacrifice, il y avait toujours quelqu'un pour en souffrir.

« Ma vie contre leurs vies, reprit-il, s'efforçant de ne pas céder à ses émotions. Allons, je suis prêt. Pas toi ? »

Le petit homme au visage chevalin et le grand chauve se mirent en chœur à invectiver Nasser en arabe. *« Wala al noor ! Wala al noor ! »*

Sur son perchoir, Nasser commençait à donner des signes de nervosité. Il ne savait plus dans quelle direction porter les yeux, et son regard allait d'Elizabeth au petit barbu en passant par David.

« Allez, Nasser, laisse sortir ta sœur ! insista David. Elle n'a rien fait de mal. Réglons cette affaire entre nous. Je t'attends. »

Le seul fait de dire ces mots lui serrait le cœur. Que feraient Arthur et Renee sans lui ?

« Wala al noor ! Wala al noor ! » Le petit homme, frénétique, faisait signe à Nasser de déclencher le détonateur. *« Ya habela ! »*

« Viens, ajouta David en tendant sa main à Nasser et en avançant jusqu'à l'extrémité de la table, tel un pirate prêt à aborder le vaisseau ennemi. Je serai à côté de toi, et nous pourrons nous tenir les mains quand la bombe éclatera. C'est quand tu veux. Tout ce que je te demande, c'est de laisser les autres partir. »

Il sentait son cœur battre à tout rompre dans sa poitrine.

« *Askat !* continuait de crier le petit barbu, les veines de son cou gonflées d'une rage meurtrière. *Wala al noor ! »*

Mais Nasser évitait à présent de tourner les yeux vers son cheikh. Son regard allait des horribles murs verts aux élèves et des plats de nourriture refroidissant sur les tables aux chaises renversées, puis revenait furtivement sur sa sœur et sur David.

Il était terrifié lui-même, et certainement pas prêt à obtempérer aux ordres de ses compagnons, réalisa David. Il fallait continuer de faire pression sur lui.

Nasser avait l'impression que sa tête allait éclater. Le professeur qui ne cessait de lui dire de penser à lui-même, et qui demandait à mourir avec lui. Es-tu prêt ? Es-tu prêt ? Et le Dr Ahmed qui lui hurlait d'appuyer sur le contact... Comme attiré par un aimant, son regard se porta une fois de plus sur sa sœur.

Pendant toutes ces années, il n'avait vraiment vu d'elle que certaines facettes. À présent, il lui semblait la percevoir dans sa totalité, et cette vision l'effrayait jusqu'au plus profond de lui-même. Il voyait aussi sa mère, son père, ses demi-sœurs, le bébé qui était mort avant sa propre naissance, ses ancêtres du Monastère des Rameaux, et les enfants dont il ne serait jamais le père. Enfin, il voyait son propre avenir exploser. Soudain, il lui sembla insupportable de détruire tout cela, d'effacer toute trace de sa famille. Il eut le sentiment que, s'il allait au bout de son action, ce serait l'univers entier qu'il troublerait. Il masquerait les étoiles, assécherait la terre, et rien ne repousserait jamais. « Et toi, Nasser, est-ce que tu rêves encore ? »

Était-ce vraiment la volonté d'Allah ?

« Allons, Nasser, ne sais-tu pas que c'est... *haram* ? » dit David, se rappelant le mot qu'il avait entendu dans la bouche du frère et de la sœur.

Nasser arqua les épaules et passa ses mains dans le dos, comme s'il avait là un autre détonateur. À cette vue, tous les élèves se jetèrent à terre, certains avec rage, d'autres avec effroi.

Puis le temps parut ralentir, et le silence s'installa dans la salle. Nasser ramena son bras plié devant lui, et David perçut le bruit distinctif de la bande adhésive qui se décollait de la peau par saccades. Plusieurs guirlandes de chatterton pendirent aux doigts de Nasser, alors qu'il les écartait de son ventre – et avec elles les bâtons de dynamite.

Réagissant instinctivement, David sauta de la table et se plaça devant Elizabeth, faisant de son corps un bouclier.

Cette fois, le temps se figea. La gorge trop serrée pour articuler un seul mot, David tendit le bras vers Nasser, lui faisant signe pour le forcer à baisser les yeux vers lui et à rétablir le contact. Le jeune homme, qui avait presque entièrement détaché la bombe de son torse, répondit enfin à l'attente désespérée de David. Quand il regarda son ancien professeur, son visage n'exprimait plus que du soulagement. Il ne voulait plus être le martyr qu'on attendait qu'il soit : il avait choisi de vivre. Il ne voulait même plus tenir cet engin de mort.

David posa un pied sur le banc et tendit les mains tout en se demandant ce qu'il ferait de la bombe. Il redoutait que le contact ne se fasse entre les deux fils du détonateur. Ne valait-il pas mieux laisser aux artificiers le soin de manipuler la chose ?

Mais le lien qui s'était rétabli entre Nasser et lui fut brutalement rompu. Un coup de feu retentit dans la salle, et la lumière s'éteignit soudain dans les yeux de Nasser. Il s'affaissa d'abord sur un genou devant sa sœur, un jet de sang jaillissant de sa tempe gauche.

Elizabeth poussa un hurlement, tandis que son frère s'écroulait sur la table. Son cri déclencha une panique générale ; les élèves bondirent sur leurs pieds et se ruèrent vers l'autre bout du réfectoire, fuyant le petit homme, qui venait de tirer.

David tenta de rester auprès d'Elizabeth, penchée au-dessus de son frère. Mais le petit homme au pistolet s'approchait à présent d'eux, le visage déformé par la haine et l'arme pointée devant lui.

Jetant un regard par-dessus son épaule, David vit que les élèves se piétinaient les uns les autres pour tenter de s'enfuir par l'issue de secours. Le grand chauve avait disparu dans la mêlée, mais il devait opposer une résistance farouche, car la porte était toujours fermée.

Pendant ce temps, le petit homme continuait d'avancer en grognant. Elizabeth couvrit son frère de son corps. Elle avait déjà compris ce que David réalisait avec un léger retard : le tueur venait pour la bombe, pour déclencher le détonateur et faire tout sauter.

David se porta en avant, alors que le goût métallique de la peur emplissait sa bouche.

Le petit homme pointa son arme sur le visage de David, le sommant de s'écarter du chemin. David ne bougea pas. Pourtant, il ne désirait pas rejouer les héros. Son seul désir était de retrouver une vie normale et paisible... mais il était trop tard.

À six mètres, l'homme fit feu.

David ressentit sous son œil gauche une violente piqûre, suivie d'une douleur derrière la tête. Il tituba en arrière, et le petit homme passa à côté de lui dans l'intention d'atteindre la bombe. David avait l'impression qu'une vrille lui transperçait le crâne. Jamais il n'avait eu aussi mal. Mais, presque de manière inconsciente, il parvint à s'arracher à la souffrance et, dans un dernier sursaut d'énergie, à saisir le petit homme par l'épaule, pour le tourner vers lui et le frapper au visage.

Sous l'effet de la surprise plus que de la force du coup, l'homme trébucha et perdit l'équilibre. Se sachant au bord de l'évanouissement, David se jeta aussitôt sur le tueur et le fit tomber à la renverse en s'accrochant à lui. Pendant une seconde, il se sentit peser de tout son poids sur son adversaire, puis sa vision s'obscurcit, et il n'entendit plus rien.

Mais, comme il revenait à lui presque aussitôt, il eut conscience d'un martèlement de pieds se rapprochant rapidement de lui : la horde folle des élèves accourait à son secours. Des mains le soulevèrent du petit homme et, tandis qu'il roulait sur le côté, une pluie de coups de pied et de coups de poing vengeurs s'abattit sur le tueur.

« Appelez mon fils, appelez mon fils. Que quelqu'un appelle mon fils et ma femme, et leur dise que je vais bien... »

Sur le parking, vingt-cinq minutes plus tard, David commençait à glisser dans une espèce de délire. Il avait perdu beaucoup de sang et il entendait les commentaires inquiets des médecins au sujet de l'écoulement de ses oreilles. Il y avait des ambulances, des voitures de police, des hélicoptères dans le ciel, et la meute habituelle des chiens de presse, mais, oh ! qu'est-ce qu'il s'en foutait, maintenant !

« Que quelqu'un appelle mon fils... »

Des flashes d'appareils photo l'aveuglaient toutes les cinq secondes. Des sirènes hurlaient au loin. Il était allongé sur une civière, et autour de lui s'activaient des hommes forts en chemise blanche et blouson bleu. L'un d'eux, un jeune Noir avec un regard plein de bonté, lui tenait la main en souriant.

« Ne t'inquiète pas, mec. On ne va pas te laisser mourir. »

David essaya de se redresser. « Qui a parlé de mourir ?

— Aucune importance. » Le jeune type le repoussa doucement, puis s'assura que l'aiguille de perfusion tenait bien en place.

D'autres silhouettes se matérialisaient devant lui. Des agents du FBI, des journalistes, des cameramen. Le bruit s'intensifiait. David remarqua du coin de l'œil deux autres corps allongés sur des civières. Le petit homme et le grand chauve ; tous deux avaient le visage en bouillie et râlaient légèrement. David espéra qu'on ne les mettrait pas dans la même ambulance que lui. Deux ambulanciers passèrent dans son champ de vision, portant un long sac de plastique noir... le cadavre de Nasser.

« Qui vous a tué ? » demanda quelqu'un. Il reconnut vaguement la voix de Judy Mandel.

Qui m'a tué ? Mais je ne suis pas encore mort ! Quelqu'un lui posait des attelles gonflables sur la jambe, et David marmonna qu'il n'avait rien de cassé. En dépit des analgésiques qu'on lui avait injectés, la douleur était encore vive dans son crâne. Il se tourna et aperçut Elizabeth Hamdy qui s'éloignait en compagnie de Jim Lefferts, le sous-directeur du FBI.

« Que quelqu'un appelle mon fils... »

Donna Vitale apparut soudain devant lui. Elle devait être quelque part ailleurs dans le bâtiment, quand les terroristes avaient fait irruption dans le réfectoire.

« Que dis-tu ? lui demanda-t-elle.

— Que quelqu'un appelle mon fils. Qu'on lui dise que je vais bien. » Il avait du mal à articuler, tant la douleur était forte.

« D'accord, je vais appeler ton fils. »

Elle allait lui prendre la main, lorsque l'inspecteur Noonan l'attrapa par le coude et la repoussa vers le cercle des curieux.

D'autres flashes crépitèrent. Pourquoi utilisaient-ils des flashes, alors qu'il faisait grand jour ?

David eut envie de rappeler Donna. Elle n'avait pas le numéro d'Arthur. Et elle ne savait pas ce qu'il avait voulu dire par « Je vais bien ». Il n'était pas du tout sûr d'aller bien, en vérité. Avec toutes ces lumières clignotant à l'intérieur de sa tête, il comprenait qu'il était plutôt mal en point. Mais il voulait que son fils sache par ces mots qu'il n'aurait plus jamais à avoir honte de son père.

Il essaya de se relever sur un coude pour faire signe à Donna, de façon qu'elle revienne et qu'il lui explique tout ça. Trop tard : les calmants venaient enfin de l'envelopper dans une douce et chaude couverture. Mais Donna saurait sûrement ce qu'il avait voulu dire.

« Tu penses qu'on peut l'emmener, maintenant ? questionna une voix au-dessus de lui.

— Mieux vaut tard que jamais. »

David se sentit soulevé et transporté sur un coussin d'air, comme dans un rêve. Il allait de-ci de-là. Et les gens lui tiraient son portrait au passage. Dans un éclair de conscience, il vit un microphone se balancer au-dessus de lui et il entendit la voix de Sara Kidreaux, qui lui demandait : « David, avez-vous un commentaire à faire sur ce qui vient de se passer ?

— Va... te faire... foutreee... »

On l'enfourna dans une ambulance. La portière claqua. Puis ils se mirent à rouler, et la texture des choses changea. Les lumières et le bruit du chaos de la ville accompagnaient sa course immobile vers un vaste et vide espace noir.

David ferma les yeux et se revit, grande perche maigrelette courant sous l'arc que traçait dans l'air la balle éclairée par la lumière d'un soleil couchant – courant, courant de toutes ses jambes pour l'amour de sa famille et de ses amis, plongeant dans l'herbe couleur de champagne, l'attrapant du bout de son gant, cette balle, et la brandissant bien haut dans l'air du glorieux soir d'été, pour que tout le monde la voie.

64

Cher Monsieur Fitzgerald,

Merci de votre gentil mot, que m'a transmis l'agent Lefferts à ma nouvelle adresse – une adresse que je n'ai pas le droit de vous communiquer, vous le comprendrez.

Je suis heureuse de savoir que vous allez mieux. J'ai prié pour vous chaque jour, quand vous étiez dans le coma, en même temps que je priais Allah.

Je ne sais pas trop quoi dire de toutes ces choses terribles qui se sont passées au lycée. Mon père me dit qu'il n'y a de Dieu qu'Allah, que tout ce qui arrive sur terre est soumis à Sa volonté, et que nous devons donc l'accepter – même si cela signifie la destruction de notre famille. D'un autre côté, vous m'avez appris à penser comme un individu, et à prendre mes responsabilités. Aussi, maintenant, je ne sais plus tellement ce qu'il faut croire. Peut-être était-ce la volonté d'Allah que Nasser soit tué, que vous soyez gravement blessé et que ma famille doive vivre cachée. Peut-être tout cela est-il ma faute, parce que je suis mauvaise. Je n'arrête pas de me dire que j'aurais pu détourner le cours du destin, si je n'avais pas été aussi aveugle concernant mon frère, si je n'avais pas autant tardé à intervenir. Par ailleurs, la manière dont tout cela a fini m'emplit d'une grande tristesse. J'ai le cœur gros, et je n'aurai peut-être pas assez de ma vie pour comprendre toute cette histoire.

Je n'ai pas encore pris ma décision en ce qui concerne le collège. Les conditions dans lesquelles je dois vivre à présent rendent encore plus difficile le choix à faire. Mais je sais aussi que vous teniez beaucoup à ce que je poursuive mes études. Alors, Inch'Allah, car personne ne sait de quoi sera fait demain.

Je reviendrai peut-être très bientôt à Brooklyn pour les fêtes, quoique les agents fédéraux avec lesquels je suis en contact m'aient demandé de ne pas dire quand ni où, à cause du procès des amis de mon frère qui doit s'ouvrir bientôt. Si Dieu le veut, je vous reverrai peut-être. Sinon, sachez que vous aurez toujours une place particulière dans mon cœur, et Dieu puisse vous sourire dans Sa grande bonté.

Très sincèrement à vous,

Elizabeth Hamdy

Par une chaude journée d'avril, David Fitzgerald était assis sur le canapé dans la salle d'attente de son kinésithérapeute, s'efforçant pour la dixième fois de tirer un sens de l'écriture bleue parfaite qui couvrait la feuille blanche.

« La volonté de Dieu ». « Mon frère ». « Le cœur gros ». La balle qui avait pénétré dans la tête de David lui avait laissé d'imprévisibles dysfonctionnements depuis qu'il était sorti du coma, juste avant Thanksgiving. Les mots pouvaient flotter à la périphérie de sa conscience, telles des pièces de puzzle, avant qu'il réussisse à les assembler.

Il ne cessait de revenir sur les mots qu'Elizabeth avait eus pour parler de sa tristesse. Sa propre vie n'avait pas été facile, durant ces derniers mois. Il avait perdu l'usage de son bras droit et avait besoin d'une canne pour marcher. Pis encore, des migraines intermittentes constituaient un trop lourd handicap pour qu'il continue d'enseigner. Ses deux visites au lycée depuis qu'il avait commencé sa thérapie en décembre avaient été de grotesques humiliations. Il voulait qu'on se souvînt du solide et inventif professeur qu'il avait été. Pas qu'on le voie comme un estropié incapable d'articuler la moindre parole. Tout le monde se montra content de le revoir. Larry Simonetti lui serra la main ; et Michelle, la secrétaire, lui pinça gentiment la joue – mais David se rendit parfaitement compte qu'il leur inspirait de la peur. Ce n'était pas seulement à cause de sa claudication ou de la marque qu'avait laissée la balle sous son œil gauche. C'était ce qu'il leur rappelait : la violence et la mort. Ils désiraient ne plus le revoir, mais n'osaient l'admettre. Et ils lui reprochaient secrètement ces sentiments de malaise et de rejet qu'il suscitait en eux.

En compensation, l'administration lui avait accordé une pension d'invalidité qui suffisait largement à ses besoins, et puis il voyait Donna. Renee, elle, avait continué de se désintégrer. Elle avait déjà fait plusieurs séjours hospitaliers et essayé une demi-douzaine de traitements depuis le début de l'année. David partageait avec elle, quand elle le pouvait, le soin d'élever Arthur. À la vérité, il n'avait d'autre raison de vivre que son garçon et le temps qu'il passait avec lui ; mais la nuit, après une journée à visiter les musées, il écoutait avec angoisse la respiration un rien sifflante de l'enfant endormi dans le petit lit voisin.

Lui aussi éprouvait cette tristesse dont parlait Elizabeth. Il avait passé tous ces derniers mois avec le cœur gros. Il avait envie de la revoir, ne serait-ce que pour la remercier et lui dire qu'elle n'était en rien responsable de ce qui était arrivé. Il avait besoin d'un dernier contact avec elle. Tout au long de ses séances de rééducation, avec des balles en caoutchouc et des exercices d'équilibre, David réfléchit au moyen de retrouver la jeune fille. Ce ne serait pas facile. Il ne l'avait pas revue depuis cette journée d'horreur : elle et sa famille avaient bénéficié aussitôt après du programme de protection du FBI. Il lui avait écrit en passant par le Bureau, pour lui faire savoir qu'il allait bien et lui demander quels étaient ses projets. Mais la réponse qu'il avait reçue le laissait perplexe et frustré.

« La volonté de Dieu ». Comment pourrait-il donc reprendre contact avec elle ? Elle disait qu'elle serait très bientôt à Brooklyn pour les fêtes. Pour Pâques ? David avait du mal à concevoir qu'une musulmane fête la résurrection du Christ. Mais, une semaine plus tard, il entendit à la radio que Id al-Adha, la « fête du sacrifice », donnerait lieu à un grand rassemblement sur la promenade de Coney Island, le mardi suivant, où seraient attendus des milliers de musulmans venant de toute l'agglomération new-yorkaise.

« La volonté de Dieu ». Peut-être lui signalait-elle qu'elle serait là, mais que c'était à lui d'aller la chercher ? Il hésitait, et pas seulement à cause du risque qu'il pouvait y avoir à tomber sur des militants islamistes amis de ceux que la police avait arrêtés dans les milieux intégristes musulmans. Il avait surtout peur que ce voyage à Brooklyn ne lui révèle ses propres limites.

Le fait même de prendre le métro exigerait du courage et de la volonté. Et s'il s'égarait, dans un accès de confusion mentale ? S'il n'arrivait pas à garder son équilibre, dans les voitures bringuebalantes ? D'un autre côté, s'il parvenait jusqu'à Coney Island seul comme un grand pour retrouver Elizabeth, cela prouverait qu'il avait le cran nécessaire pour continuer à vivre.

Sitôt après manger, le mardi suivant, David enfila une vieille veste en laine, car l'air était vif en cette belle journée, puis il entreprit le long et complexe changement de trains pour se rendre de Upper West Side au terminus de Brooklyn.

À peine était-il descendu à la station de Stillwell Avenue qu'il entendit la voix du muezzin jaillissant des haut-parleurs près de Steeplechase Pier.

« Allah akbar ! Allah akbar ! »

David s'approcha de ce qui ressemblait au rêve d'un peuple qui lui était étranger. Des milliers d'hommes sans chaussures agenouillés sur des tapis de prière, tournés vers l'est, avec, dans leur dos, la vieille tour rouillée du saut en parachute restée dans l'ancien parc d'attractions qui longeait la plage et, un peu plus loin, les vagues écumantes de l'Océan.

Quelque part en David, la peur se réveilla à la pensée que c'était un musulman qui lui avait tiré dessus, faisant de lui un handicapé. Mais allait-il passer le restant de ses jours dissimulé derrière des préjugés, et descendant des trains sitôt qu'il repérerait une tête coiffée du chèche ou du turban ?

Les prières s'achevèrent, David suivit la foule qui se rendait au parc d'attractions d'Astroland. Il y avait assez de gens pour remplir un petit stade : des femmes âgées voilées qui semblaient arriver de la route de Damas, de jeunes hommes en cravate qui travaillaient peut-être à Wall Street, de vieux pères de famille aux visages las, des fillettes mutines coiffées de foulards blancs. Apparemment, les associations musulmanes avaient loué le parc pour la journée. Les haut-parleurs diffusaient de la musique arabe traditionnelle, ce qui changeait singulièrement de l'habituel pot-pourri disco des années 80. Les dessins de femmes nues qui décoraient la maison hantée de *L'Enfer* de Dante avaient été masqués par des bâches. La foule s'éparpilla autour des attractions. Des femmes portant le haïk se poursuivaient au volant d'autos tamponneuses. Des enfants hurlaient avec délice dans les montagnes russes du Cyclone. Des hommes au visage dur portant le keffieh palestinien enfourchaient les chevaux de bois des manèges. Des gens ordinaires profitant de ce jour de fête pour prendre du bon temps.

David ne voyait nulle part Elizabeth, mais il lui semblait sentir sa présence. Il déambulait parmi la foule en éprouvant une étrange sensation de renouveau. Il était déterminé à la retrouver.

À présent qu'il avait fait tout ce chemin, l'honneur lui interdisait d'abandonner. Il devait reprendre contact avec elle une dernière fois et lui faire savoir que tout allait bien.

Au bout de vingt minutes environ, il aperçut finalement une jeune fille qui attendait son tour de monter dans la grande roue. Mais elle se trouvait à une trentaine de mètres de lui, et avec ses difficultés pour voir de loin il ne pouvait être sûr que c'était elle.

Elle portait une longue robe noire informe et le *hijab* blanc, et se tenait dans la file réservée aux femmes. David l'appela, le brouhaha ambiant couvrit sa voix. Le soleil et la foule bruyante commençaient à le fatiguer, et il éprouvait une légère sensation de vertige. Il avançait avec peine, espérant de tout son cœur qu'il n'allait pas s'évanouir.

Il dépassa un stand de souvenirs et vit la jeune fille qu'il ne quittait pas des yeux ajuster son foulard. Était-ce Elizabeth ou pas ? Il s'arrêta, l'appela de nouveau, puis réalisa soudain que s'il ne se trompait pas, si c'était bien elle, là, à une dizaine de mètres, elle avait radicalement changé. Le *hijab* blanc, ce long sac noir pour vêtement, la file réservée aux femmes. Elle faisait peut-être acte de pénitence pour se faire pardonner le drame dont elle se tenait pour partie responsable.

Il avait envie de lui dire que tout allait bien, qu'elle ne devait pas s'en vouloir. Mais peut-être ne pouvait-il plus l'atteindre, désormais. La religion la lui avait ravie. Quelque chose d'autre la poussait en avant...

La grande roue s'arrêta et la file des femmes se mit à avancer. Puis, sans que rien ne le laisse présager, la jeune fille se retourna et regarda David. Comme si elle avait su depuis un bon moment qu'il était là. Un sourire apparut lentement sur son visage à travers le haïk.

David comprit qu'il ne devait pas s'approcher davantage : elle le voyait depuis l'autre côté du fleuve, et c'était bien. Plus qu'un simple repentir. Elle n'avait plus le cœur gros. Et maintenant, lui aussi savait qu'il pouvait rentrer chez lui.

Il lui fit un signe de la main, mais elle s'était déjà détournée pour avancer et monter dans l'une des cabines de la grande roue.

Et il resta là, près de la billetterie, à observer l'ange-femme qui s'élevait au-dessus des stands de hot dogs, des magasins de literie de la promenade et des cités-dortoirs un peu plus loin, dans la lumière crue d'un bel après-midi de Coney Island.

Remerciements

Ceci est une œuvre de fiction. Comme tous les New-Yorkais le savent, il n'existe pas de lycée à Coney Island.

J'aimerais remercier les auteurs dont les ouvrages ont été pour moi de précieuses sources d'informations : *Understanding Islam*, de Thomas W. Lippman, deuxième édition revue et corrigée (Meridian, New York, 1995) ; *Two Seconds under the World*, de Jim Dwyer, David Kocieniewski, Diedre Murphy et Peg Tyre (Crown, New York, 1994) ; *Cry Palestine : Inside the West Bank*, de Said K. Aburish (Westview Press, Boulder, Colorado, 1993).

Je suis également très reconnaissant envers Izzat al-Ghazzawi, directeur du syndicat des écrivains palestiniens, pour m'avoir généreusement accordé son temps et dispensé ses connaissances durant mon séjour dans le Moyen-Orient. J'adresse un grand merci à Jennifer Goldberg, du lycée Edward R. Murrow ; et, bien entendu, à mon oncle Arthur. S'il y a une quelconque erreur dans les faits ou l'interprétation, la responsabilité en revient à l'auteur de ce roman.

J'aimerais enfin remercier Marcy Rutterman, Sandra Abrams, Don Roth, Jim Murphy, Midge Herz Kosner, Ken Wasserman, Hubert Selby Jr., Lenore Braverman, Nasser Ahmed, Jeffrey Goldberg, Alyson Lurie, Kim Bonheim, Gail Reisin, Jarek Ali, David Ignatius, Dan Ingram, le Dr Charles Stone, Bart Gelmann, le Dr Bernard Sabella, Carol Storey, Daniel Max, Doug Pooley,

Eric Pooley, Sonny Mehta, Alice Farkouh, Larry Joseph, Allen Leibowitz, Joe Gallagher, Fatima Shama, Guy Renzi, Donald Sadowy, J. J. Goldberg, Jim Yardley, Joyce London, Sarah Piel, Lori Andiman, Mel Glenn, Ari Mientkovich, Chiara Colletti, Michael Siegel, Larry Schoenbach, Naomi Shore, Caroline Upcher et Joanne Gruber.

Enfin, je voudrais faire part de ma reconnaissance à mon ami et agent, Richard Pine, et à mon éditeur, Michael Pietsch, pour m'avoir d'abord aidé à écrire ce livre puis m'en avoir fait écrire un meilleur.

Impression réalisée sur CAMERON par

BUSSIÈRE CAMEDAN IMPRIMERIES

GROUPE CPI

à Saint-Amand-Montrond (Cher)
en février 2002

N° d'édition : 3723. N° d'impression : 020808/1.
Dépôt légal : février 2002.

Imprimé en France